JANINE LATUS

ALS IK VERMIST OF DOOD BEN

VAN HOLKEMA & WARENDORF
Unieboek BV, Houten/Antwerpen

Oorspronkelijke titel: *If I Am Missing or Dead*
Vertaling: Ans van der Graaff
Omslagontwerp: Wil Immink
Opmaak: ZetSpiegel, Best

www.unieboek.nl
www.ifiammissingordead.com

ISBN 978 90 475 0165 7 / NUR 320

Copyright Dutch translation © 2008 by Uitgeverij Unieboek bv, Houten
Copyright original English edition © by Janine Latus
This edition is published by arrangement with the original publisher,
Simon & Schuster, Inc., New York.

Voor Amy

Opmerking aan de lezer

Sommige van de namen en feiten in dit boek zijn veranderd, maar de gebeurtenissen die worden beschreven, zijn naar mijn beste herinnering echt zo gebeurd.

Gij zult geen slachtoffer zijn. Gij zult geen dader zijn.
En bovenal zult gij geen omstander zijn.

— INSCRIPTIE IN HET HOLOCAUST MUSEUM,
WASHINGTON D.C.

De meesten van ons zouden liever beweren altijd al perfect te zijn geweest dan toe te geven hoezeer we zijn gegroeid.

— TIM TYSON, *BLOOD DONE SIGN MY NAME*

9 juli 2002

Twee maanden geleden ben ik bij mijn man weggegaan en nu ben ik voor het eerst in jaren bang noch boos. Mijn hart is licht. Mijn carrière bloeit. Mijn kind is gelukkig. Het leven is vol mogelijkheden.

Ik sta met een vriend te praten als mijn mobiele telefoon gaat.

'Janine?' zegt mijn zus Jane. 'Heb jij iets van Amy gehoord?'

'Nee,' zeg ik. Mijn huid begint meteen te tintelen door de adrenaline. 'Wat is er?'

'Ik ben gebeld door Kimberly-Clark. Amy is al drie dagen niet op haar werk verschenen.'

Mijn ogen schieten naar de man die naast me staat.

'Wat is er aan de hand?' vraagt hij.

'Hij heeft haar vermoord,' zeg ik in de telefoon. 'Die klootzak heeft haar vermoord.'

Mijn vriend kijkt geschrokken en schudt dan zijn hoofd.

'Ik weet het,' zegt Jane zacht. 'Maar we dénken het niet.'

Ik kijk de kamer rond. Mijn hart bonkt.

We mogen dat nog niet denken. Ik begrijp het. Als we het toestaan de vorm aan te nemen van een gedachte, is het misschien wel waar. En dat zou ik niet kunnen verdragen.

1

Amy wordt als vechtster geboren, zes weken te vroeg en een spichtige vijf pond. Haar bloed komt niet overeen met dat van mam, dus vervangen de dokters het. Ze laten het oude eruit en tegelijk het nieuwe erin lopen. Ze krijgt niettemin een hartstilstand. Dus duwen ze op haar piepkleine borstkas en blazen ze lucht in haar mini-longen tot ze begint te krijsen, en sturen haar daarna naar huis om ons gezin van zeven te vervolledigen.

Het is 1965 en het is de derde keer dat mijn ouders met baby's en de dood te maken krijgen. De eerste keer was in 1960, toen ik mijn moeder voor het ochtendgloren wakker maakte, huilend om een flesje. Met vier maanden en vier dagen was ik een echte Gerber-baby met blauwe ogen, het evenbeeld van mijn vader. Aan de andere kant van de kamer sliep mijn exacte evenbeeld, mijn tweelingzusje Janette. Een paar weken eerder had onze foto de voorpagina van de krant gehaald toen een glimlachende burgemeesterskandidaat ons voor de camera's omhoog had gehouden. Hij had zich later beklaagd over de pluisjes die onze dekentjes op zijn zwarte pak hadden achtergelaten.

Mijn moeder legde haar hand op Janettes rug om haar ademhaling te controleren. Toen riep ze om pap, die meteen aan kwam rennen. Hij blies lucht in haar mond en duwde op haar borst, maar het was te laat. Janette was dood. Haar hart was gestopt door een verdwaalde luchtbel of een elektrische hapering. Wiegendood. Oorzaak onbekend.

Amper een jaar later beviel mam van Pat. Ze was een maand te vroeg en aan de lichte kant met vijf en een kwart pond, maar binnen enkele dagen verkondigde de plaatselijke krant dat moeder en dochter thuis waren en het prima maakten. Tien dagen later stond mam echter in de keuken een flesje op te warmen toen er plotseling bloed langs haar benen omlaag liep. Het stroomde door haar kleren heen en vormde een plasje op de vloer. Een ambulance bracht haar met loeiende sirene naar het ziekenhuis. Dokters zetten het voeteneind van haar bed hoger en plaatsten een zuurstoftent over haar hoofd. Door de plastic tent heen hoorde ze de gedempte stemmen van mijn vader, de dokters en verpleegsters, maar ze kon niet antwoorden. Ze hoorde ook het akelige gezang van de priester die haar de laatste sacramenten toediende. 'God, de vader van barmhartigheid, heeft zich door de dood en verrijzenis van Zijn Zoon weer met de wereld verzoend en de Heilige Geest onder ons gestuurd om onze zonden te vergeven; moge God u door de bediening door de Kerk genade en vrede schenken.'

Ze bleef bloeden, tot ze was leeggebloed, tot haar hart niets meer had om rond te pompen, tot het stil bleef staan.

'Ik vergeef u uw zonden, in de naam van de Vader, de Zoon en de Heilige Geest. Moge de almachtige God u door de heilige mysteriën van onze bevrijding verlossen van alle straffen in dit leven en het volgende. Moge Hij de poorten van het paradijs voor u openen en u verwelkomen in eeuwigdurende vreugde.'

De minuten voelden als uren terwijl de artsen probeerden het weer aan het pompen te krijgen. Toen reden ze haar met bed en al snel de operatiekamer in. Ze schraapten de binnenkant van haar baarmoeder schoon en gaven haar een half dozijn zakken bloed. Toen ze eindelijk thuiskwam, moest ze drie maanden in bed blijven, terwijl haar kinderen zeurden om aandacht.

Als volwassene vraag ik mijn vader waarom hij mam telkens zwanger bleef maken terwijl het zo zwaar voor haar was.

'Hebben jij en je man seks?' vraagt hij.

Ik aarzel en probeer te beslissen of en wat ik zal antwoorden.

'Natuurlijk,' zeg ik uiteindelijk.

'Dan weet je het,' antwoordt hij. 'Mannen hebben... behoeftes.'

Tegen de tijd dat Amy een peuter is, wonen we in Kalamazoo, in een huis met twee verdiepingen met als erfafscheiding een stel van de grote esdoorns waar de straat haar naam aan dankt. Er is een afgeschermde veranda aan de voorkant en een brandtrap naar de meisjesslaapkamer, die ons allemaal angst aanjaagt. Dus zetten we onze stapelbedden ervoor als bescherming tegen spoken.

Steve is de oudste en hij heeft het meeste verantwoordelijkheidsgevoel. Al op zijn zevende vestigde hij zijn reputatie binnen de familie door met Pasen op te merken: 'Als we geen orde op zaken stellen kunnen we geen lol maken.' Ik verafgood hem, meestal van een afstandje, maar soms springen mijn zussen en ik op zaterdagmiddag op zijn rug als hij languit op het tapijt sport ligt te kijken, in de wetenschap dat hij zelfs dan voorzichtig zal zijn en ons alleen van zich af zal gooien op kussens of zachte vloerkleden, en de harde randen en hoeken van tafels en boekenkasten zo goed mogelijk zal mijden.

Na Steve komt Jane met haar bruine ogen en engelengezichtje, die zich op de middelbare school met haar tenen vastklampt aan de evenwichtsbalk en weigert eraf te vallen. Ze slaagt door pure wilskracht. Ik draag Janes afleggertjes en kruip bij haar in bed als het onweert.

Dan kom ik. Ik ga naar balletles in plaats van pianoles en doe liever aan toneel dan aan sport. Ik realiseer me pas later dat ik het klassieke middelste kind ben, dat ik doe wat ik kan om aandacht te krijgen. Ik ben niet zo goed als de oudste twee en niet zo leuk als de jongste twee, dus probeer ik vooral anders te zijn.

Na mij komt Patty, en dan Amy, slungelig en met blauwe ogen, de enige met een massa krullen, die ons voortdurend achterna loopt en probeert bij te houden.

Mijn vader is op een katholieke, volle-kerkbank-manier trots op zijn gezin. Zijn kinderen zitten op aflopende grootte, Steve in een gestreken overhemd met nepdasje, de meisjes in jurken met pofmouwtjes en kanten sluitertjes, met schuifspeldjes in onze haren vastgezet. Mijn moeder is ook trots. Knap en met rechte rug houdt ze Amy – altijd de baby – op haar schoot. Daar zitten we dan met onze patentleren schoenen te zwaaien en soms te schoppen, terwijl de priester, zwierend met zijn wierookvat, in geborduurd brokaat door het middenpad loopt en de wierook in onze ogen prikt.

Pap verkoopt verzekeringen voor Metropolitan Life. Mam is gediplomeerd verpleegster, maar blijft thuis bij ons kinderen; ze wast en vouwt en haalt tassen vol boodschappen. Mijn oom Sandy woont een poosje bij ons in het souterrain, zijn bed, een stalen kleer-

kast en een vloerkleed afgeschermd door een gordijn. Op zondag-
ochtend denderen we de trap af en springen boven op hem terwijl
hij zijn roes van zaterdagavond probeert uit te slapen. Hij is onze
favoriete oom, vooral omdat hij bij ons woont, maar ook omdat hij
een kei is in het maken van fietsen met kapotte spaken en rolschaat-
sen zonder verstelsleutels. Hij repareert Amy's favoriete loopspeeltje
zonder dat ze het hem hoeft te vragen, maar haalt er wel meteen de
ratelende ballen uit die zoveel lawaai maken dat hij er hoofdpijn van
krijgt. Als hij aan het werk is, tot zijn ellebogen onder de smeer van
de auto's van andere mensen, springen we op zijn bed en proberen
we een glimp op te vangen van de *Playboys* die hij boven op zijn
kleerkast heeft verstopt. Naderhand leggen we altijd, schuldig giechelend, zijn dekens en kussen weer netjes recht.

In de zomer hebben we 's avonds nauwelijks de tafel afgeruimd of
we verdwijnen al de straat op om blikje te trappen of vlag veroveren
te gaan spelen. De oudere kinderen worden door de ouders gedwongen om kleintjes als wij te laten meespelen. In de winter spelen we
koning van de heuvel op de harde sneeuwhopen, of bouwen we
iglo's van de sneeuw die de sneeuwploegen op de stoep achterlaten.

Het jaar dat ik naar de kleuterschool ga, rijden we met het hele
gezin in de stationcar naar Borgess Hill. Het is de steilste en gladste
heuvel in de stad en we kruipen met zoveel mogelijk op de slee; ik
voorop, Pat achter me, Jane weer achter haar en dan oom Sandy.
Steve rent er achteraan. Hij duwt ons en springt erop als we naar
beneden suizen en de wind de kreten uit onze monden wegrukt.
Halverwege slaan we om. De stalen glijder van de slee gaat over
mijn laars heen en breekt mijn enkel. Wekenlang moet Steve, die
vier jaar ouder is, me op diezelfde slee naar school trekken, mijn
gips in een plastic broodzak zodat het niet nat wordt. Op een dag
stopt hij boven op een heuvel en geeft hij de slee een duw, zodat ik
als in een rodelbaan tussen de sneeuwbanken door omlaag stuif.

Als ik zeven ben ligt de sneeuw zo hoog dat automobilisten oranje piepschuimballen boven op hun antenne steken, zodat ze elkaar
kunnen zien aankomen bij een kruispunt. Wij kinderen graven een
tunnel van ons huis naar dat van de buren en graven ons dan een
weg terug naar huis voor warme chocolademelk. Onze drijfnatte
dassen en wanten laten we in de gang liggen.

Met kerst gaan we elk jaar in de rij staan, van oudste naar jongste. Amy staat op haar tenen en is zelfs dan niet groot genoeg om haar sok aan een van de haken boven de haard te hangen. 's Zomers poseren we weer, rondom het bord van de camping of het nationaal park waar we dat jaar zijn, met onze beagle Penny voor ons. 'Neem jij die foto maar niet,' zegt pap tegen mam. 'Jij hakt altijd bij iedereen het hoofd eraf.'

Tegen de tijd dat ik twaalf ben, wonen we in Haslett, Michigan, waar ik me de hele zomer loop te vervelen, experimenteer met blauwe oogschaduw en met rode vlekken in mijn elleboogholte rondloop omdat ik heb geoefend met zoenen.

Het eerste weekend van september krijgt mam zo'n hevige uitslag dat ze naar de dokter moet. Haar hele lichaam zit onder de galbulten. Ze kan nauwelijks ademhalen. Later komen we erachter waarom. Zonder dat iemand het wist heeft ze een sollicitatiegesprek gehad bij een dokterspraktijk. Pap verdient niet veel, de rekeningen stapelen zich op, wij blijven maar groeien en hebben nieuwe kleren, schoenen en steeds meer eten nodig, en verdient zij bovendien geen bevestiging? Verdient zij tenslotte geen respect, een loonstrookje en erkenning voor haar intelligentie, opleiding en vaardigheden?

Toch raakt ze zo gespannen bij het vooruitzicht het aan pap te moeten vertellen dat ze er galbulten van krijgt.

Pap sputtert tegen.

'Ik heb de baan dus,' zegt mam.

'Wauw,' zeg ik.

'Cool,' zegt Steve.

We kijken allemaal naar pap.

'Vergeet niet dat je hier ook nog verantwoordelijkheden hebt,' zegt hij.

Ik pas op bij de Johnstons, verderop in de straat. Gemakkelijke kinderen die vroeg naar bed gaan, een kleuren-tv en allerlei snacks. Zoals veel gezinnen in de buurt kwamen de Johnstons naar ons huis om te vragen of een van de meisjes kon oppassen, en mijn ouders zeiden dat ik dat met plezier zou doen – zonder het eerst aan mij te vragen.

Om tien voor zes zeg ik mijn vader en moeder gedag, die zich aan het klaarmaken zijn voor een feest van de country club. Morgen ga ik met mijn vriendinnen naar het winkelcentrum om warme pretzels met mosterd te eten en posters van de Partridge Family te bekijken. Ik spaar voor een glow-in-the-dark-kralengordijn dat ik vorige week bij Spencer Gifts heb gezien.

'Acht uur is bedtijd,' zegt mevrouw Johnston. 'Ze hoeven niet in bad, maar je moet ze wel helpen hun tanden te poetsen.'

Tegen mij voegt ze er zachtjes aan toe: 'Het is geen probleem als ze er pas om halfnegen in liggen, hoor. En als ze slapen, kun je uit de koelkast pakken wat je wilt. In de broodtrommel liggen koekjes en ik heb ook cola voor je gehaald.'

Ik ben dol op die kinderen en wil er zelf zo later ook wel een paar; mollig, zacht en schattig. Ze houden mijn vingers stevig vast terwijl we in de tuin naar kevertjes en paardenbloemen kijken. We zwaaien hun ouders uit en gaan naar binnen, waar de kinderen me tackelen en we stoeiend en lachend over de vloer rollen, verstoppertje en tikkertje spelen.

Om acht uur loods ik hen naar hun slaapkamer, help hen in hun pyjama's en dan gaan we de badkamer in om tanden te poetsen.

'Alsjeblieft, nog één keer het monster,' smeekt de jongste.

'Wat?' zeg ik, en ik richt me in mijn volle lengte van één meter drieënvijftig op. 'Wil je het monster?'

En daarop stamp ik op hen af, mijn handen hoog geheven, mijn vingers als klauwen gebogen. Ze rennen gillend en lachend weg en ik achtervolg ze de gang door en de woonkamer in. We liggen weer te stoeien als de deur opengaat en meneer Johnston binnenkomt.

Ik lig gehavend en blozend op de vloer.

'Ik ben iets vergeten,' zegt hij, en loopt langs ons heen naar zijn slaapkamer.

De kinderen en ik kijken elkaar aan en dan springen ze weer boven op me, zwaai ik met mijn armen en gil ik zogenaamd onder hun aanval.

Meneer Johnston komt zijn slaapkamer uit en kijkt op ons neer.

'Ik ben benieuwd of de oppas tegen kietelen kan,' zegt hij.

Hij gaat op handen en knieën zitten en de kinderen springen schreeuwend op zijn rug. Ik kruip opzij om hen de ruimte te geven, maar even later zit hij boven op me. Hij duwt zijn erectie tegen mijn bekken, wrijft die tegen me aan. Ik voel zijn drankadem op mijn gezicht, in mijn oor. Hij beweegt tegen me aan zoals een man bij een vrouw doet, maar ik ben nog maar een kind.

Heel even ben ik verlamd.

Hij wil me pakken, denk ik.

Ik kan geen ademhalen, kan mezelf niet bevrijden.

Ik ga naar de hel.

Ik duw met mijn handpalmen tegen zijn borst, probeer mijn voeten op de grond te zetten zodat ik kracht kan zetten om onder hem uit te wringen. Het lukt niet.

Geef hem een knietje.

Dat was het. Dat moesten we volgens de gymjuf doen als we werden aangevallen. Hem een knietje geven waar het iets uithaalt, al had ze er nooit bij verteld waar mijn knie dan tegenaan moest komen. Ik heb echter geen ruimte. Hij is groter en sterker en ik lig op de grond vastgepind.

Hij rijt tegen me aan, maakt dierlijke geluiden in mijn oor terwijl ik met mijn vuisten op zijn rug sla. Ik kijk naar de kinderen. Kunnen zij op zijn rug springen om me te helpen? Maar ze zitten dicht tegen elkaar tegen de bank aan gedrukt en kijken met wijdopen ogen toe.

Denk na.

Dan schiet me iets te binnen en doe ik wat mijn vader wel eens bij mij doet als hij mijn aandacht wil trekken. Ik pak hem bij zijn nekharen en geef een ruk.

'Kreng,' zegt hij. Hij spuugt het woord in mijn gezicht. 'Klein secreet.'

Hij rolt van me af en wrijft door zijn nek terwijl ik overeind krabbel en achter een stoel ga staan. Hij kijkt me smerig aan, staat dan op, loopt weg en smijt de deur achter zich dicht.

Als de Johnstons uren later thuiskomen, blijft meneer Johnston in de auto. Mevrouw Johnston geeft me drieënhalve dollar voor de zeven uur dat ik heb opgepast. Ik kan haar niet aankijken.

'Ik loop wel naar huis.'

'Hemeltje, nee,' antwoordt ze. 'Mijn man brengt je wel even.'

'Nee, echt, ik red me wel alleen. Ik loop graag.'

'Het is geen moeite,' zegt mevrouw Johnston. 'Bovendien zou je moeder me vermoorden als ik je op dit tijdstip alleen naar huis stuurde.'

Ik weet niets meer te zeggen en loop dus maar naar de auto, mijn blik op de grond gericht als ik het portier open. De binnenverlichting flitst aan, maar ik kijk niet naar hem. Ik stap in, trek het portier dicht en druk me daar tegenaan. In het plotselinge duister vindt zijn hand mijn knie en houdt die vast.

'We vertellen niemand wat we hebben gedaan,' zegt meneer Johnston.

Ik trek mijn been weg, geef geen antwoord ook al is hij een volwassene, en blijf tijdens de rit zwijgend tegen het portier gedrukt zitten. Ik spring eruit voor de auto echt stilstaat en haast me het pad op, blij dat de voordeur niet op slot zit.

Mijn moeder blijft wakker, dat weet ik, tot al haar kinderen veilig thuis zijn. Mijn vader zal liggen te snurken, zijn bleke borst boven de dekens uit. Dat hoop ik tenminste. Mijn moeder heeft me verteld dat hij toen ik klein was nachtenlang met me rondliep, voor me zong, me troostte en op mijn rug klopte. Hij heeft me verschoond, zoals hij zo graag aan iedereen vertelt. Hij heeft me leren fietsen en leren zwemmen. Nu walg ik van hem; hij trekt me nog steeds op zijn schoot, knijpt nog steeds mijn puistjes uit, wil me nog steeds op mijn mond kussen. Hij kietelt me tot ik begin te huilen, en zet mij en de andere kinderen ertoe aan om dat bij elkaar ook te doen. Ik heb een hekel aan mijn verjaardagen, omdat hij me dan over zijn knieën legt en me een tik tegen mijn billen geeft voor elk jaar dat ik tel, en eentje extra – veel harder – om te blijven groeien, gevolgd door een kneepje voor een paar centimeter extra. Hij doet dat waar al mijn nerveus lachende ooms en tantes, neefjes en nichtjes bij zijn. Zelfs zijn kant van de familie is gestopt met de billenkoek tijdens verjaardagen, en gunt hun puberkinderen een zekere waardigheid. Dus nu loop ik tegen de muur geleund de trap op en hoop ik dat hij niet wakker is, want ik wil alleen mijn moeder.

Helaas zit hij rechtop in bed. Mijn ouders zijn net terug van hetzelfde feestje als de Johnstons en ze ruiken naar sigarettenrook en drank. Mams haar is hoog opgestoken en haar blauwe oogschaduw zit helemaal tot aan haar geëpileerde wenkbrauwen. Pap ziet er suf uit, alsof hij snel wil gaan slapen. Ik ga op de rand van hun bed zitten en doe mijn verhaal, over hoe meneer Johnston naar huis kwam, me op de grond vastpinde en zijn ding tegen me aan duwde, en hoe ik het van hem heb gewonnen en ben ontsnapt. Ik wacht op hun trots en waardering.

Het blijft lang stil terwijl mam en ik naar pap kijken.

'Als je iemand vertelt wat er gebeurd is,' zegt pap, 'zal iedereen je voor slet uitmaken.'

Mam streelt mijn haar en zegt niets. Evenmin als ik.

Pas twintig jaar later kom ik erachter dat ze meneer Johnston een brief heeft geschreven.

'Blijf met je handen van mijn dochter af,' stond erin. 'En vertel je vrouw wat je hebt gedaan.'

2

Een paar weken later ga ik naar de brugklas. Ik speel drum in de schoolband, wat me de kameraadschap van de groep oplevert zonder dat ik noten hoef te leren lezen.

Jane en Steve gaan een kilometer verderop naar de middelbare school, en Pat en Amy zitten nog op de lagere school. Elke dag stap ik een wereld binnen van rammelende kluisjes, Kotex-automaten en een beste vriendin met een mond vol metaal die zegt dat mijn ouders me een beugel zouden geven als ze echt van me hielden. Ik zit voor het eerst op een school zonder andere Latus-kinderen. Hun geest waart er echter wel rond, in de leraren die verwachten dat ik net zo goed ben in wiskunde als Steve of net zo aandachtig stil kan zitten als Jane. Het is een jaar met langzame dansen op 'Stairway to Heaven' in de kantine en in formaldehyde geweekte kikkers in het scheikundelab, de mijne zo vol met eitjes dat ik kokhalzend het lokaal uit loop. Het jaar kan me niet snel genoeg voorbijgaan.

De volgende zomer stappen we met z'n allen in onze stationcar. Ik zit achterstevoren, in een nadelige positie, want we doen een wedstrijdje wie als eerste alle letters van het alfabet kan ontdekken op kentekenplaten van tegemoetkomende auto's. De Q is het moeilijkst, en daarna de J. Amy ligt met haar hoofd op mijn schoot te slapen, misselijk van het voorbijvliegende landschap en de geur van paps sigaar. We zingen 'Deep in the Woods' en 'Three Little Fishies'.

'Je klinkt als een loopse hond,' zegt pap tegen mam.

We zijn op weg naar weer een nationaal park, waar mijn moeder een week lang spaghetti, worstjes, bonen en vleesschotels uit blik zal opwarmen. Mijn vader zal heimelijk gin-tonic in een thermosfles doen, waarvan wij 's ochtends vroeg de schijfjes citroen in de vuurkuil vinden.

Ik heb een stapel streekromannetjes meegenomen en de volgende morgen kruip ik achter een van de boekjes weg in een poging mijn vader niet in zijn ondergoed over het kampeerterrein te hoeven zien lopen. De zomer daarvoor had ik hem gevraagd waarom hij dat deed, wetend dat hij er een reden voor zou hebben, en een verdraaid goede ook.

'Dit is niet erger dan dat jullie, meisjes, rondlopen met je billen half uit die kleine badpakjes,' had hij gezegd, en hij trok aan het elastiek van mijn bikinibroekje voor ik de kans kreeg weg te springen.

Dit jaar doe ik alsof hij niet bestaat.

Ik ben niet het mooiste meisje hier. Dat is Cathy, in haar lichtblauwe tweedelige badpak dat haar jonge borsten niet bepaald verhult. Cathy is hier sinds dinsdag en heeft Tim, de meest begerenswaardige van de broers van plaats 98, uitgekozen bij de schommels. Het gerucht gaat dat ze hand in hand zitten in het amfitheater van het vakantiepark terwijl de projector tikt en zoemt, en de parkopzichter opgewekt vertelt over vleermuizen, vissen en gifsumak.

Ik ben ook niet het lelijkste meisje. Toen we aan kwamen rijden – onderuitgezakt in de stoel, voorhoofd tegen het raam, ogen net boven het raamrubber – zag ik op plaats 18 een puisterig meisje aan een pukkel krabben. Haar badpak zat half in haar spleet en onthulde een bil die wel van deeg leek met een muggenbult waaraan gekrabd was. Op het nummerbord stond Nebraska. Gelukkig ben ik haar niet.

Ik ben echter ook geen meisje waar jongens nerveus van worden. Ze houden hun handdoek niet voor hun zwembroek en springen niet plotseling in het water als ze me zien. Evenmin morsen ze limonade over mijn rug of spatten ze per ongeluk mijn T-shirt nat bij de kraan waar we allemaal onze waterflessen vullen.

Ik lijk te veel op hen. Ik kan een volle waterfles helemaal naar plaats 24 dragen, terwijl de andere meisjes de hunne over de grond slepen en een spoor achterlaten als van een schildpad. Ik ben een kwajongen, klein en stevig, met een middenscheiding in mijn vaalbruine haar dat sluik tot op mijn schouders hangt, een spleetje tussen mijn tanden en talloze hechtingen. Mijn moeder noemt het een onplezierige fase, maar ik denk dat het altijd zo zal blijven.

Op school ben ik ook niet cool, maar dat maak ik goed door een slijmbal en een studiebol te zijn, het type dat geen pasje nodig heeft om de gang op te gaan, omdat ze zich onmogelijk kan misdragen. Het zou niet in de volwassenen op school opkomen dat een van de Latus-kinderen problemen zou kunnen veroorzaken. Het komt ook niet in mij op. Nog niet.

Maar hier op het kampeerterrein heb ik niets aan mijn school-persoonlijkheid. Hier telt alleen wie er een 'schatje' is.

Vanavond wacht ik tot mijn vader aan zijn derde thermosfles bezig is en dan vraag ik of ik naar het tienerpaviljoen mag, een veel te fel verlicht, uit lichte bouwstenen opgetrokken gebouw met een stalen dak waar twee flipperkasten en een versleten tafelvoetbalspel staan. Ik heb daar met Cathy afgesproken, en met Tim, die me eerder die middag heeft gevraagd te komen. Ik lag in het water, hield me vast aan het vlot, toen hij naar me toe zwom en naast me aan het vlot kwam hangen. Hij reikte om me heen en pakte het vlot ook aan de andere kant vast, waardoor zijn armen me omsloten in het water en ik moest stoppen met watertrappen omdat ik hem anders zou raken.

'Kom vanavond naar het tienerpaviljoen,' zei hij tegen mijn natte haren aan.

Ik knikte, verward door de aandacht. Toen legde hij een grote hand op mijn hoofd en duwde me onder water.

Mijn vader vindt het goed dat ik ga, maar leest me wel eerst de les; dat hij me zo eigenlijk niet de caravan uit zou moeten laten gaan, in mijn paisley haltertopje en afgeknipte broek.

'Je ziet eruit als een sletje,' zegt hij. 'Jullie, meisjes, moeten je realiseren dat je er zelf om vraagt als je je zo kleedt.'

Dan bekijkt hij me van top tot teen.

'Je kunt ook maar beter wat minder chips eten,' zegt hij.

Daarna legt hij weer een paar door vocht omgekrulde patience-kaarten op het plakkerige vinyl tafelkleed. De Coleman-lamp sist boven zijn hoofd en hij vloekt tegen de insecten die erop afkomen. Ik verdwijn in de schaduw en loop het zandpad op.

Het is rustgevend om door het donker te lopen. Ik kom langs een Airstream met gonzende airconditioning. Door het raam zie ik de blauwe flikkering van een televisie. Wij vinden Airstreams met televisie een misdaad tegen het kampeergevoel. En tenten op de kale grond vinden we barbaars. Wij hebben een zogenoemde pop-upcamper, alleen kun je hem niet bepaald simpel openklappen. Met de nieuwere types kan dat wel, maar bij de onze gaat dat met veel moeite en inspanning. Alle vijf de kinderen en beide ouders moeten een stok pakken en die tegelijk omhoogduwen, en wee degene die dat niet precies op tijd doet.

We gaan elk jaar een week kamperen. Mijn ouders slapen dan in het ene bed, Pat en Amy in het andere. Steve, de geluksvogel, ligt in zijn eentje buiten in een puptentje, en Jane en ik slapen in het aanritsbare extra vertrek op bedjes van aluminium en canvas, een heupbreedte van de opklapbare tafel vol met dozen cornflakes en open zakken chips, die allemaal na de eerste nacht al slap zijn. De spelletjes zitten in een andere doos en het wc-papier en de calaminelotion liggen in een afgesloten, zelfgemaakt kastje. Het ruikt naar canvas en naar stof, en misschien een beetje naar urine, uit de tijd dat Amy nog in bed plaste. Er staat een geëmailleerde po om 's nachts in te plassen. Ik pak liever de zaklamp die ik in mijn slaapzak bewaar, kom van mijn veldbed af, rits de deur open en loop naar de buiten-wc als we primitief kamperen, of naar het oogverblindende toiletgebouw als we op een kampeerterrein met elektriciteit staan.

De lucht tussen de uitersten van Airstreams en puptentjes is schoon en ik twijfel of ik me naar het tienerpaviljoen zal haasten en even rustig zal blijven genieten. Onvermijdelijk arriveer ik echter in het lawaai van de flipperkasten en de drukke tieners. Het licht is fel en de jongeren staan in groepjes bij elkaar. Hij is er natuurlijk al. Tim, met de weerbarstige krullen die hij voortdurend uit zijn gezicht duwt, en de grijze ogen waarmee hij me strak aankijkt. Ik doe mijn best niet te zien dat zijn hand in de achterzak van Cathy's short graait terwijl hij mij aankijkt.

Ik wend me af, vis een kwartje uit mijn zak en loop naar een speelautomaat. Het drukke muziekje en het paniekerige tempo voelen goed aan. Ik sla op de knoppen, duw tegen de automaat, schud hem bijna omver, gebruik mijn heupen, mijn armen, mijn hele lijf. Ik bereik het bonusniveau. Ik ben aan het winnen, of overleef het althans lang genoeg om in het spel te blijven. Maar nee, de knoppen laten het plotseling hopeloos afweten en de laatste zilverkleurige bal rolt weg. Einde van het spel.

Ik zweet en merk dat Tim naast me staat.

'Ik wil je aan iemand voorstellen,' zegt hij. 'Ik wed dat je hem leuk vindt.'

Hij gaat me voor naar de voetbaltafel, waar een gedrongen jongen met zwart haar die ik nog nooit heb gezien aan de stangen staat te draaien en tegen de tafel staat te duwen in de strijd tegen een oudere, vlottere speler.

'Dit is Gary,' zegt Tim. Ik kijk naar de jongere jongen, maar de oudste van de twee kijkt op en knikt naar me.

'Hoi,' zegt ik, maar zijn aandacht is alweer bij het spel en zijn handen kiezen en bespelen de stangen als een organist die ik eens in een kerk bezig heb gezien. Ik blijf staan kijken. Hij draagt een afgeknipte broek en een blauw T-shirt. Van achteren ziet hij er leuker uit dan Tim, die me een duwtje geeft, zodat ik tegen de rug van de oudere jongen aan bots.

'Sorry,' mompel ik, en dan kijk ik Tim lelijk aan, die lachend terug naar Cathy slentert. Ik wil wel onder de tafel kruipen, maar Gary lijkt het niet te merken. Hij weet niet eens dat ik hier ben, denk ik, maar dan geeft hij een laatste draai aan een stang en gaat de bal in het doel van de andere jongen.

'Gewonnen,' zegt hij rustig. Hij draait zich om en kijkt me recht aan.

'Hoi,' zegt hij. Hij heeft blauwe ogen.

In zijn borstzak zit een pakje sigaretten, in zijn broekzak een portefeuille, dus misschien is hij al oud genoeg om auto te mogen rijden. Hij is een halve kop groter dan ik en zijn zandkleurige haar hangt tot op zijn schouders.

'Hoi,' zeg ik. 'Dat kun je goed.'

'Dank je,' zegt hij, en dan: 'Maar het is niet bepaald ruimtewetenschap.' Vier jaar na de maanlanding is dat nog een gevatte opmerking.

Hij komt uit Paw Paw, een stad in de fruitgordel van Michigan, die bekend is om haar rugbyteam en de enorme kerstboom die de Kiwanis Club elk jaar op de markt versiert. Hij speelt drie sporten en plukt in de zomer kersen en perziken voor een plaatselijke kweker. In een staat waar iedereen zijn handpalm als plattegrond gebruikt, woont hij ergens tussen de pols en het meer, en ik dichter bij de handpalm. We zijn nu halverwege de pink, een paar kilometer van bekende zandduinen vandaan. We kamperen bij Clear Lake, een van de negen meren met die naam in de staat. De op een na meest voorkomende naam is Deep Lake. Misschien niet origineel, maar wel toepasselijk.

Hij haalt twee kwartjes uit zijn zak. 'Heb je zin om te flipperen?' 'Ja hoor,' zeg ik. 'Maar ik ben er niet zo goed in.'

Dat is een leugen, maar daarmee dek ik mezelf in voor het geval ik slecht speel en krijg ik complimentjes als ik het goed doe. Ik ga voor de flipperkast staan voor mijn beurt en hij komt half achter, half naast me staan. Ik zie hem vanuit mijn ooghoeken, voel zijn nabijheid. Ik weet dat ik hem zal raken als ik speel zoals ik gewoonlijk doe, door te duwen en trekken en mijn hele lijf erin te gooien. Ik hoop daar bijna op, maar voel me vervolgens schuldig. Ik kan me moeilijk concentreren en algauw is mijn beurt uitgespeeld.

Hij speelt daarentegen heel gracieus; hij tikt tegen de knoppen in plaats van erop te rammen en zijn heupen bewegen in kleine cirkels. Hij komt tot niveau zes.

Bij mijn volgende beurten probeer ik heimelijk zijn techniek uit en gaat het veel beter. Ik haal mijn punten op en begin me te ontspannen. Het spel gaat door en door, tot hij me van slag maakt door zo ver naar me voorover te buigen dat zijn shirt mijn blote schouders raakt en zijn adem mijn wang streelt. Mijn bal rolt tussen de flippers door. Gary heeft gewonnen.

We lopen naar buiten in het lichtschijnsel dat van binnen komt en gaan op een picknicktafel naar de avondgeluiden zitten luisteren van krekels, kleine en grote kikkers en stemmen die over het meer heen roepen. De mensen aan de overkant hebben ruzie; ze noemen elkaar 'egoïstisch kreng' en 'luie klootzak'. We vinden het gênant.

'Dat zijn vast mijn ouders,' zegt hij, glimlachend.

'Of de mijne,' antwoord ik.

We glimlachen naar elkaar. We praten tot elf uur, als het licht in het tienerpaviljoen automatisch uit gaat en we plotseling met wijd open ogen in het donker zitten.

Tim en Cathy komen om de hoek van het gebouw gelopen.

'We kunnen maar beter gaan,' zegt Tim. Hij en Gary zijn neven en kamperen naast elkaar met hun ouders, die samen rond het kampvuur zitten te praten, zoals elke zomer sinds de jongens klein waren en na het donker alleen maar op dikkopjes en vuurvliegjes joegen.

Tim en Cathy lopen hand in hand weg. Iets verderop, nog steeds in het zicht, blijven ze staan en kijken ze elkaar aan. Cathy gaat op haar tenen staan voor een kus. Ik moet mijn blik afwenden en zelfs Gary kucht. Hij legt zijn hand op mijn warme arm en draait me naar hem toe, maar ik kijk niet op. Ik richt mijn aandacht op mijn tenen, op de grond, op de sigarettenpeuken rond mijn voeten.

'Tot ziens,' zegt hij. 'Morgen misschien? Bij het slingertouw?'

'Als ik kan,' zeg ik.

Ik kijk nog steeds niet op, dus hij geeft een kneepje in mijn arm en laat me dan los, waarna ik wegloop in de afkoelende avond. Ik voel me schuldig dat ik meer wil.

De volgende ochtend rol ik van mijn veldbed en graai ik het Kellogg's Variatiepak mee voordat iemand anders de Frosty's kan inpikken.

Ik kan mijn adem zien, dus ik trek een sweatshirt en schoenen aan voor ik stilletjes de tent openrits. Ik koester deze tijd alleen, zonder broer en zussen of ouders, wanneer ik mijn ontbijtgranen kan eten, een boek kan lezen en de zoete melk uit het schaaltje kan drinken zonder dat iemand er iets van zegt.

Ik wil naar binnen sluipen om de Froot Loops te pakken voordat mijn zussen wakker worden, maar wil mijn eenzaamheid er niet voor riskeren. En ik wil al helemaal niet weer van pap te horen krijgen dat ik dik word, dus ga ik zitten lezen.

Nauwelijks tien bladzijden later wordt de tent echter van binnenuit open geritst en stapt mijn vader naar buiten, krabbend aan zijn behaarde witte buik. Zijn zwembroek hangt achter hoog op zijn billen en voor laag onder zijn buik.

'Zwempakken aan, ijsberen,' roept hij de camper in. 'Het is een prachtige ochtend om te zwemmen.'

Ik duik weg achter de melk in de hoop dat hij niet zal merken dat ik er niet bij ben, en me niet tot die vroege ochtendduik in het ijskoude water zal dwingen.

'Jij ook, Janine,' zegt hij. 'Aangezien je al op bent, kun jij ze hun zwemspullen brengen.'

Mopperend over de dwaasheid om met zulk weer te gaan zwemmen schuifel ik over de kampeerplek rond om de koude, vochtige badpakken van de scheerlijnen te halen en ze naar mijn onwillige zussen te brengen, die me aankijken alsof ze de boodschapper wel willen doodschieten.

Mam tilt even haar hoofd op, draait met haar ogen en laat dan haar gezicht weer in het kussen vallen en trekt het tegen haar oren aan. Ze verafschuwt het ochtendritueel waarbij haar kinderen worden gedwongen de kou in te gaan, maar kan er niets tegen doen. Ze slaagt er alleen in haar poot stijf genoeg te houden om zelf niet ook te hoeven. In het begin van hun huwelijk heeft ze het wel gedaan, om hem te bewijzen dat ze van hem hield, dat ze sportief was. Tegenwoordig weigert ze om mee te doen, maar wij kinderen hebben die optie niet, dus staan we nu bedauwd polyester over onze dijen en billen te hijsen terwijl pap buiten ongeduldig staat te fluiten.

'Jullie moeder is een watje,' zegt pap.

Amy rijdt paardje op zijn brede rug en haar tenen wijzen omhoog, zodat haar slippers niet van haar voeten vallen..

'Er zit rijp op de grond, pap,' zegt Jane. 'Ik zweer het.'

'Dat is dauw,' zegt hij. 'Stel je niet zo aan.'

Er stijgt mist uit het meer op. Steve duikt er als eerste in, daarna laten mijn zussen en ik onze handdoeken vallen, rennen we naar het einde van de steiger en duiken erin. We duiken en zwemmen allemaal moeiteloos, dankzij pap, die ons zijn genen en zwemles heeft gegeven. Vandaag is het water groen en helder, als een oud 7-Up-flesje, en ik glij als een otter onder de steiger. Onder water voel ik me sierlijk.

Tegen de tijd dat we terugkomen, zal mam een driekwartbroek en sweatshirt hebben aangetrokken en bezig zijn eieren met spek voor ons te bakken. De geur zal haar compensatie voor onze zwempartij zijn.

Ik kan pas ruim na de lunch wegglippen naar het slingertouw en ik ben bang dat Gary genoeg zal hebben gekregen van het wachten. Als hij het tenminste serieus meende. Misschien was dat niet zo. Misschien verveelde hij zich gewoon en flirtte hij daarom met me, maar was hij niet echt in me geïnteresseerd.

Misschien moet ik Amy meenemen. Met haar lange benen en gegiechel zou ze prima camouflage zijn. Ze is pas acht, dus ik zou kunnen doen alsof ik aan het oppassen ben in plaats van dat ik heb afgesproken een jongen te ontmoeten. Jane kan ik het niet vragen, want die zou het afkeuren, maar Amy zou overal met me mee naar toe gaan. Ik overweeg om terug te gaan, maar besluit toch door te lopen. Ik heb met een jongen afgesproken, daar hoef ik geen ophef over te maken. Andere meisjes doen dat misschien wel, maar ik ben verstandig en emotioneel sterk, ook al loop ik nu met een sliert haren in mijn mond onder de sparren en berken door die het meer omzomen.

Als ik in de buurt kom, hoor ik gegil, geplons en dreigementen, maar ik kan de stemmen niet onderscheiden. Het pad komt ver genoeg van de anderen vandaan bij de oever uit, dus ik kan naar hen kijken terwijl ik dichterbij kom. Cathy is er, op een roze luchtbed, net buiten bereik van het touw, en Tim joelt als Tarzan terwijl hij naar haar toe zwiert.

'Waag het niet,' roept Cathy net voordat Tim loslaat en neerkomt, waardoor een golf van tsunamikwaliteit haar luchtbed dreigt te doen kapseizen. Als hij bovenkomt en ziet dat ze niet kopje onder is gegaan, zwemt hij onder haar luchtbed en duwt de ene kant omhoog, zodat ze eraf rolt. Ze komen kussend weer boven.

Dat zie ik allemaal gebeuren terwijl ik verlegen dichterbij kom en hoop dat iedereen naar de capriolen in het water kijkt in plaats van naar mij.

Gary vangt het touw na Tims optreden. Hij staat met één been op de door vele voeten glad afgesleten stam van de plataan die dienst doet als lanceerplatform. De boom is over het water heen gegroeid of gezakt en lijkt zich naar het midden van het meer uit te strekken. De stam loopt een meter of twee parallel aan het wateroppervlak en groeit dan – onder invloed van de zon en de wil om te overleven – weer omhoog, zodat zijn takken zich over het water uitspreiden en hun schaduw over de poel werpen. Jaren geleden was iemand in de boom geklommen en had een dik touw met knopen erin aan precies de goede tak vastgemaakt. Nu ligt dat touw in Gary's hand.

Hij geeft het door aan een jongetje met vlasblond haar en een fietsenrek in zijn mond, en tilt de jongen dan bij zijn heupen op alsof hij hem een duwtje wil geven op een schommel. De jongen trekt zijn benen op en zwiert over het water heen.

'Nu!' roept Gary en de jongen laat los en plonst met zwaaiende armen in het water.

Hij komt stralend weer boven. 'Dat was een goeie!' roept hij, terwijl hij het water uit zijn gezicht schudt.

Gary pakt het touw weer, geeft het aan een klein meisje en tilt haar op, zodat ze haar moddervoeten op de grote knoop onderaan kan zetten.

'Klaar?' vraagt hij en dan laat hij haar los.

Glimlachend kijk ik vanaf de waterkant toe. Gary is leuk, denk ik. Hij is echt leuk!

'Hoi,' zegt hij glimlachend.

'Hoi,' antwoord ik, en dan gooi ik mijn handdoek op een picknicktafel en trek mijn korte broek en shirt uit, bang dat hij naar me kijkt en tegelijk hopend dat hij dat doet. Het is allemaal erg verwarrend. Wat ik nodig heb is een jongensachtige, schreeuwende lancering vanaf het touw het water in. Wat ik in plaats daarvan krijg is de aanblik van Gary die zelf zijn kans waarneemt, hoog over het water heen zwiert, met zijn voeten omhoog, en dan een achterwaartse salto maakt om weer met zijn voeten in het water te landen. De kleintjes schieten toe om hem uit het water te helpen, maar ze zijn te licht. Hij zou hen makkelijk over zijn hoofd heen het water in kunnen trekken in een beweging die Tim beslist grappig zou vinden, maar hij doet het niet.

'Wil je het ook eens proberen, Janine?' vraagt hij.

'Ja hoor,' zeg ik. Maar ik schaam me als ik naast hem sta, want ik ben niet groot genoeg om de beste handknoop goed vast te pakken zonder te springen of me te laten helpen. Gary houdt het touw vast. Als ik naar de goede knoop reik, val ik misschien wel voorover in het water en dan schaam ik me dood. Als Gary me helpt, ga ik misschien evengoed dood. Hij glimlacht naar me en kijkt dan verbaasd op als zich twee sterke handen om mijn heupen sluiten die me vervolgens omhoog hijsen. Ik pak het touw vast terwijl ik naar voren val, trek mijn voeten op en zwier hoog over het water heen voordat ik loslaat en tot mijn grote opluchting uit het zicht verdwijn. Ik blijf onder water tot ik voel dat ik zal doodgaan als ik niet naar boven ga om lucht te happen.

Als ik bovenkom zie ik dat Gary Tim boos een duw geeft, die meteen terugduwt.

'Blijf gewoon met je handen van haar af,' zegt Gary.

'Dat zul jíj zeker doen,' zegt Tim. 'Brave jongen, die niets probeert zonder toestemming.'

Ik schud het water uit mijn oren, mis het antwoord van Gary en zie de neven kwaad naar elkaar kijken, dus ik zwem naar de kant en klauter op de oever. Gary steekt zijn hand uit om me te helpen, maar Tim duwt hem met zijn heup opzij en steekt zijn eigen hand uit. Ik doe alsof ik het niet zie en kom op eigen houtje uit het water.

'Kom terug hierheen,' beveelt Cathy vanaf haar luchtbed, met de stem die meisjes gebruiken als ze hun vriendje roepen. Tim pakt het volgende kind dat in de rij staat het touw af, springt over het water weg en maakt een bommetje waarmee hij iedereen die staat te wachten nat spettert. Ik pak het touw àls het terug zwaait, kijk naar Gary en draai met mijn ogen.

'Sorry,' zegt hij, en ik geef hem glimlachend het touw aan. Hij helpt het volgende kind in de rij op het touw en geeft het een duwtje.

'Jullie zijn een stelletje zielepieten,' roept Tim. 'Wij gaan naar het vlot.'

Cathy en hij gaan op hun buik dwars op het luchtbed liggen en watertrappelen naar het zwemgedeelte en het vlot dat daar voor anker ligt.

Gary en ik kijken hen even na, en dan reikt hij me het touw aan. Ik pak het vast en hij tilt me bij mijn heupen op zoals hij dat bij de kleintjes deed. Ik schaam me, maar voel me tegelijk fantastisch. Ik zwier over het water heen en laat op het hoogste punt los. Het lijkt of ik vlieg.

Tegen etenstijd kan ik een achterwaartse salto maken. Gary en ik helpen elkaar telkens weer lachend uit het water. Amy zou het ook leuk gevonden hebben, denk ik, spelend met de andere kinderen in de rij en zich aan het touw vastklampend als een doodshoofdaapje.

Maar dan bedenk ik dat Amy het zou hebben verteld – niet met opzet – maar ze zou zich iets heel kleins hebben laten ontglippen, en dan zou mijn middag met Gary op veelzeggende plagerijen uitdraaien. Mijn lach zou worden geïmiteerd, mijn vergissingen overdreven, en ze zouden de spot drijven met mijn tienerverliefdheid op een iets oudere jongen. Als ik dan niet lachte zou mijn vader zeggen: 'Wat mankeert je? Je bent een Latus. Je wordt geacht gevoel voor humor te hebben.'

Amy zou er niets aan kunnen doen. Amy is dol op me en zou zo lang loyaal blijven als ze kon, maar er zouden haar gewoon kleine dingen ontglippen en dan zou ze worden aangemoedigd, overgehaald en bedreigd als ze haar geheimen niet prijsgaf. Ik begin te geloven dat er dingen zijn die de moeite waard zijn om geheim te houden.

'Ik denk dat ik maar beter kan gaan,' zeg ik. Ik lig in het water, houd me vast aan een lage tak en laat mijn benen drijven, maar ik had al terug moeten zijn op onze kampeerplek. De schemering maakt het erg donker in de schaduw onder de boom. Het is gaan waaien en de wind draagt de belofte van regen in zich mee en verkilt me wanneer ik op de oever klim.

Toch heb ik geen haast. Gary biedt me zijn hand aan en geeft een extra rukje als ik bijna boven ben, zodat ik per ongeluk expres tegen hem aan bots. Zijn andere hand landt op mijn heup en ik hap naar adem, hoewel zijn hand warmer is dan mijn huid en ik hierop gehoopt had. Ik blijf stil staan, mijn verkilde lichaam tegen zijn droge lijf. Ik huiver, mijn wang rust plotseling tegen zijn borst. Hij slaat allebei zijn armen om me heen, waardoor ik bijna nog meer ga huiveren.

Hij ruikt naar zwemwater en zonneschijn, en zijn geur vermengt zich met die van de sparren. Weer kan ik mijn gezicht niet naar hem opheffen, dus neemt hij genoegen met een kus op mijn natte haren en laat me dan los.

'Zie ik je vanavond?' vraagt hij. 'Dan versla ik je op de flipperkast.'

'Als je geluk hebt,' zeg ik, en ik kijk snel op om te glimlachen. Zijn blauwe ogen kijken pal in de mijne, dus ik breng mijn hoofd iets achterover en voel dan de zachte druk van zijn lippen. Ik duik weer weg en maak me van hem los.

'Ik moet gaan,' zeg ik.

Ik loop naar de picknicktafel, pak mijn handdoek en begin mezelf af te drogen, verlegen omdat hij naar me kijkt en omdat ik het liefst juichend als een idioot langs de waterkant weg zou willen huppelen. Ik wil mijn korte broek en T-shirt niet aantrekken, omdat die meteen doorweekt zullen raken van mijn natte bikini, maar ik wil ook niet in mijn bikini weglopen, omdat ik bang ben dat mijn billen wiebelen. Ik probeer de handdoek als een sarong om mijn heupen te wikkelen, maar dan loop ik als een geisha in een film, dus ik geef het op, lach om mezelf en trek mijn korte broek aan. Een week geleden was mijn leven gemakkelijker. Minder spannend misschien, maar wel gemakkelijker.

Ik heb een vriendje. Ik speel met de gedachte als met een losse tand. Ik heb een vriendje. Een jongen, die mij leuk vindt. Niet zomaar als maatje of als teamgenoot, maar als vriendin. Hij houdt mijn hand vast, hij kust mijn lippen en mijn haar, hij ligt stilletjes naast me te bakken in het zonlicht dat op het water weerspiegelt. Hij doet bommetjes, gehoekte sprongen en wilde stunts om indruk op mij te maken. Alleen op mij. 's Avonds druk ik mijn snor bij het familiepoker – poker om centen met een spiekbriefje voor de kleintjes, die niet kunnen onthouden of een *full house* nou meer waard is dan een straat, en of *three of a kind* meer is dan twee paar.

De derde dag begint mijn familie argwaan te krijgen en begint het geplaag.

'Heb je soms een vriendje?' vragen ze. En dan: 'Janine heeft een vriendje, Janine heeft een vriendje,' telkens herhaald in een zangerig ritme.

'Is het waar?' vraagt mam stilletjes als we samen de afwas staan te doen in plastic teiltjes. Mam heeft tijdens het eten water gekookt op het propaangasstelletje en nu is het heet en schuimt het, maar het is veel te ondiep voor de vaat van zeven personen. Het is mijn taak om af te drogen terwijl de andere kinderen in het bos op zoek zijn naar afgevallen takken voor het vuur. Het zijn mijn enige momenten alleen met mam.

'Misschien,' zeg ik, en ik kijk omhoog om te zien hoe ze reageert.

Mam kijkt me aan en gaat door met borden afwassen. 'Misschien moet je het wat beter verbergen,' zegt ze. 'Ik weet niet zeker of je vader al met dat idee kan omgaan.'

Het is een waarschuwing: je weet hoe je vader is. Vrouwen zijn verleidsters en mannen zijn slechts slachtoffers van moeder natuur. Ze kunnen er niets aan doen. Als er iets gebeurt, hebben we dat uitsluitend aan onszelf te wijten. Zorg dat je vader er niet achter komt. Ze hoeft het me niet uit te leggen. Nooit.

Zodra we klaar zijn met de vaat, vraag ik mam of ik weg mag. 'Zorg dat je om elf uur terug bent,' zegt ze.

Ik werp haar een dankbare glimlach toe, gooi mijn natte theedoek over de tentlijn en verdwijn tussen de bomen.

Achter me hoor ik: 'Schat? Kun je me even helpen met die thermos?' en ik zie mijn vader de tent binnen gaan.

Ik heb er een aardig idee van hoe mijn vader zou reageren als hij van Gary wist. Hij zou erop staan kennis met hem te maken, en vast en zeker iets gênants zeggen, zoals: 'Haal het niet in je hoofd om iets te proberen. Ik ben zelf ook jong geweest en ik weet waar je op uit bent.' Of: 'Als je haar aanraakt, schiet ik je neer,' en dan met zijn lage grom, 'en geloof me: ik kan goed schieten.'

De volgende ochtend jaagt pap ons weer uit onze slaapzakken en naar het meer. Als we terugkomen, staat mam eieren te bakken in het spekvet. Onze lippen zijn blauw en onze tanden klapperen als we ons de tent in haasten en – met natte haren en al – terug in onze slaapzakken kruipen.

'Vijf minuten, meisjes,' zegt ze. 'En laat geen natte handdoeken op de bedden liggen.'

We kleden ons in onze slaapzakken aan. Op normale ochtenden moeten we telkens weer worden aangespoord om op te schieten, maar voor eieren met spek en warme chocolademelk na het zwemmen haasten we ons. Ik neem de plastic borden en de servetten mee naar buiten en Jane het goedkope bestek. Amy pakt de veelkleurige bekers waarin melk en limonade naar tin smaken, en Pat neemt peper en zout mee. Steve is onze hond BoJo uitlaten.

Het ontbijt is het leukste gedeelte van samen kamperen. Iedereen is klaarwakker en dankbaar, al is het maar voor een warme trui en de geur van spek en sparren. De lucht is fris en mam en pap zijn opgewekt en glimlachen over de hoofden van hun kinderen naar elkaar.

Na het ontbijt breken we het kamp op, proppen we vuile kleren bij de schone omdat ze toch allemaal naar rook stinken, rollen we slaapzakken op en kloppen we kleren uit. Onze ouders passen alle kastjes, tuinstoelen en dozen met voorraden weer als een puzzel in elkaar, waarna we de pop-up-caravan laten inzakken en hem weer voor een seizoen afsluiten. Dan trekken mijn vader en mijn broer hem weg en hangen hem aan de trekhaak van de auto, terwijl mijn zusjes en ik in rijen onze kampeerplek aflopen op zoek naar verdwaald afval.

'Laat een kampeerplek altijd schoner achter dan je hem hebt aangetroffen,' zegt mijn vader.

We weten het. Voor we vertrekken zal de plek versierd zijn met de parallelle lijnen van een hark, onze eigen Japanse tuin in de bossen van Michigan.

Ik zit me twee weken thuis te vervelen en dood de tijd door mijn naam en die van Gary op te schrijven met sierkrullen en hartjes eromheen. Dan ga ik met een vriendin en een van mijn favoriete leraren en zijn vrouw naar hun huisje op een eiland in het noorden van Michigan.

Ik ben dol op mijn leraar. Hij lijkt op mijn vader, alleen weet ik dat hij nooit iets zal doen waardoor ik me onprettig voel.

Het huisje van de Murphy's is een blokhut, omringd door witte berken en een spiegelglad meer. Er liggen een roeiboot en een kano en er staat een vlaggenmast, waar we elke morgen met veel ceremonieel de Amerikaanse vlag hijsen. 's Avonds klimmen Robin en ik via een ladder tegen de muur van een van de slaapkamers naar onze matras op de vloer van de vliering erboven.

De tweede dag voegt de zoon van de Murphy's, Tom, zich bij ons, een man van in de twintig met zijn vaders plagerige gedrag.

Ik heb Tom nooit eerder ontmoet, maar heb wel gehoord dat hij gescheiden is, wat hem iets exotisch geeft. Tijdens het kanoën spat ik hem nat met mijn peddel. Als we gaan wandelen, trek ik mijn bikinitopje en mijn kortste korte broek aan, en ik giechel bij alles wat hij zegt.

Robin vindt het walgelijk. Die avond beklimmen we de ladder naar ons bed, terwijl hij in een van de bedden beneden kruipt.

'Welterusten, Tom,' roep ik, terwijl ik aan de ladderkant van het bed onder de deken kruip, met Robin aan de andere kant met haar rug naar mij toe.

'Welterusten, Janine,' zegt hij. 'Welterusten, Robin.'

Het klinkt als een scène uit *The Waltons*.

Ik breng mezelf in slaap door aan Gary te denken, aan de paar kussen die we hebben uitgewisseld, aan het heerlijke gevoel van handje-vasthouden, aan de ene brief die ik heb gekregen sinds ik thuis ben. Ik val gelukkig in slaap. Uren later word ik wakker met Toms lippen vlak boven de mijne en zijn vinger in mijn vagina.

'Sst,' fluistert hij. 'Blijf gewoon rustig liggen. Je vindt het vast lekker.'

Ik blijf liggen met wijdopen ogen en bonkend hart. Het is inderdaad lekker, maar het voelt ook vies, als iets wat niet hoort, iets verkeerds, iets vreselijks, een zonde. Ik duw tegen zijn hand, maar hij pakt met zijn andere hand mijn beide handen vast. Hij zit op zijn knieën naast het bed, zijn hand onder de deken, zijn ogen glazig.

'Wat doen jullie?' vraagt Robin, en ik draai geschokt mijn hoofd naar haar om.

'Niets,' zeg ik, verbijsterd en vernederd.

Tom trekt zijn vinger uit me, laat mijn handen los en trekt zijn hand onder de deken uit.

Ze kijkt eerst hem aan en daarna mij. 'Dat was smerig,' zegt ze.

Ik ga rechtop zitten. Tom verdwijnt naar beneden en ik begin te stamelen.

'Ik heb niets gedaan,' zeg ik. 'Hij was al bezig toen ik wakker werd.'

Maar ze gelooft me niet. Ik weet niet eens of ik mezelf wel geloof. En ze heeft gelijk. Ik ben smerig.

De volgende ochtend praten we er niet over. We werken het vlagritueel af en dan vraag ik Tom om even te wachten terwijl de anderen op weg gaan naar het ontbijt.

'Ken je dat liedje, "Having My Baby"?' vraag ik.

Hij knikt. Het is die zomer op ieder popstation te horen.

'Wat als dat met ons gebeurt?'

Hij staart me aan. 'Echt? Meen je dat nou?'

Ik knik, en hij klopt lachend op mijn schouder. 'Er kan je niets gebeuren,' zegt hij.

'Maar hoe zit het nou met ons?' vraag ik. 'Ik bedoel, zien we elkaar nog eens?'

Hij lacht weer. 'Hoe oud ben je, dertien of zo?'

Ik knik.

Hij loopt hoofdschuddend weg.

Wanneer ik thuis kom, is alles normaal. Mijn moeder komt me op de oprit tegemoet en bedankt de Murphy's, omhelst me dan en zegt dat ik mijn stinkende was naar beneden moet gooien. Amy trekt me mee naar binnen. Ze wil dat ik naar haar nieuwste optreden kijk. Ik ga op de bank zitten en applaudisseer als ze een haardbezem rond laat draaien als majorettestaf terwijl ze een dansje doet in een oud danspakje van mij. Het kruis hangt op haar knieën en de tailleversiering op haar billen.

Deze keer vertel ik niets.

3

We groeien op in huizen met vier slaapkamers, mijn ouders in een kamer, mijn broer, de oudste, in een andere, en de meisjes verdeeld over de andere twee. Soms deel ik een kamer met Amy, maar we zijn allebei sloddervossen, dus is onze kamer constant een chaos van ontbrekende schoenen, kwijtgeraakt huiswerk en kapot speelgoed. Ik deel vaker een kamer met Jane, die met mijn slordigheid en mijn neiging haar kleren te lenen zonder het eerst te vragen omgaat door met tape een streep midden door onze kamer te trekken. De kleerkast staat in haar helft, dus geeft ze een pad zo smal als een evenwichtsbalk naar mijn kleren aan.

Op woensdagavond hebben we catechismusles en zondags gaan we naar de mis. Op een dag rijden we in onze olijfgroene stationwagon van de kerk terug naar huis. Mam en pap zitten voorin en wij allemaal achterin.

'Wat is masturbatie?' vraagt een van ons, meisjes.

Het blijft even stil voor in de auto.

'Vraag maar aan je broer,' zegt pap dan.

Einde gesprek.

Ik wissel mijn catechismus af met *Of Mice and Men*, en mijn geschiedenisboek met Judy Blumes *Are You There God? It's Me, Margaret*. Daar leer ik over menstruatie en vrijen en ontluikende borsten. Ik praat te veel in de klas, speel drums in de schoolband, zing met mijn mond wijdopen en mijn handen naast mijn lichaam in het koor. Op een dag kus ik Joe Parks buiten bij het fonteintje na de les. Jaren later heb ik het daar nog eens met hem over en dan haalt hij zijn schouders op. Hij is dan al vijf keer getrouwd.

In de kerk heb ik geleerd dat meisjes verleidsters zijn, te beginnen met Eva, die ervoor heeft gezorgd dat we uit het Paradijs werden getrapt doordat ze zwak was, door een hapje te nemen van de boom van kennis en – nog erger – door Adam over te halen hetzelfde te doen. Alles wat verkeerd is, is te herleiden tot vrouwen, en de enige manier om de wellustigheid van mijn geslacht goed te maken is door mijn schuld te erkennen, en die te dragen als een merkteken. Vooral wanneer ik in mijn vroege tienerjaren in de badkuip lig – de enige plek in huis waar ik alleen kan zijn – en het water *daar beneden* langs laat lopen. Ik weet niet wat daaronder zit en ik weet niet hoe het heet wat ik doe, maar ik weet wel dat het lekker is, en dus moet het wel slecht zijn.

Toch doe ik de slaapkamerdeur op slot en trek ik het bovenste latje van de toilettafel een stukje uit. Dat geeft me, zelfs als mijn vader of mijn zusjes het slot zouden openmaken met een rechtgebogen paperclip of haarspeld omdat ik de badkamer te lang bezet hou of al het warme water opmaak, de tijd om een onschuldiger houding aan te nemen en vervolgens geïrriteerd te roepen: 'Mag ik even? Ik zit in bad, hoor. Jezus, heb ik dan nergens een beetje privacy?'

Naderhand kom ik gerimpeld en schaapachtig, schuldig en ontspannen tevoorschijn.

In de tweede klas loop ik na school naar huis met Ron, de nieuwe jongen met het lome, sexy Oklahoma-accent dat me doet wegsmelten bij maatschappijleer. Zijn ouders werken allebei, dus we hebben het huis voor onszelf, en daar maken we gebruik van. Of vooral van zijn bed eigenlijk, waar we elkaar vastpakken, verkennen en over elkaar heen rollen. We kussen elkaar met open mond, proeven elkaars tong en strelen elkaars lichaam, de eerste week over onze kleren heen, en later een beetje eronder, als hij mijn shirt lostrekt en zijn handen eronder steekt en over mijn eerste beha streelt.

Op een dag neemt mijn moeder me apart.

'Een van de andere moeders heeft me gebeld,' zegt ze. 'Ze zegt dat je met Ron mee naar huis gaat als zijn ouders er niet zijn. Ik heb gezegd dat het niet waar is. Hoe zit dat?'

Ik krijg een hoofd als een boei, voel me schuldig en kriegel. Ik reageer schamper.

'Natuurlijk niet,' zeg ik, met samengeknepen lippen mijn hoofd schuddend. 'Zoiets zou ik nooit doen.'

Ik ben het brave meisje dat in de catechismusles blijft als de anderen naar buiten glippen om op de parkeerplaats te gaan roken of flirten. Ik luister aandachtig naar de priester, knik instemmend, lees in de bijbel tussen de lessen door. Ik pleit, ik argumenteer, ik schik me. Ik draag een witte jurk naar mijn vormsel en de monseigneur geeft me de traditionele zegen, een tik in mijn gezicht. Ik ben verrast en boos. Daar heeft hij het recht niet toe. Mijn vader zegt van wel.

Mijn familie bezet een hele kerkbank, mijn vader trots in zijn zondagse pak, mijn moeder in haar jurk van Jackie O, Steve in zijn colbert met koperen knopen, Jane met haar atletische figuurtje. Pat met haren tot aan haar middel, Amy prepuberaal en graatmager, met krullen waar ik jaloers op ben. Ik glimlach naar hen als ik terugkom van het altaar, niet zeker wat ik geacht wordt te voelen, afgezien van boosheid om de tik van de monseigneur en het verlangen naar huis te gaan voor de taart. Ik doe erg mijn best om vroom te kijken, maar het is gespeeld.

In onze middelbare schooltijd, heeft de slaapkamer van Jane en mij crèmekleurige muren, een dieproze vloerkleed, en gordijnen en bedspreien met felroze, oranje en paarse krullen. We hebben een groene lavalamp. We dragen stemmingsringen en felblauwe oogschaduw tot aan onze wenkbrauwen. We hebben een spiegel aan de achterkant van onze slaapkamerdeur en gebruiken die om te oefenen met make-up, om dingen te proberen met ons haar (wat dan ook!), en om naar onze billen in onze gebloemde strakke broeken met uitlopende pijpen en de te korte rokjes te kijken, die we dragen ondanks dat ze niet bepaald flatterend zijn. Het kleed voor de spiegel is voorgoed verpest door de waterproof blauwe mascara die ik heb laten vallen, een vlek die met elke poging om hem weg te krijgen alleen maar groter wordt. Ik heb water en allesreiniger geprobeerd. Eén keer had ik een flesje nagellakremover gepakt, maar Jane hield me tegen. Een paar weken daarvoor had Jane zichzelf een manicure gegeven, in kleermakerszit op de grond in haar kunstzijden nachtjapon. Ze had een paar druppels remover gemorst en schreeuwde het uit toen de gele nachtjapon verschrompelde en er een gat in werd gesmolten zo groot als een hamster.

Ik kom thuis met fantastische cijfers, word redacteur van het literaire tijdschrift van school en sleep een rol in het schooltoneelstuk in de wacht.

'Wil je liever een medaille of een borst om hem op vast te spelden?' vraagt mijn vader.

De leraar van wie we theorie rijles krijgen, stuurt me naar huis met het bevel een band te verwisselen.

Thuis laat ik het briefje zien.

'Wil je dit even tekenen?'

'Als je een band hebt verwisseld,' zegt pap.

'Kom op, zeg! Je maakt zeker een geintje?'

Ik stampvoet. Ik klaag. Ik roep mam erbij.

'Ooit zul je me er dankbaar voor zijn,' zegt hij.

Om de dooie dood niet, denk ik.

Waarom kan hij dat verdraaide briefje niet gewoon tekenen, net als andere ouders? Ik laat mijn schouders hangen, mopper en doe me zwakker voor dan ik ben, zodat hij me zal helpen de wielbouten los te draaien.

'Stamp erop,' zegt hij terwijl hij de wielsleutel erop zet.

Ik stamp erop, stamp nog eens en krijg de bouten los. Ik sjor het reservewiel uit de kofferbak en hijs met mijn knie als extra steuntje het andere wiel erin.

'Dit is belachelijk,' zeg ik.

'Wil je kunnen autorijden?'

Ik kijk hem woedend aan en vervang het wiel.

Na schooltijd gaan Jane en ik naar turnen, waar ik train op het paard en op de ongelijke liggers. Ik hou er rode en paarse plekken op mijn heupen en bloederige, opengescheurde eeltplekken op mijn handen aan over, hoewel ik ze tijdens de trainingen uitgebreid intape.

Na de trainingen en wedstrijden rennen we de driekwart kilometer van de sporthal naar de parkeerplaats. Met onze lijven nat van het zweet en onze adem als wolkjes in de winterse kou proberen we paps auto te bereiken voor hij wegrijdt – geïrriteerd en ongeduldig omdat we zouden hebben zitten treuzelen in de kleedkamer.

Tijdens turnwedstrijden en zwemtoernooien staat hij op de tribune te roepen, te juichen, me altijd aan te moedigen om het nog beter te doen. Thuis trekt hij me op schoot om mijn rapport te bespreken, vak voor vak.

'Waarom een acht?' vraagt hij. 'Je bent een Latus. Je hoort een tien te hebben.'

Hij ademt in mijn gezicht.

'Zit stil,' zegt hij. Hij duwt mijn hoofd schuin, zet zijn nagels aan weerskanten van een mee-eter en begint te knijpen. 'Nog een paar,' zegt hij. Als hij klaar is stromen de tranen uit mijn ogen en ziet mijn gezicht eruit alsof ik de waterpokken heb. Ik stribbel tegen en maak ruzie. Ik ben vijftien en wil gewoon zo snel mogelijk weg hier.

Tijdens avondjes van de bridgeclub omhelst pap de vriendinnen van mam en glijden zijn handen over hun rug omlaag. Op foto's van feestjes heeft hij altijd zijn armen om vrouwen heen geslagen en hangen zijn handen boven hun borsten. Als mam in de keuken langs hem loopt, knijpt hij haar bezitterig in haar achterwerk. Ik heb constant het gevoel dat hij dat elk moment bij mij kan doen.

'Ik ga het huis uit zodra ik achttien ben,' roep ik misschien wel voor de tiende keer. Ik ben vijftien, zestien, zeventien en storm weer een kamer uit. Ik storm voortdurend kamers uit, en smijt met de deuren. Ik stamp, storm, raas door de puberteit heen, en trap daarbij zo vaak ik kan mijn moeder op haar ziel, die fulltime werkt en dan naar huis komt om het eten klaar te maken voor zeven personen, die de weekends doorbrengt met het sorteren van wasgoed in stapels naar eigenaar en lade, de sokken en het ondergoed op een stapel, shirts op een andere, broeken op weer een andere. Ze vraagt alleen van ons dat we ze mee naar boven nemen en opbergen.

Toch ga ik tegen haar tekeer.

'Ik haat dit gezin. Ik haat mijn leven. Ik haat mezelf. Iedereen haat mij. Ik wou dat ik dood was. Jij wou ook dat ik dood was.'

Ik ga nooit zo ver dat ik wens dat zíj dood was.

Mijn broer en zusjes verbergen zich of blijven uit de buurt. Ik ben een onweersbui die constant door het huis trekt.

Ze sturen me een poosje naar een psychiater, maar hij lijkt bijna sprekend op mijn vader, dus ik praat niet tegen hem. Hij geeft me het gevoel dat ik stom ben, dat ik niet echt problemen heb. En zijn wenkbrauwen zijn zo lang dat je ermee zou kunnen breien. Na een paar weken ga ik niet meer.

Tijdens het eten discussiëren we, delen we elkaar de pijnlijkste klappen uit, schimpscheuten waar de anderen om moeten lachen. Er raakt altijd iemand gekwetst. Er begint altijd iemand te huilen. 'Je borst lijkt wel een strijkplank,' zegt pap. 'Je wordt een beetje mollig,' zegt pap. 'Wat heb je nou weer verprutst?' zegt pap. 's Avonds vraag ik mijn moeder: 'Hou je van me? Hou je van me hou je van me hou je van me? Zeg alsjeblieft dat je van me houdt, ook al verdien ik het niet.'

Achter hun deur hoor ik mijn ouders mompelen, soms schreeuwen. Over werk, over geld, over wie wat doet in huis en dat een zeker iemand beter wat meer kan doen, want anders.

Op mijn zeventiende ontmoet ik Kenny, een blind date voor de vakantiedisco, geregeld door mijn vriendin Mary omdat ik op mijn eigen school niemand kan vinden. Kenny is fantastisch. Hij is attent en grappig, lief en knap.

Met Oudjaar stuurt zijn moeder ons naar boven met een fles goedkope champagne en haar zegen. Kenny's tweepersoonsmatras ligt op de vloer, aan het voeteneinde staat een tv met stereoluidsprekers ernaast. We liggen op de matras op de komst van het nieuwe jaar te wachten en de soundtrack van *De notenkraker* klinkt uit de luidsprekers terwijl we graaien en friemelen en er uiteindelijk achter komen hoe we pen A in gleuf B moeten krijgen, zoals we het lachend noemen. Daarna bewegen we samen − even maar − tot hij uitgeteld naast me neervalt en ik me, terwijl ik naar de eerste van honderden plafonds staar, afvraag: was dat het nou? Was dat nou wat ik nooit mocht doen en waar ik zelfs niet aan mocht denken?

Ik ben gelukkig, want dit betekent dat Kenny van me houdt. Ik weet dat seks gelijkstaat aan liefde. Dat weet ik tot diep in mijn binnenste. Dat heb ik geleerd van mijn ouders, van tv, van songteksten en van de kerk. Ik weet dat het een band schept als je seks met iemand hebt. Als ik me beschikbaar stel, zal Kenny bij me blijven en heb ik waarde.

Kenny houdt overigens ook echt van me, met de jeugdige toe-

wijding van een achttienjarige. Hij zegt dat het is omdat ik ongelooflijk en verbazingwekkend ben, maar ik denk dat het komt
omdat ik hem seks geef. Dat zal ik altijd blijven denken. Bij elke
man. Ik zal altijd blijven denken dat ze me alleen willen voor de
seks, dat seks het enige is wat ik te bieden heb.

Tijdens mijn eerste jaar op de middelbare school neemt mam een
administratieve baan in de buurt van Detroit aan, twee uur van huis.
Ze huurt daar een eenvoudig appartementje en komt alleen in het
weekend naar huis. Het is voor het eerst dat ze iets voor zichzelf
heeft, zonder het gekibbel en lawaai van een huis vol kinderen. Mijn
vader blijft thuis, bij ons. Hij zit bijna elke middag aan de keuken-
tafel patience te spelen in de kamerjas die mam voor hem heeft gemaakt.

Hun carrières gaan tegengestelde richtingen uit: hoe meer mam
verdient, hoe minder pap werkt. Toch staat mam nog ieder weekend te koken, lasagne en tjaptjoi in te vriezen in grote Tupperwa-
re-dozen, allemaal met een beschreven sticker erop.

De grotere meisjes ontdooien die maaltijden om beurten, of
maken eten klaar aan de hand van de receptkaarten en boodschappen die ze achterlaat. Amy heeft tot taak de tafel te dekken. Als het
mijn beurt is om te koken pak ik het recept voor spaghetti.

Haal om 4 uur 's middags het pakje waar 'gehakt' op staat uit de vriezer.
Doe het in de groene braadpan met het gas middelmatig hoog. Bak het
gehakt rul. Voeg een gesneden ui en een gesneden groene paprika toe. Laat
het 10 minuten braden, en roer vaak. Doe er een potje tomatenpuree en
twee blikjes tomatensaus bij, plus de inhoud van een zakje spaghettikrui-
den. Roer. Zet het vuur laag en laat het sudderen terwijl je de spaghetti
kookt. Leg het deksel erop, anders zit alles straks onder de spetters.

Eén weekend gaan Jane, Pat, Amy en ik bij mam logeren, met ons
vieren op de slaapbank, doodsbang door het nieuws van die avond,
waarin ze het hebben over autodiefstal, overval en moord.

Ons stadje komt zelden in het nieuws, en dan nog alleen maar
vanwege de rugby-uitslagen en plaatselijk nieuws over optredens,
wedstrijden en de optocht op onafhankelijkheidsdag.

'Weet je zeker dat je hier veilig bent?' vragen we mam.

Ze lacht.

'Ik maak het prima,' zegt ze.

Mijn broer werkt de hele zomer op de golfbaan; hij maait het gras, onderhoudt de greens en maakt golfkarretjes schoon. Mijn oudere zus werkt bij McDonald's, waar ze frietjes en hamburgers serveert met een papieren hoedje op haar hoofd en een opgewekte glimlach op haar gezicht. Ze betalen allebei voor hun eigen studie en levensonderhoud.

Ik verdien wat bij door drie avonden per week in de bioscoop in het winkelcentrum, acht kilometer van huis af, te werken, waar ik een zwarte polyesterbroek en een rood-met-zwart shirt draag dat vol vlekken van de kokosolie zit. Ik heb halvemaanvormige brandwonden op mijn armen door het omschudden van de zilverkleurige schaal met popcorn, en pukkels in mijn gezicht van het vet. Soms sta ik bij de deur en laat ik Amy en haar vriendinnen binnen op mijn familiepasje. Tijdens mijn pauze mix ik een grote beker Dr. Pepper met cola en sinas en loop ik door het winkelcentrum in de hoop te worden opgemerkt door de leuke jongens die in de platenwinkel werken, ook al weet ik dat ik te jong, pukkelig en dik ben.

Op de eerste schooldag kleden wij, meisjes, ons allemaal in broekrokken met kniekousen en de nieuwe schoenen die we elk najaar krijgen – een paar voor school en een paar voor het turnen. We stuiven de voordeur uit met onze lunch en onze boekentassen, op weg naar de bus. Op het stoepje kust pap ons allemaal gedag.

'Je kust als een vis, net als je moeder,' zegt pap tegen Jane. 'Ik zal je leren hoe je moet kussen.'

Hij buigt naar voren, plant zijn lippen op die van Jane en kust haar intiem, zoals je een geliefde kust. Ze valt flauw en glijdt uit zijn armen op het beton. Ik moet bijna overgeven.

Daarna blijf ik bij hem uit de buurt. Ik zeg ook tegen mijn vriendinnen dat ze bij hem vandaan moeten blijven, maar hij trekt ze nog steeds op zijn schoot als ze bij ons zijn, dus neem ik ze niet meer mee naar huis en gaan we in plaats daarvan met hun auto's weg.

Ik deel een Ford Fairlane, die Steve tweedehands heeft gekocht en heeft gebruikt tot hij ging studeren, en die Jane en ik sindsdien gebruiken. De voorstoel zit niet meer stevig aan de vloer verankerd en schuift naar achteren als je de koppeling te hard indrukt, en de besturing vergt twee handen en een hoop vastberadenheid.

Maar hij rijdt in elk geval, tot mijn vriendin Mary en ik een keer te hard rijden om nog op tijd thuis te komen en ik op een zandpad een bocht te snel neem, slip en tegen een boom rijd.

De boom is klein en nog jong, en we mankeren niets, hoewel mijn gezicht tegen het stuur is geklapt en er een bult op mijn voorhoofd verschijnt. Ik maak me meer zorgen om de auto, het feit dat we nu zeker te laat thuiskomen en de problemen die me wachten dan om mijn verwondingen. Daar zitten we nu in de stilte en het stof.

'Shit,' zeg ik, 'pa vermoordt me.'

We zitten in het donker te luisteren naar de krekels, de uilen en het steeds langzamer wordende getik van de afkoelende motor.

Mary hoeft niet voor een bepaalde tijd thuis te zijn. Haar ouders zijn geweldig. Ze pinnen haar niet vast met regels, maaltijden of de kerk. Ze controleren haar cijfers niet en vragen niet naar haar huiswerk. Ze is ook knapper en populairder dan ik. En ze heeft een oudere zus die seks heeft in het huis van hun ouders.

Deze ene keer ben ik echter blij met de regels binnen ons gezin, omdat ik weet dat iemand me zal komen zoeken. Mijn vader zal boos zijn en ik krijg vast de rest van mijn leven huisarrest, maar dan zit ik hier in elk geval niet meer in het donker langs de kant van een zandpad.

Mijn portier maakt een krassend geluid van metaal op metaal als ik het opendoe. De grille is aan flarden, de motorkap gekreukt en een van de koplampen wijst naar boven. Mary en ik kijken elkaar aan. We zijn het haasje. Het is donker en er komt hier de eerste uren niemand langs, dat weten we.

'Wat moeten we doen?' vraagt Mary.

Ik kijk om me heen. Ik zie nergens de lichten van huizen, en er komt niet veel verkeer over dit pad.

'Ik heb geen idee,' zeg ik. 'Misschien komt mijn vader ons wel zoeken.'

'En moeten we daar blij mee zijn of juist niet?' vraagt Mary.

Ik weet niet wat ik moet antwoorden. Ik zou er blij mee zijn, omdat ik hem nu nodig heb, omdat ik íemand nodig heb die naar de auto kijkt en me omhelst en zegt dat alles weer goed komt, dat hij blij is dat ik niet gewond ben, dat we de auto wel kunnen repareren – geen probleem – dat zoiets iedereen toch kan overkomen.

Maar ik zou er ook niet blij mee zijn, omdat hij me niet zal omhelzen en zich ervan zal overtuigen dat alles goed met me is. Hij zal tekeergaan over de auto, zeggen dat ik geen verantwoordelijkheidsgevoel heb, dat hij me nooit in die auto had moeten laten rijden en dat deze jongedame ervan op aan kan dat ze voorlopig niet meer zal rijden. Vergeet het maar.

'Goede vraag,' zeg ik tegen Mary.

We gaan op de kofferbak zitten wachten.

Het kost mijn vader minder dan een halfuur om ons te vinden en hij is woest. Hij is natuurlijk blij dat er niemand gewond is, maar de angst die hij voelde toen ik niet op tijd thuiskwam heeft zijn boosheid over de schade en dat ik te laat ben alleen maar versterkt.

'Het spijt me,' zeg ik.

'We praten er thuis wel over,' antwoordt hij, gevolgd door een tirade over onverantwoordelijk gedrag, achteloosheid en rijden als een idioot en of ik soms denk dat het geld hem op de rug groeit?

Hij laat me weer in de auto stappen om te proberen achteruit te rijden, maar de auto doet niets.

'Stap uit,' zegt hij, stapt dan zelf in en zet de auto in de versnelling. Er komt nog steeds geen beweging in.

'Laat maar staan,' zegt hij uiteindelijk. We halen hem morgen wel op.

Mary en ik stappen schaapachtig op de achterbank van paps stationwagon. Thuisgekomen stamp ik meteen naar mijn kamer.

Later dat jaar verhuis ik naar het souterrain. Toen Steve naar de universiteit vertrok, hadden mijn ouders zijn kamer aan Jane gegeven en voor hem een tijdelijke kamer beneden gemaakt, met een bed, een stukje tapijt en een gordijn voor wat privacy. Daar sliep hij als hij tijdens schoolvakanties en in de zomer naar huis kwam, maar hij komt nu zelden nog thuis, dus neem ik die kamer in om zoveel mogelijk afstand tussen mij en mijn ouders te scheppen. Amy komt 's avonds op het voeteneind van mijn bed zitten. Zij is twaalf, ik ben zeventien.

'Ik wil niet dat je hier beneden woont,' zegt ze. 'Iedereen die hierheen verhuist gaat weg.'

Ze heeft tranen in haar ogen.

'Ik weet het, lieverd,' zeg ik. 'Ik weet het en het spijt me. Maar ik kan niet anders.'

Ze ligt dwars over het bed, slungelig en mager. Ik speel met een van haar krullen.

'Waarom wil je hier dan blijven, zo ver weg van mij?' vraagt ze.

Ik weet niet wat ik daarop moet antwoorden. Omdat ik mijn ouders niet kan uitstaan, omdat ik het ijs in hun glazen niet wil horen rinkelen, omdat ik gek word van het idee in de buurt van mijn vader te zijn, omdat ik elke keer de rillingen krijg als hij me aanraakt. Maar dat zeg ik allemaal niet tegen Amy. Niet alles. Ik zeg wel dat ik een hekel heb aan mijn ouders, maar dat weet ze al. Dat roep ik al jaren. Ik zeg tegen haar dat ik gewoon mijn eigen plekje nodig heb, dat ze het zal begrijpen als ze net zo oud is als ik.

Avond na avond komt ze op mijn bed liggen en praten we over klasgenoten en haar school en een film die ze heeft gezien, over een jongen op wie ze verkikkerd is en die niet weet dat ze bestaat, over een ruzie met mijn baas en een vriendin die misschien zwanger is, over onze zussen en vriendinnen en wat we verder maar kunnen bedenken.

Amy draagt haar haren een poosje in afrostijl, uit sociaal protest – we zijn allebei grote voorstanders van integratie – maar ook omdat haar haar zo dik, vol en krullerig is dat kleine pijpenkrulletjes het enige alternatief zijn. We praten over abortus en de vrouwenbeweging, en over hoe stom het is dat de hoofdpersoon uit *Charlie's Angels* kunnen rennen met hoge hakken terwijl wij er nauwelijks gewoon op kunnen lopen. Maar ze zwaaien in elk geval met wapens en gaan de strijd aan in plaats van op een man te leunen.

Ze is kwaad op pap omdat hij alweer heeft gezegd dat ze zo slecht is in wiskunde dat ze zelfs met een plattegrond niet eens de weg uit een papieren zak zou kunnen vinden.

'Negeer hem,' zeg ik. 'Dat zegt hij tegen ons allemaal.'

Alleen bij mij heeft hij gelijk (denk ik, maar zeg ik niet). Ik ben slecht in wiskunde. Ik krijg de getallen niet op een rijtje, kan de feiten niet onthouden, ik ben gewoon stom als het op getallen aankomt.

Het is het najaar van 1977, een paar weken voor mijn achttiende verjaardag. Ik heb huisarrest. Alweer. Maar een paar vrienden van mijn werk hebben hun auto's op de parkeerplaats gezet om me een serenade te brengen. Ze zitten op de motorkap van de auto van de oudste jongen onder hen. Eentje speelt gitaar en de rest zingt. Ik zit op het uiteinde van de veranda en roep door de heg heen naar hen. 'Dank jullie wel,' zeg ik. 'Mijn ouders zijn vreselijk gemeen.'

Het doet er niet toe dat ik huisarrest heb omdat ik te laat thuis was of omdat ik als een idioot rij. Mijn ouders hebben het mis. Ze zijn onredelijk en mijn vrienden zijn het met me eens.

We lachen en zingen. Ik zie hun gezichten betrekken voor ik de voordeur dicht hoor vallen.

'Wegwezen jullie daar,' roept mijn vader.

Hij is in zijn kamerjas, die is open gewaaid zodat je zijn onderbroek kunt zien. Ik ren langs hem heen naar binnen en naar boven, en laat elke deur zo hard mogelijk dichtslaan. Ik kan mijn vrienden vast nooit meer onder ogen komen.

Later storm ik uit mijn kamer naar beneden om tegen mijn moeder te gaan staan schreeuwen. Ze zit in de woonkamer met zijn donkere lambrisering, en de meubels in verschillende kleuren goud en olijfgroen. Ze zit op de bank. Steve, die thuis is van de universiteit, ligt languit op de vloer. Mijn vader zit in zijn luie stoel bij de haard een sigaar te roken. Zijn sigaar ruikt naar zaterdag en voetbal.

'Zodra ik achttien ben, ben ik hier meteen weg,' roep ik voor de zoveelste keer.

'Misschien moet je ophouden dat te roepen, anders moet je het straks nog echt doen,' zegt Steve. Hij heeft gelijk. Het is nu slikken of mijn mond houden.

Een paar dagen na mijn achttiende verjaardag storm ik voorgoed de deur uit.

Ik zit halverwege mijn laatste jaar op de middelbare school. Het is winter. Ik breng twee nachten door bij het mormoonse gezin verderop in de straat. Ik heb nog nooit zo'n sterk gezin gezien. Ze houden van elkaar. Ik koop een exemplaar van *Het Boek van Mormon* en lees hun gezangen. Ik wil mormoon worden.

Ik blijf een paar dagen bij mijn voormalige gymlerares, de vrouw die Janes groepsleidster was bij scouting, die me heeft geleerd met één hand de veters van haar kniehoge leren laarzen te strikken. Ik probeer haar te bedanken door spaghetti klaar te maken, maar ik laat de uien aanbranden.

'Ik kan ook niks,' zeg ik.

'Iedereen laat wel eens uien aanbranden,' zegt ze.

Ik slaap op banken en in logeerkamers, en neem mijn tandenborstel en kleren in een plastic zak mee naar school. De ouders van mijn vriendinnen tolereren mijn geraas, mijn boosheid. Ze geven me te eten en laten me meerijden in hun auto, zelfs als ik hun familiegeheimen doorvertel.

Meestal verlaat ik de school tijdens de lunch. Ik rij dan met mijn vriendinnen Mary, Sandy en Debbie naar McDonald's, waar ik kersentaart en een chocolademilkshake neem. We zijn niet altijd op tijd terug en meneer DuByne, mijn natuurkundeleraar, is voorbereid. Door de jaren heen heeft hij een lijst opgesteld van smoesjes van leerlingen die te laat waren – ik heb de bus gemist, mijn moeders auto wilde niet starten, ik moest nablijven in de vorige les, ik zat opgesloten in mijn kluisje – dus ik hoef alleen maar een nummer op te geven terwijl ik op mijn plaats glijd.

'Nummer 27,' zeg ik, en DuByne loopt langzaam naar de lijst.

'Je bent opgehouden door een auto-ongeluk?' leest hij.

Ik knik, en hij glimlacht.

'Niet goed genoeg, Latus.'

Hij loopt naar zijn bureau en maakt een aantekening in het leerlingenboek

Nou ja, denk ik, dingen als 'ik moest gisteravond werken en ben vanmorgen hierheen gelift,' of 'ik ben zo moe dat ik denk dat ik aan narcolepsie lijd,' of 'het regende gisteravond zo hard en een of andere klootzak reed door de plas in de bocht en toen was ik drijfnat' komen niet op uw lijstje voor.

Ik zeg niets, omdat ik niet nog meer aandacht wil trekken. Ik wil gewoon normaal zijn.

Om de paar dagen val ik tijdens zijn les in slaap, suf door het lange werken en een daling van mijn bloedsuikerspiegel na de zoetigheid die ik gegeten heb.

'Latus,' roept DuByne, 'wakker worden!'

Ik schiet overeind en er loopt een beetje kwijl uit mijn mond op mijn boek. Hij schudt zijn hoofd.

'Nablijven,' zegt hij.

Als de bel gaat, ga ik bij zijn bureau staan.

'Je moet jezelf onderhanden nemen,' zegt hij. 'Ik weet niet wat er met je aan de hand is, maar je gedrag is onacceptabel.'

Ik kijk omlaag, bang dat ik zal gaan huilen.

'Sorry,' mompel ik, 'ik zal beter mijn best doen.'

Ik weet net een toilet te bereiken voor de tranen komen.

Later houdt hij me in de gang staande.

'Ik heb gehoord dat je wat problemen hebt,' zegt hij. 'Als ik dat had geweten had ik je niet zo hard aangepakt.'

'Het is wel goed,' zeg ik.

Er valt een onaangename stilte, maar ik zeg verder niets.

'Maar je moet wel wakker blijven.'

'Ik weet het.'

Het nieuws doet de ronde: meneer McIntosh vraagt of ik iets nodig heb en de gymlerares vraagt of het wel goed met me gaat.

Het kost me een paar weken om een appartementje te vinden dat ik me met mijn parttimebaantjes kan veroorloven. Mijn ouders vinden het goed dat ik mijn eigen meubels meeneem – een tweepersoonsbed, een bureau, en wat oude pannen en bestek. Vrienden komen me helpen sjouwen. Mijn moeder huilt. Mijn vader loopt te fluiten en doet alsof er niets aan de hand is. Ik smijt met de deuren. Ik ben bang.

'Ga niet weg,' zegt Amy.

'Ik kan niet anders,' zeg ik.

We omhelzen elkaar, houden elkaar stevig vast. We huilen allebei.

Mam valt uit tegen pap. 'Zoals jij steeds tegen Amy en Pat tekeergaat,' zegt ze, 'straks vertrekken zij ook nog.'

Ik ga de woonruimte delen met een klasgenootje uit een arme wijk. Ik weet niet waarom zij het huis uit gaat, maar haar moeder is niet verkeerd. Ze geeft ons een oude bank en een eethoek mee en we verhuizen naar een appartementje met een tuin en een slaapkamer, waarvan het raam uitkijkt op autobanden, kattendrollen en de voeten van mensen die we niet kennen. We kopen een douchegordijn en tweedehands servies van particulieren.

Ik neem een extra baantje aan als schoenverkoopster bij Stride Rite, waar ik voorwend me om de ontwikkeling van kindervoeten te bekommeren. Ik weet niets over het aanmeten van schoenen, en toch betalen de mensen extra om de voeten van hun dierbare kroost te laten opmeten door experts. Ik leer het standaardpraatje van het bedrijf, over hoe belangrijk het is dat de mensen onze duurste schoenen kopen zodat de voeten van hun kinderen sterk en gezond zullen blijven. Al te vaak zit ik schrijlings op mijn krukje, voorovergebogen om een peuter een schoen met stug bovenleer en harde zolen aan te passen, en schopt dat kind me tegen mijn hoofd. De ouders lachen dan, maar ik vind het niet grappig.

Op mijn eerste dag stuurt een collega me om een boodschap.

'Verdorie,' zegt ze, 'we hebben te veel voorraad binnengekregen. Kun jij even naar de andere schoenwinkels gaan en vragen of ze een plankstrekker hebben?'

Ik ga op pad, blij met mijn officiële opdracht. In de eerste winkel waar ik kom word ik uitgelachen door de tiener die er werkt. Ik ben beetgenomen.

Mijn appartement ligt een dorp verwijderd van de school. Dat is buiten het schooldistrict, dus stap ik naar de directeur. 'Ik ben verhuisd,' zeg ik. 'Ik kan het bij mijn ouders niet meer uithouden, maar ik wil het doen zoals het hoort en schoolgeld betalen als dat moet.'

Hij kijkt naar mijn vooruitgestoken kin en reageert respectvol, hoewel ik denk dat hij eigenlijk wil lachen. 'Laat me erover nadenken,' zegt hij. De volgende dag word ik naar zijn kantoor geroepen. Omdat mijn ouders belasting betalen in dit district, hoef ik maar een dollar te betalen, zegt hij. Ik voel me huilerig en trots. Ik haal mijn portemonnee uit mijn tas, de portemonnee die ik kocht met een glimmende foto van Tony Curtis erin, vis er een dollar uit en leg die op zijn bureau. Ik ben volwassen.

Soms haalt Mary me 's ochtends op. Andere dagen loop of lift ik de acht kilometer naar school. Mijn avondeten bestaat uit tomatenroomsoep van Campbell. Ik schud er popcorn in zodat hij beter vult. Avond aan avond eet ik dat terwijl ik in het donkere, koude souterrain-appartement mijn huiswerk maak. Regen op het dak hoor ik niet. Wat dat nog het dichtst benadert is het druppen van de kraan in het keukentje, en wat het dichtst bij onweer komt is het dreunen van de bas van de geluidsinstallatie in het appartement boven ons.

De eerste zondag ga ik naar huis om mijn was te doen en een keer goed te eten.

'Nee,' zegt mijn vader. 'Als je weg bent, ben je weg. Of je hoort bij dit gezin, of je hoort er niet bij, en als dat niet zo is, kun je hier niet zomaar komen eten en het huis gebruiken. Nee.'

Ik stamp naar buiten, smijt de deur dicht. Wie denkt hij wel dat hij is? Hoe kan hij me zomaar op straat gooien? Waarom staat mijn moeder dat toe?

Pap verbiedt mijn broer en zussen met me te praten. Amy zit in de zesde, aan de andere kant van de open sportvelden, zo'n achthonderd meter verderop. Elke dag stopt de bus bij mijn school en hij maakt dan een grote lus terug naar haar school. Op een dag springt Amy, die haar naam op dat moment uit minachting voor onze ouders spelt als A-m-i-e, uit de bus. Ze rent de middelbare school binnen en stopt een gekreukelde papieren zak in de postbus van mijn favoriete lerares en rent dan de achthonderd meter naar haar eerste les.

Mevrouw Lee geeft me de zak wanneer ik de Engelse les binnenstap. Er zit een twintig centimeter groot, met bonen gevuld fluorescerend roze zakje in de vorm van een paar lippen in. Het is zacht en donzig, gemaakt van velours. Met een marker heeft ze erop geschreven: 'Voor Janine. Ik hou van je, waar je ook bent. Amie.' Ik zie haar voor me in het souterrain, knippend met een kartelschaar en naaiend op de oude Singer. Ik ren naar het toilet, waar ik in stilte kan huilen. Ik mis haar vreselijk, en zij durfde zomaar het risico te nemen dit hier af te geven. Ik snik. Ik heb honger. Ik ben moe. Ik weet niet of ik mijn ballingschap vol kan houden. Ik weet niet of ik mijn examens zal halen.

Ik werk elke dag, soms bij meer dan één werkgever. Ik eet elke dag tomatensoep met popcorn, of boterham met tonijn en gesmolten kaas erover.

'Kan ik straks met je meerijden?' vraag ik Mary als we door de gang lopen en de kastjes om ons heen dicht kletteren.

'Ja hoor,' zegt ze. 'Ik denk het wel. We hebben het er tijdens de lunch wel over.'

Ik leun met mijn voorhoofd tegen mijn kastje en draai de combinatie voor het slot. Op mijn algebraboek ligt een envelop.

Ik kijk om me heen. Het is lang geleden dat een jongen een briefje in mijn kastje heeft gestopt, en ik heb al sinds de lagere school geen briefjes gehad van een meisje dat met wraak dreigde of dat als contactpersoon optrad voor een jongen die een oogje op me had.

Maar als ik de envelop omdraai, zie ik mijn naam erop staan in mijn moeders volmaakte handschrift. Ik kijk weer om me heen. Als mam de brief hier in heeft gestopt, wil dat zeggen dat ze weet welk kastje van mij is, en dat ze de moeite heeft genomen naar binnen te glippen en de envelop door de luchtsleuven te schuiven. Als zij het niet heeft gedaan, moet ze het een van de leraren hebben gevraagd, wat inhoudt dat ik een bondgenoot heb.

Ik blijf daar wel een minuut staan met de ongeopende envelop. Ik kijk de gang door naar Mary's kastje, maar ze is weg. De gang is zelfs helemaal leeg, omdat alle leerlingen de klaslokalen binnen zijn gegaan. Ik kom te laat voor algebra als ik niet opschiet, maar ik kan niet wachten.

Ik hou van je, staat er in de brief. *Je hebt hier altijd een thuis als je dat nodig hebt.*

Ik doe mijn ogen dicht en leun tegen mijn kastje. Ik schrik op als de bel gaat, pak mijn boek en hol de gang door.

In de weekends gaan mijn kamergenootje en ik uit. De minimumleeftijd voor het drinken van alcohol is op dat moment voor korte duur verlaagd naar achttien, dus we kunnen zonder begeleiding en zonder avondklok van bar naar bar lopen.

Op een avond gaan we naar een discotheek in de stad die de Green Door heet. We laten onze identiteitskaarten zien aan de uitsmijter en trippelen naar een tafeltje, waar we onze tassen neerleggen, aan de zoom van onze minirokjes trekken, onze haren naar achteren duwen en elkaars tanden controleren op lippenstift. De serveerster brengt ons ieder een ijskoud longdrinkglas – voor haar een Tom Collins, voor mij een Sloe Screw, gewoon omdat het zo leuk is om te bestellen. We nemen kleine slokjes en kijken om ons heen.

Er zijn gegadigden, maar er komt nog niemand naar ons toe, dus gaan we samen de vloer op. We doen de shimmy, draaien rond, schudden met onze heupen en doen alsof we niet in de gaten hebben dat we bekeken worden, dat we in feite onze waren laten zien.

'Kijk omlaag,' roept Beth plotseling.

Ik kijk omlaag en vervolgens in paniek naar haar. Door het ultraviolette licht schijnt mijn witte beha door mijn donkere truitje heen. Ik pak haar hand vast en trek haar mee naar het toilet.

We bespreken de mogelijkheden. Zonder beha is het beste, besluiten we, dus ik maak hem los, trek het ene schouderbandje door mijn mouw uit, en laat dan de rest als de zakdoek van een goochelaar uit de andere mouw tevoorschijn komen. Ik rol hem tot een kleine bal op en verberg die in mijn vuist tot we terug kunnen naar ons tafeltje, waar ik hem in mijn tas zal proppen en waar al mannen staan te wachten om ons ten dans te vragen.

Het nummer is 'Dancing Queen' en Beth en ik zingen uit volle borst mee, zelf ook *young and sweet, barely seventeen*, of althans dichter bij de zeventien dan de in polyester geklede mannen die onhandig staan te huppen en schudden en tegenover ons hun voeten bewegen in een stap-tik-stap-tik-ritme. Wij dansen op onze tenen en gaan door onze knieën, raken de mannen niet aan, maar suggereren wel dat het zou kunnen. Tussen het dansen door nippen we van onze drankjes en sabbelen we op de kersen. De rook van de barkeeper wervelt om ons heen in een wolk die steeds lager komt te hangen. Nog even en we zijn onzichtbaar.

Een uur, of een paar uur later, ga ik weg. Ik glij op mijn platformschoenen over het ijs naar mijn Pinto. Beth blijft. Ze krijgt wel een lift naar huis, zegt ze en verzekert me dat alles in orde is.

De Pinto, die niet altijd betrouwbaar is, start meteen. Ik sla op het stuur in de maat van de muziek op de radio, die boven het lawaai van de verwarming uit probeert te komen. Ik verdraai de achteruitkijkspiegel, zing mezelf toe en knik met mijn hoofd in de maat. Ik zie niemand achter me.

Mijn parkeerplek bij het appartement is vrij. Ik schakel terug, draai het stuur met één hand en kom tot stilstand in de sneeuw. Ik spring, nog steeds zingend, uit de auto en huppel de treden af naar mijn appartement-met-uitzicht-op-autobanden. Ik houd de hordeur met mijn heup open terwijl ik de deur van het slot doe. Ik voel het gewicht van de hordeur verdwijnen en draai me glimlachend om in de verwachting Beth te zullen zien. Het is een man. Een man, klein, dik, kalend, stinkend naar rook en whisky. Hij reikt langs me heen en duwt de deur open. Ik weet niet of ik moet weglopen of het appartement binnen moet gaan en de deur dichtgooien. Ik denk te lang na. Hij duwt me achterover en ik struikel over de dorpel en val op mijn achterste.

Hij praat, maar zijn woorden dringen niet tot me door. Hij komt naar me toe en ik kruip achteruit, tot mijn nek de scherpe formicarand van onze salontafel raakt, een uitstaltafel uit de schoenwinkel waar ik werk. Rond, als een donut.

'Sta op,' zegt hij. Ik ben verstijfd van angst. Hij zet zijn instapper hoog op de binnenkant van mijn dijbeen en trapt. Ik schreeuw het uit.

'Sta op,' zegt hij. 'Jij denkt toch dat je zo'n stuk bent... Sta op.'

Ik sta op. Hij duwt me hard naar achteren. Ik val op de tafel, probeer eraf te rollen, weg te kruipen. Hij grijpt me beet, drukt me neer, bijt me hard in mijn schouder.

Hij smoort me onder zijn gewicht en ik probeer te gillen. Hij pakt mijn polsen vast en ramt zijn knie tussen mijn benen.

'Trek je kleren uit,' zegt hij, zijn hoofd in mijn nek.

'Nee,' zeg ik. 'Nee, nee, nee.'

Ik probeer los te komen en hij duwt me nog harder neer. Bij elke beweging schuurt mijn rug over de harde rand van de tafel.

Hij laat mijn polsen lang genoeg los om de voorkant van mijn truitje vast te pakken en eraan te rukken. Het scheurt kapot en mijn borst is bloot. Ik begin te huilen.

'Alsjeblieft,' zeg ik. 'Doe het alsjeblieft niet.'

Hij trekt mijn rok omhoog, ritst zijn broek open, rukt mijn slipje uit. Ik snik. Mijn rug bloedt. Ik schop naar hem, klauw naar hem met mijn handen. Hij pakt een been in elke hand, duwt ze ver uiteen en stoot dan bij me naar binnen. Telkens weer, terwijl ik huil en hem sla en het uiteindelijk opgeef. Vechten heeft geen zin. Ik kan beter stil blijven liggen, misschien is het dan sneller voorbij. Hij brult het uit en eindelijk komt er een einde aan het gebeuk. Hij trekt terug en ritst zijn broek dicht terwijl hij boven me uittorent. Ik glijd van de tafel af en rol me op de vloer zo klein mogelijk op, tussen de tafel en onze gekregen bank. Ik hoor niets van wat hij zegt, kijk alleen opgelucht toe terwijl hij vertrekt.

Het is misschien een uur later als Beth thuiskomt en me daar huilend, uitgeput en bloedend aantreft.

Ze staart even naar me, komt dan naar me toe en probeert me in haar armen te nemen, ook al ben ik naakt, lig ik te bloeden en is zij ook pas achttien.

'Is hij weg?' vraagt ze. Ze vraagt niet wie of hoe – dat komt pas de volgende ochtend en de dagen en weken erna waarin we bang zijn dat hij terug zal komen.

In plaats daarvan neemt ze me mee naar de badkuip, wast ze voorzichtig mijn rug en behandelt dan elke kapotte plek met de druppelaar van de merthiolaat, de roze ontsmettingsvloeistof die zo hevig prikt dat ik me tegen haar wil keren, mijn woede, hulpeloosheid en afgrijzen op haar wil afreageren.

'Je ziet eruit alsof je ruzie hebt gehad met een kaasrasp,' zegt ze, 'en de kaasrasp heeft gewonnen.'

Ik glimlach zo goed als ik kan.

We spreken af nooit meer naar de Green Door te gaan, bij elkaar te blijven als we uitgaan, voor elkaar te zorgen.

Wekenlang kijken we elkaar strak aan als we het nummer weer horen: '*She was a dancing queen, young and sweet, only seventeen.*'

Het zal meer dan tien jaar duren voor ik het iemand vertel.

4

Een paar maanden later slaag ik met vlag en wimpel, en een zeker gevoel van 'val dood'. Mijn ouders houden open huis om het te vieren. Mijn moeder coördineert op afstand en haast zich naar huis om hamburgers, broodjes en chips te regelen, en om een taart te bestellen waar met glazuur 'Gefeliciteerd, Janine!' op geschreven staat. Ik poseer met een steeds wisselende entourage van grootouders, neven en nichten, broer en zussen, trots glimlachend met mijn baret op.

Ik voel me echter niet op mijn gemak, alsof ik tussen gast en familielid in zit. Als het moment is aangebroken voor de onvermijdelijke foto met mijn ouders, dwing ik mezelf te glimlachen, ook al krijg ik de kriebels van mijn vaders hand op mijn heup.

Als het Amy's beurt is, zet ik haar mijn baret op en ze straalt, haar dunne beentjes in een ballerinapose, haar krullen in de war door de wind. Ik grinnik terug. Het is een prettig gevoel dat mijn kleine zusje naar me opkijkt.

Dan ga ik terug naar mijn kleine appartement. Op mezelf wonen – aanvankelijk zo uitdagend en romantisch – heeft zijn charme al verloren nu ik klaar ben met de middelbare school en de rest van mijn leven voor me opdoemt. Bovendien loop ik elke keer als ik binnenkom langs de salontafel. Op een dag rol ik hem de trap op, het parkeerterrein over en naar de container. Als ik er de volgende morgen langsrijd, is hij weg.

'We verkopen het huis,' vertelt mijn moeder me een paar maanden later. Ze verhuizen naar Brighton, een slaapstad halverwege tussen hun beider banen. Ze zullen allebei 's morgens en 's avonds een uur moeten rijden, in tegenovergestelde richting, maar dan zijn ze in elk geval iedere avond samen thuis in plaats van alleen in het weekend.

Pat betrekt een appartementje zodat ze haar school samen met haar vriendinnen kan afmaken en Amy gaat in de nieuwe stad naar school.

Ik ben een beetje jaloers op haar frisse start – de kans om naar school te gaan als een individu en niet als iemands jongere zus. Amy is minder opgetogen.

Ik kan me wel voorstellen hoe ze zich voelt. Wanneer we verhuisden toen ik jonger was, had ik altijd het gevoel buiten de groepen te staan die waren ontstaan uit vriendschap, kliekjes en een gezamenlijk verleden. Ik won met balspelen en stak te vaak mijn hand op in de klas, maar mijn gretigheid om erbij te horen leverde me een pak slaag op het speelplein op. Nu kreeg Amy dat. Een middelbare school in een andere stad zonder de steun van haar oudere familieleden. Ik probeer me voor te stellen hoe het moet zijn.

Amy is dertien en mager als ze verhuizen, maar al snel komt ze in de puberteit en zwellen haar borsten en heupen zo snel dat mijn moeder de dokter vraagt haar op schildklierproblemen te controleren.

Zij en ik hebben hetzelfde gezicht, dezelfde lengte, maar zij ontwikkelt een vorstelijke boezem en gevulde heupen, terwijl ik geen van beide heb.

'Je moet minder eten,' zeg ik.

'Je snapt er niks van,' antwoordt zij.

Ik spaar mijn geld maandenlang en koop een groene Dodge Dart die linksachter is ingedeukt. Hij ruikt stoffig, maar is schoon en betrouwbaar en de voorbank is breed en glad. Het gezin dat hem me heeft verkocht is met mijn 500 dollar uit eten gegaan.

Ik noem de auto Irma.

Als de startmotor het voor de supermarkt begeeft, vraag ik een vriend om mee te rijden naar de sloperij om een andere te halen. Ik ga op de parkeerplaats onder de auto liggen met mijn tweedehands gereedschap en vervang de startmotor zelf. Ik verwissel lekke banden langs de kant van de weg en loop kilometers met jerrycans gevuld met benzine, tot ik beter leer omgaan met geld en brandstof. Ik voel me zelfstandig en tegelijk een idioot, en het lijkt allemaal te zwaar.

Het gaat steeds slechter tussen pap en mam. Pap woont in elk geval een deel van de tijd in onze camper, die hij op de parkeerplaats achter zijn kantoor heeft gezet, een paar kilometer bij mijn appartement vandaan. Mam en Amy wonen nog in het huis in Brighton. Mam betaalt de hypotheek – en de rest – en heeft daar schoon genoeg van.

'Betaal jij de hypotheekaflossing maar,' zegt ze tegen pap. 'Het is ook jouw huis.'

Op een dag komt ze terug van haar werk en vindt ze een kennisgeving aan de voordeur geniet, ondertekend door de sheriff. Het huis zal bij opbod worden verkocht, wegens het niet betalen van de hypotheekschuld.

Enkele maanden later verhuizen mam en Amy naar een appartement in Southfield, een voorstad van Detroit met een school vol prinsesjes met elegant postuur en dure kleren. Amy past daar niet tussen en mam kan weinig doen om haar te troosten. Zij heeft het zelf al moeilijk genoeg met de zware eisen en het reizen voor haar leidinggevende functie en de problemen van het alleenstaand-moederschap. Pap spant een zaak aan om Amy bij zich te kunnen houden en zegt dat mam meer om haar carrière geeft dan om haar kinderen. Mam neemt een advocaat in de arm; pap vertegenwoordigt zichzelf. Hij gaat tekeer tegen de rechter en steekt zijn middelvinger op naar mam.

Mam wint.

Het drama gaat grotendeels aan mij voorbij. Ik presteer goed tijdens de toelatingstests voor de universiteit en krijg aanbiedingen voor volledige beurzen vanuit het hele land. Allemaal eisen ze echter dat eerstejaars in studentenhuizen wonen, dus ik weiger. Ik woon inmiddels lang genoeg op mezelf om me op te winden over het idee van slaapzaalmoeders of studentenhuisleiders of hoe ze ook genoemd mogen worden. In plaats van een badkamer, verhalen, aantekeningen en middernachtelijk gekwebbel te delen met meisjes van mijn leeftijd, huur ik daarom een piepklein appartement met één slaapkamer en deel ik mijn verhalen met het vriendje dat ik sinds een halfjaar heb. Ik volg zoveel vakken als ik kan aan het plaatselijke college en werk fulltime in een familierestaurant, waar mijn vriendje en ik grappen maken over onze bijna–plastic sneldrogende uniformen en wedstrijdjes houden wie de meeste borden in één keer kan dragen.

We zijn op een avond net terug van een uitje naar het circus als de telefoon gaat. Het is mijn moeder.

'Je vader en ik gaan scheiden,' zegt ze.

'Alles goed met je?' vraag ik.

Ik wil details horen. Ik wil weten waarom en hoe ze hiertoe hebben besloten en of ze ruzie hebben gemaakt en waar ze uiteindelijk de moed vandaan heeft gehaald, maar ik vraag het niet.

In plaats daarvan zeg ik: 'Dat werd tijd.'

Ze geeft geen antwoord.

Die zomer neemt pap Amy mee naar Zwitserland voor een vakantie die hij heeft gewonnen met een wedstrijd van één van zijn verzekeringsmaatschappijen; hij heeft de meeste polissen van een bepaalde soort verkocht. Amy is vreselijk opgetogen. Ze gaat op reis! Gaat wat van de wereld zien! Vliegreizen maken, exotische gerechten eten en dingen zien die ze nog nooit heeft gezien! Het doet er niet meer toe dat pap helemaal geen alimentatie voor Amy betaalt en dat hij bijna alle verjaardagen van zijn kinderen, kerstfeesten en andere mijlpalen is vergeten.

Het is een week die haar leven verandert, zegt ze later. Daar ontmoet ze Dick, een verzekeringsagent die in Californië woont. Ze schrijven elkaar, eerst formeel, daarna persoonlijk en dan intiemer.

Ondertussen verhuis ik naar een stoffig ruikende kamer met een rammelende radiator in een pension vol vrouwen die minstens tien jaar ouder zijn dan ik. Het is goedkoper en dichter bij school. Elke dag en avond kom en ga ik; af en toe maak ik iets warm in de keuken, maar meestal verschuil ik me tijdens de onderbrekingen tussen werk en school in mijn kamer.

Op een dag wordt er vlakbij een vrouw verkracht in een pension. Het slachtoffer doet aangifte bij de politie en haalt het nieuws. Ze wordt niet bij naam genoemd; ze zeggen alleen dat ze van mijn leeftijd is en in mijn buurt woont. Mijn familie belt me in paniek op.

'Is alles goed met je?' vragen ze.

'Ik was het niet,' zeg ik.

Ik vind hun bezorgdheid ironisch en te laat. Toch zeg ik niets over wat mij is overkomen.

Ik werk voor de schoolkrant, volg colleges journalistiek, bestudeer stenen en mineralen en de geografie van de Verenigde Staten, en plan mijn volgende stap, zo ver weg als ik maar kan. Ik wil schrijven... dat weet ik wel. Ik schrijf al sinds de eerste klas. Verder dan dat gaat mijn plan nog niet. Ik weet niet waar ik moet zijn of wat ik precies met schrijven wil doen of hoe ik mijn opleiding moet voltooien of, nog het belangrijkst van alles, hoe ik dat allemaal ga betalen. Ja, ik heb beurzen, maar ik moet nog wel mijn huur, gas, licht en eten betalen. Ik moet een plek zoeken waar ik mijn serveerstersuniform kan wassen, ik moet een parkeerplaats op de campus zien te vinden, proberen uit te vogelen wat mijn docenten van me willen en hoe ik op de juiste momenten genoeg kan eten om te zorgen dat mijn maag niet rammelt tijdens de les of dat ik niet in slaap val met mijn hoofd op mijn bureau en mijn aantekeningen onder het kwijl.

'Het is fantastisch dat je je eigen woonruimte hebt,' zegt Amy. 'Ik wou dat ik dat ook had.'

Ik praat nauwelijks met mijn studiegenoten. Ze zijn net als die op de middelbare school – kalm en gelukkig en vol zelfvertrouwen. Ze hebben de juiste auto's, de juiste kleren en de juiste antwoorden.

Ik hou het liever bij de losers zoals ik, de verschoppelingen, degenen die zo hard werken als ze kunnen. Het ontgaat me dat de meeste mensen nauwelijks colleges volgen, dus dat ik een loser en dat ik ontaard ben is slechts een hersenspinsel, iets wat ik mezelf wijsmaak.

Hoe dan ook, ik weet dat ik niet oké ben. Dat weet ik omdat me dat telkens en telkens weer is verteld, vooral door mijn vader: dat mijn heupen te breed zijn, mijn borst te plat, mijn voeten te groot, mijn lach te stom. Mijn vader had gelijk; er is maar één ding waar mijn lichaam goed voor is. Ik bewijs telkens weer zijn gelijk. Met de fotograaf van de krant, de barkeeper van het werk. Ze gaan met me naar bed, dus ze moeten iets aan me de moeite waard vinden. Ik denk heimelijk dat het komt doordat ik slim ben. Of dat ik denk dat ik slim ben. Maar dan bedenk ik weer dat mensen die niet slim zijn niet slim genoeg zijn om te beseffen dat ze niet slim zijn, dus misschien ben ik wel helemaal niet slim, ook al vertellen mijn docenten, mijn punten en de beurzen die ik heb gekregen een ander verhaal. Toch kan ik niet echt intelligent zijn, want hier zit ik weer tomatensoep met popcorn te eten, en ik woon in een schimmelig huis ver van mijn voorstedelijke *roots*, met chagrijnige mensen die ik niet ken en oude vrijsters en mensen die niets beters kunnen krijgen dan een haveloos pension in een lagergelegen stadsdeel. Als ik het niet meer uithou vlucht ik naar het huis van mijn grootouders, een bungalow naast een bosbessenkwekerij. Dat is mijn veilige haven. Ik ga op de bank liggen en hoewel ik bijna twintig ben, stopt mijn moeders moeder me in onder een zachte turkooizen sprei. Ik lig daar te luisteren naar de nachtelijke roep van de koekoeksklok en het langdurige steunende geluid van de passerende trein terwijl mijn grootmoeders hand zachtjes en schijnbaar urenlang mijn haren streelt terwijl ik probeer te slapen. De volgende ochtend ligt de zijden quilt op de grond. Ik sta op, vul een schaaltje met cornflakes en loop ermee door de achterdeur naar buiten. Ik doe er de allersappigste bosbessen bij, vers van het veld.

Twee dagen lang slaap ik en eet ik en ontvang ik liefde, daarna stap ik weer in mijn auto. Oma stopt nog een briefje van twintig dollar in mijn zak als opa niet kijkt en ze lachen en zwaaien allebei tot ik ze niet meer in mijn achteruitkijkspiegel kan zien.

Ik krijg weer een telefoontje van mam. Ze is door een headhunter gerekruteerd voor een fantastische baan, maar het houdt wel in dat ze naar Atlanta moet verhuizen, heel ver weg, in het zuiden, een deel van het land waar we altijd op neergekeken hebben.

'Ga je net zo lijzig praten als die lui daar?' vraag ik.

Ze lacht.

'Wat vindt Amy ervan?' vraag ik.

'Met Amy gaat het prima,' zegt mam.

Later praat ik met Amy. Ze is blij dat ze weg kan bij de snobs in Southfield, maar kwaad omdat mam alles in haar eentje heeft besloten, zonder haar iets te vragen.

'Kinderen hebben geen stemrecht,' zeg ik, 'zelfs niet als ze vijftien zijn.'

Dat maakt haar alleen maar nog kwader en ze voelt zich machteloos.

Op de nieuwe school wordt Amy omringd door kauwgombellenblazende zuiderlingen met wespentailles en hoog opgestoken haar. Ze zal er nooit bij horen. Ze is een yankee.

Ze gaat bij de schoolkrant en compenseert het feit dat ze anders is met gevatheid, ironie en heimelijke schrijverij.

Het is ver weg, dus Amy en ik spreken elkaar niet vaak. Maar als we dat wel doen, gaat het meestal over schrijven, over eenzaamheid en over de populaire kinderen, die haar belachelijk maken. Ze heeft twee goede vriendinnen. Robin is de dochter van een alleenstaande moeder die bij haar in de straat woont. Kris is Amy's mede-redacteur bij de krant, die door de populaire meiden wordt gemeden omdat ze lang en mager is. Kris woont bij haar gescheiden vader, die net als mam veel reist, dus ze weet hoe het is. Samen halen ze streken uit, nemen ze stiekem blikjes Budweiser mee en praten ze over hun ouders.

Op een dag vliegt Dick, de verzekeringsagent die Amy in Zwitserland heeft ontmoet, naar Atlanta. Amy spreekt met hem af en ze gaan recht van het vliegveld naar een motel, waar ze elkaar kussen, betasten en met elkaar spelen. Dan bindt hij haar handen en voeten vast aan het bed. Pas naderhand vertelt ze hem dat ze nog maagd was.

'En toen begonnen we weer van voren af aan,' zegt ze. 'Het was heerlijk.'

'Hij bond je vast terwijl het je eerste keer was?'

'Hij wist het niet.'

'Maar dan nog.'

Ze houden nog een maand of twee contact. Dan verdwijnt hij uit beeld.

Ondertussen probeer ik te bedenken wat ik na mijn twee jaar op het plaatselijk college zal gaan doen.

De slimste van mijn medestudenten, een man met Einstein-haar, wiens ene oog alle kanten op draait, vertelt me dat de opleiding voor journalistiek in Missouri de beste van de Verenigde Staten is, dus meld ik me daar aan, en ik word toegelaten. Nu weet ik waar ik hierna heen ga. Bijna het halve land door, naar een of andere uithoek.

Mijn huurcontract in Michigan loopt echter eind juni af en dat in Missouri start pas in augustus, dus trek ik voor een maand in bij mam en Amy in Atlanta. Elke dag loop ik door de stroperige hitte naar mijn baantje in een bar waar te jonge drinkers en rugbyteams komen. Elke avond blijven Amy en ik laat op. We praten nog steeds en weer over jongens, politiek en onze afschuwelijke haren.

Ze kijkt in de spiegel, draait wat heen en weer.

'Vind je me te dik?' vraagt ze.

Ik zeg niet meteen iets.

'Vind je zelf dat je te dik bent?' vraag ik.

'Ik denk dat ik op dieet ga.' Haar ogen staan bezorgd, en ik voel me verdrietig.

'Wat dacht je van sporten?' zeg ik. 'Dat is veel leuker dan diëten.' Ze kijkt me aan en fronst. 'Voor jou misschien.'

Ik verander van onderwerp.

De rest van mijn verblijf bij hen doe ik mijn best geen zak chips open te trekken of popcorn te maken waar Amy bij is, en ik doe mijn best het niet op te merken als zij dat wel doet. We laten allebei vuile borden op het aanrecht staan en natte handdoeken op de grond liggen. Mam wordt gek van ons.

Ondertussen trekt mam iedere dag haar mantelpak aan en gaat ze met haar aktetas naar haar werk bij een groot bedrijf. Soms komt haar vriend 's avonds langs. Hij is een lelijke man wiens omhelzingen op die van mijn vader lijken; te stevig en te lang, met het onderliggende gevoel dat hij je betast.

Tegen de tijd dat ik naar Missouri vertrek, zijn we allemaal blij dat ik wegga. Ik vlieg van Atlanta naar St. Louis met een lijntoestel, dan rechtstreeks en zonder tussenstops van St. Louis naar Columbia in een klein vliegtuigje dat Highway 70 volgt en zo hard landt dat ik vrees dat we over de kop zullen gaan. Door het raampje zie ik velden en een kronkelende bruine rivier. Er komt geen eind aan de velden en wat er groeit, krult langs de randen om.

Het is al meer dan twintig dagen ruim 35 graden, hoor ik, en alles is verdord. Het gras is bros, de boombladeren zijn dik en beige van het stof. Ik weet een lift te krijgen van een student die wordt opgehaald door een andere student die in een gedeukte Ford rijdt. Er cirkelen gieren boven de auto wanneer we langs kale klippen rijden. Het lijkt wel het wilde westen en het ruikt naar gebrand cederhout, net als de zolder van mijn oma half augustus. Waar ik vandaan kom heb je dennenbomen, is het water afkomstig van gletsjers en helder en hebben de meren zanderige bodems. Hier groeien ceders en is er alleen rivierwater, en dat is bruin, troebel en alarmerend schaars.

Ik heb 500 dollar op de bank, geen baan en geen vrienden. De studenten zetten me bij mijn pension af en zwaaien wanneer ze verder rijden. Het huis heeft iets van een scheef zakkende taart, onderaan vanille en van boven chocola. Er wonen dertien vrouwen in dertien slaapkamers, met een gezamenlijke keuken en drie badkamers. Eén muur in een badkamer op de eerste verdieping sluit niet op de vloer aan, dus als het toilet overstroomt, drupt het water naar de keuken eronder.

Mijn kamertje is aan de voorkant op de eerste verdieping. Het is klein en heet. Verstikkend heet. Mijn commode en bureau staan tegen de muur links, maar de onderste laden van de commode gaan niet open, omdat ze tegen de zijkant van mijn tweepersoonsbed aan zitten. Ik moet op het bed zitten om het bureau te kunnen gebruiken, over het bed heen klimmen om bij mijn kast te komen, het bed verschuiven om iets uit de onderste laden van de commode te kunnen halen, maar omdat het bed nergens heen kan blijven die laden leeg.

's Nachts lig ik met armen en benen uitgestrekt op het bed. Mijn raamventilator verplaatst de verstikkende lucht alleen maar. De binnenkant van mijn neus en de buitenkant van mijn lippen zijn gebarsten door de warmte en de droogte.

De huur bedraagt 100 dollar per maand, plus mijn aandeel in de bijkomende kosten, waar we elke keer over kibbelen als de rekening komt. De huisbazin, Lee Ann, woont beneden in de beste kamer. Ze heeft ravenzwart haar en vlooienbeten op haar benen. Ik ben bang van haar. In een slaapkamer aan de achterkant zit een meisje uit Brits-Guyana. Ze lacht om de eekhoorns in de achtertuin. Voor haar zijn het net aapjes.

Ik installeer me in mijn kamer en ga dan de straat op om iedereen die ik tegenkom naar een baantje te vragen. Ik raak snel door mijn geld hen. De studenten zijn nog niet terug, de stad is smerig, droog en ondraaglijk heet. Het enige waar ik aan kan denken is hoe moe en verhit ik ben. Ik wil van een gebouw springen, maar het hoogste gebouw – het Tiger Hotel – is niet hoog genoeg. Niet als ik dood wil, en dat wil ik want de hitte is gruwelijk, verstikkend, verlammend, overweldigend heet.

Mijn vader belt. Hij heeft zijn huwelijk laten ontbinden. Na vierentwintig jaar huwelijk en zes kinderen. Hij is trots op zichzelf.

'Goh, pap,' zeg ik. 'Zijn wij dan geen onwettige kinderen?'

'Jullie zijn een stelletje bastaarden.' Hij lacht.

Iemand vertelt me dat ze bij het Heidelberg personeel zoeken. Het is een donker café-restaurant pal tegenover de universiteit, stamkroeg voor toekomstige advocaten, journalisten en artsen, waar de huisgemaakte soep van de dag rechtstreeks uit blik komt en de kaas voor de nacho's zo geel is dat het wel plastic lijkt. De muren zijn verkleurd door de sigarettenrook en de tafels zijn zwaar en bekrast, maar er is airconditioning en ze betalen goed. Ik solliciteer en word aangenomen. Wij serveersters kunnen ieder twee kannen in de ene hand en vijf of zes bekers in de andere dragen. We zijn flink en resoluut en lachen alle avances en dronkemanspraat weg. Op rugbyzaterdagen krijgen we ieder een hulpkelner toegewezen, die als een aanvaller de weg voor ons vrijmaakt.

De andere serveersters worden mijn vriendinnen, mijn ankers in de nieuwe stad. We zitten na onze dienst aan de bar van ons met personeelskorting verkregen bier te nippen. Ik ga een paar keer uit met een van de koks, een man met krulhaar die door zijn geflirt het werk leuker maakt. Als klanten me mee uit vragen, zeg ik dat ik al iemand heb, hoewel dat meestal niet het geval is.

Onze baas loopt wat rond, waakt over ons, evalueert ons, maar zit meestal gewoon met de vaste klanten aan de bar. Op een dag geeft hij me een sigarenkoker.

'Voor het geval je vanavond niets krijgt,' zegt hij grijnzend.

Ik kijk hem aan. Het duurt tot laat in de avond voor ik zijn schunnige grap doorheb.

Mijn colleges journalistiek zitten vol hooghartige meiden die precies weten wat ze willen en hoe ze het moeten krijgen. Bovendien hebben ze een trustfonds. Dat denk ik tenminste. Ze hebben in elk geval geld, want ze dragen altijd nieuwe kleren, zingen sociëteitsliederen en laten hun nagels doen. Ze zeggen dingen als: 'Ik zal papa moeten bellen dat ik meer geld nodig heb als we dit weekend naar het meer gaan.' En dan giechelen ze.

Ik praat nauwelijks met hen, maar haast me altijd naar mijn werk of naar mijn kamertje om te studeren. Ik zonder mezelf af, omdat ik me tegelijk inferieur en superieur voel. Inferieur omdat ik niet over hun ongedwongenheid, hun verwaandheid of hun geld beschik. Superieur omdat ik weet wat het is om rekeningen voor gas, water en licht te betalen en hoe je spaghetti klaarmaakt en vijf borden warm eten op je arm draagt en je andere hand vrijhoudt voor een kan of nog twee borden, naargelang de klant wil. Onafhankelijk zijn is beter dan verzorgd worden.

Ik besef niet dat ik oké ben. Normaal. Aantrekkelijk. Want vanbinnen loop ik op eieren, kan ik niet in vaste grond onder mijn voeten geloven, en is mijn evenwicht bewaren de enige optie. Ik ben nooit kalm. Niet vanbinnen. Nooit kalm vanbinnen. Ik denk er weer over van het Tiger Hotel te springen, maar bedenk dan dat als ik dat doe mijn ouders nooit trots op me zullen zijn, dat ik dan nooit hun ongelijk zal kunnen aantonen.

Ik volg de uitdunlessen, de lessen die je moet halen voordat je tot de echt goede colleges wordt toegelaten, en het is vreselijk. Ik werk aan mijn deadlines op een mechanische typemachine, sla op de toetsen en mopper luidkeels tegen de lerares dat de opdrachten onredelijk zijn. Het is te veel, te zwaar. Het materieel is verouderd. Ik krijg een zes.

'Ik heb nooit zessen,' zeg ik tegen de professor.

'Nu wel,' zegt ze. 'En je hebt hem verdiend.'

Ik voel me beurtelings vernederd en woedend.

'Bekijk het van de positieve kant,' vervolgt ze. 'Een zes is middelmatig. Het is zo slecht nog niet om bij de middenmoot van de beste journalistiekstudenten van het hele land te horen.'

Mompelend dat ik ga stoppen met de opleiding loop ik de lange gangen door en naar buiten, de zon in. Ik steek de straat over naar mijn werk, waar ik op de bar leun en me begin te beklagen bij Jan, een vriendin die al bijna tien jaar serveert en studeert.

'Ik ga komend weekend een trektocht langs de Buffalo maken met een stel mensen,' zegt ze. 'Ga lekker mee.' De groep zal worden geleid door een paar professoren van de afdeling Tuinbouw.

'Ik neem Bill mee, een jongen die ik een paar weken geleden heb ontmoet,' zegt ze. 'Jij kunt ook iemand meebrengen.'

'Ik ga mee,' zeg ik. Ik heb even behoefte aan iets anders dan de rook, de deadlines, de klanten en de professoren die denken dat ik niets anders te doen heb dan naar hun pijpen te dansen. En ik kan mijn vriend de kok meenemen.

De Buffalo is een prachtige rivier, omgeven door verborgen ravijnen. We lopen over paden hoog boven de steile oever van de rivier en dalen dan af naar het water, waar we naakt zwemmen en zweethutten bouwen waar we in blijven zitten tot we drijfnat zijn van het zweet. Dan rollen we onze slaapzakken uit en slapen we onder de sterren.

Op een gegeven moment raak ik in de ban van Bill, een vriendelijke en zachtaardige man met rimpeltjes in zijn ooghoeken als hij lacht. Hij vindt me briljant en grappig, hoewel hij daar is met Jan, die slank, ongelooflijk rondborstig en blond is. Aan het eind van het uitstapje wisselen we telefoonnummers uit en binnen een paar dagen hebben we verkering, lopen we hand in hand door de middernachtelijke straten naar zijn werk – data-invoer voor een van de grote banken – en slapen we als lepeltjes tegen elkaar aan in mijn tweepersoonsbed.

Een paar maanden later gaan we samenwonen. Ik kies Tuinbouw als hoofdvak en breng mijn tijd wroetend in de aarde door. Mijn dagen worden bepaald door de seizoenen van poinsettia's, petunia's en impatiens. 's Avonds weck ik tomaten, rechtstreeks uit onze eigen tuin, en maak ik augurken, brood en noedels. 's Avonds kruipen we met onze twee honden in bed. We zijn dolgelukkig.

Op een dag belt mijn vader op. Hij moet in de stad zijn en wil langskomen. Bill moet werken, maar we spreken af dat pap en ik hem daarna zullen ontmoeten in het Heidelberg.

'Rustig maar,' zegt hij, en hij kust me. 'Ik kom echt. Het gaat vast prima.'

Ik geloof niet dat het prima zal gaan, maar weet niet hoe ik dat aan Bill moet uitleggen. Mijn vader betast me niet met zijn handen, maar wel met zijn ogen. En hij zegt dat ik sexy benen heb. De lichaamsdelen die niet te breed of te plat of te groot zijn, zijn sexy. En dat is goed, want dat is waar vrouwen volgens mijn vader voor bedoeld zijn.

Ik probeer het aan Bill uit te leggen, maar het is te amorf, te verraderlijk.

Ik zwaai als hij naar zijn werk vertrekt en kijk dan in huis om me heen. Waar zal pap het eerst kritiek op leveren: op mijn haar of op de properheid van de woning? Ik ruim het huis op, neem een douche en trek een wijde spijkerbroek en trui aan.

Die avond neem ik pap volgens plan mee naar het Heidelberg.

'Hoe gaat het met je?' vraagt Jan als ze onze bestelling komt opnemen. 'Wat doe je hier op je vrije dag?'

'De achterbuurt opzoeken,' zeg ik. 'Jan, dit is mijn vader. Pap, dit is mijn vriendin Jan.'

'Aangenaam kennis te maken,' zegt pap, en hij laat zijn ogen over haar slanke, rondborstige figuur glijden.

'Een kan Bud, alsjeblieft,' zeg ik. 'En drie glazen.'

'Eentje voor je denkbeeldige vriend?' vraagt Jan.

Jan heeft nonchalant – opgewekt zelfs – gereageerd op haar breuk met Bill en mijn relatie met hem. Ik geloof dat je niet bang hoeft te zijn dat er geen mogelijkheden voor je overblijven als je er zo uitziet als zij. Ik ben dat wel.

Daarmee wil ik niet zeggen dat er iets aan Bill mankeert. Hij is gemotiveerd en slim en liefdevol. Als er al iets aan hem mankeert is het dat hij te stabiel, te goed is.

'Wauw,' zegt Jan glimlachend. 'Stel je hem nu al aan je ouders voor? Ik ben onder de indruk.'

'Ze maakt een geintje,' zeg ik tegen pap als Jan naar de bar loopt. Bill en ik hebben nog maar kort een relatie.

'Vertel eens over hem,' zegt pap.

'Nou, hij komt uit Illinois, leert voor bankier...'

'O, een rijke knul,' zegt pap. 'Goed plan!'

'Hij houdt veel van muziek,' vervolg ik, 'en we hebben het heel leuk samen.'

'Dat zal best,' zegt pap, 'zo'n lekkere meid als jij.'

Jan komt terug met ons bier voor ik een reactie kan bedenken. Wanneer ze haar arm uitstrekt om het op de tafel te zetten, pakt pap haar pols vast en kust haar arm van haar hand tot aan haar elleboog voor ze zich los kan trekken.

'Pap!' zeg ik, en dan: 'Het spijt me, Jan.'

Jan veegt haar arm af aan haar schort, kijkt pap vuil aan en loopt dan weg.

'Wat haal je in je hoofd?' vraag ik. 'Ik werk hier. Ze is mijn vriendin!'

'Ach, stel je niet aan,' zegt pap. 'Ze verwacht dergelijke dingen als ze in een tent als deze werkt. Bovendien ziet ze eruit alsof ze haar mannetje wel staat.'

Ik sta op en loop Jan achterna naar de keuken.

'Het spijt me ontzettend,' zeg ik.

Jan slaat haar armen om me heen.' Nee,' zegt ze. 'Ik vind het veel erger voor jou. Hij is niet míjn vader.'

Ik laat me in haar armen vallen, dankbaar voor haar steun. Verbaasd en beschaamd veeg ik de tranen uit mijn ogen.

Als ik terug bij ons tafeltje kom, heeft pap bier voor ons ingeschonken, een passerende hulpkelner geroepen om het bier dat hij heeft gemorst op te vegen en zijn glas voor de helft leeggedronken.

'Noem eens drie woorden die "klein" betekenen,' zegt hij.

'Wat?'

'Drie woorden,' herhaalt hij, 'die "klein" betekenen.'

'Ik heb geen idee. Zeg jij het maar.'

Hij zwijgt eerst nog even.

'Zit...' zegt hij, 'hij... erin?'

Hij glimlacht tevreden. Ik schaam me.

Ik ben opgelucht als Bill arriveert, ook al ben ik bang dat pap iets gênants zal zeggen. De mannen schudden elkaar de hand en Bill gaat zitten. Ik schuif naar hem toe. Ik wil zo dicht mogelijk bij deze man zijn, bij zijn lachrimpeltjes, zijn warme handen, zijn stabiele alledaagsheid.

Weer thuis wijs ik pap waar hij kan slapen, waar hij de badkamer, schone washandjes en handdoeken kan vinden. Ik wijs hem ook de koelkast en waar Bill en ik zullen zijn.

'Dus jij doet het met mijn dochter,' zegt hij tegen Bill.

Bill kijkt verbaasd.

'Toe nou, pap, je weet dat we samenwonen,' zeg ik.

'Ik wil gewoon weten of hij wel beseft wat voor juweeltje hij heeft.'

'Dat weet hij, pap.'

Ik duw hem naar zijn kamer, maar hij trekt me in een omhelzing. 'Welterusten, lieverd,' zegt hij. Hij probeert me op mijn mond te kussen, maar ik draai mijn hoofd weg. Bill komt dichterbij. 'Welterusten, pap,' zeg ik. Ik duw tegen zijn borst en hij laat me los.

Die avond laat Bill me met mijn hoofd op zijn borst liggen. Ik kan zijn hart horen.

Daarna ontloop ik mijn vader weer een paar jaar. Ik neem geen deel aan de ceremonie ter gelegenheid van de diploma-uitreiking, deels omdat ik geen zin heb in de drukte en deels omdat ik me schaam. Ik heb gefaald in de journalistiek en verschuil me achter een zinloze graad in iets wat ik beneden mijn mogelijkheden acht. Ik verdien al die toestanden niet.

Amy laat echter wel een T-shirt voor me maken. 'Je kunt een horticultuur leiden, maar je kunt haar niet leren denken,' staat erop. Het is een uitspraak van Dorothy Parker, maar het shirt is Amy ten voeten uit. Ik weet eigenlijk niet of ik het wel grappig vind.

Die zomer gaat Amy met pap op vakantie. Ze is zestien en ze trekken met de camper van een kampeerweek voor ouders zonder partners in Ohio naar de oostkust en terug.

'Hoe was het?' vraag ik.

'Leuk,' zegt ze.

Ze zwijgt even.

'Iedereen dacht dat ik zijn vriendin was.'

'Gatver.'

Ze lacht.

Ik leid een paar jaar een klein bedrijfje, rij in mijn groene Volkswagen van kapsalon naar bank naar kledingzaak om planten water te geven, te snoeien en te bemesten. De mensen kennen me als de plantendame. Ze zwaaien wanneer ik voorbij kom. 'Hé, plantendame!' roepen ze. Ik voel me bijzonder.

Amy en mam voelen zich ook bijzonder, maar om verschillende redenen.

'We hebben het gedaan,' zegt Amy giechelend tegen me. Ze is zeventien en gaat haar laatste jaar op de middelbare school in.

'Wat hebben jullie gedaan?'

'Kris en ik hebben mam en John aan elkaar voorgesteld.'

'Serieus?'

Kris is Amy's vriendin van de schoolkrant. John is de vader van Kris en Amy is erg op hem gesteld, ook al krijgt ze geen daiquiri van hem wanneer ze bij hun appartementencomplex gaat zwemmen.

'Niet voordat ik kennis heb gemaakt met je moeder,' had hij gezegd.

'Dus belde ik mam en haalde ik haar over naar Fantasy Island te komen zodat ze kennis met elkaar konden maken,' zegt Amy.

Fantasy Island is de speelhal waar Amy na schooltijd werkt.

'Mam heeft een hekel aan speelhallen.'

'Dat weet ik,' zegt ze, 'maar ze is toch meegegaan. Ze heeft Frogger gespeeld.'

'Heeft mam Frogger gespeeld?'

'Het was zó leuk! Hij sloeg zijn armen om haar heen om haar te laten zien hoe ze het moest spelen.'

'Heeft mam een spelletje gespeeld? In een speelhal?'

'Echt waar. En ze giechelde,' zegt Amy giechelend. 'John had ons een berg kwartjes gegeven. Zoveel dat hij een hoed kreeg om ze in te doen.'

Ik moet lachen. Zij en Kris hebben een hedendaagse versie van The Parent Trap gespeeld.

'Goed van je,' zeg ik. 'En goed van mam.'

Mam neemt John mee naar concerten in Chastain Park, een amfitheater in de open lucht in Atlanta. Mam pakt een picknickmand in, John neemt de wijn mee. Ze gaan naar honkbalwedstrijden en naar de film en ze gaan dansen. Hij staat erop te rijden en alles te dragen, en zij staat het toe.

Ik ontmoet hem een paar maanden later. Hij is slungelig en laconiek, verschroeit kip op de grill en deelt de kaarten tijdens familiepokerspelletjes met een pet van de universiteit van Notre Dame, zijn sigaretten en bier bij de hand. Hij kijkt vol bewondering naar mam, en mam glundert. Als ze elkaar omhelzen zuchten ze allebei. Mam is ontspannen en gelukkig en Amy komt tot rust, voor het eerst blij met een vader in haar leven. John heeft echter longemfyseem en mam weet dat het riskant is om van hem te houden, dat ze bijna kan rekenen op de pijn van het verlies. Ze bidt, en ze praat met de pastoor.

'Ik heb besloten te pakken wat ik krijgen kan,' zegt ze. 'Zelfs al krijg ik maar een paar jaar met hem, dat is altijd nog beter dan dat ik hem nooit heb gehad.'

Met Kerstmis verbergt John een ring in steeds kleinere doosjes, als Russische matroesjka's. Hij leest een gedicht voor waarin hij mam ten huwelijk vraagt. Mam zegt 'ja' en Amy krijgt er een zus bij, en een vader die haar plaagt, begeleidt en toejuicht. Jaren later gaat hij de deuren langs om telefoonboeken te bezorgen om bij te kunnen springen als ze studieboeken moet kopen.

Mam en John geven een feest van een week om hun huwelijk te vieren en de families met elkaar te verenigen. De kinderen vliegen vanuit Montana, Missouri, New York, Michigan en Maine naar Atlanta en ontmoeten elkaar op het vliegveld, boven aan de grote lift.

Opgetogen vertel ik mijn medepassagiers het nieuws.

'Mijn familie staat boven aan deze lift,' zeg ik. 'Ik heb ze al een hele tijd niet gezien en ik kan gewoon niet wachten.'

Onbekenden glimlachen en knikken, meegesleept door mijn enthousiasme. Ze wensen me het beste wanneer de lift zijn eindpunt bereikt en ik mijn familie in de armen loop. Als ik bij John aankom, omhelst hij me en ik moet huilen. Zijn armen zijn veilig.

'Begrijp je wat ik bedoel?' vraag ik later aan Amy.

'Nou en of,' zegt ze.

Naderhand vlieg ik terug naar Missouri en mijn honden en planten. Bill en ik leven onze eigen versie van het boerenleven – we verbouwen onze eigen groenten en nemen konijnen voor het vlees. We kopen er drie en noemen ze Ontbijt, Lunch en Diner zodat ik niet te veel aan ze gehecht zal raken, maar het werkt niet. Als de tijd daar is om er eentje te slachten kan ik niet eens toekijken, en ik stik bijna in elke hap van het gestoofde vlees. We laten de andere konijnen vrij, laten de kooien scheefzakken en nemen niet eens de moeite ze af te breken.

Ik bel Amy en ze lacht om me.

'Je hebt Stampertje doodgemaakt,' zegt ze.

'Je wordt bedankt.'

Bill en ik gaan overdag allebei naar school. Ik wissel mijn werk af met mijn colleges. Hij werkt 's avonds, vaak tot laat in de nacht. Maar al te vaak slaap ik al voor hij thuiskomt en uiteindelijk eist dat zijn tol. We maken niet echt ruzie, maar besluiten – met spijt in ons hart – om uit elkaar te gaan. Hij neemt één hond mee en ik de andere, Hij krijgt de stereo en ik de televisie. Er valt niet veel te verdelen.

Ik huur het eerste appartement dat ik vind, in een huis dat in vier wooneenheden is verdeeld, waar de muizen in de keuken met de hondenbrokken spelen. Soms vind ik er eentje dood en opgezwollen in een pan. Ik heb een paar huishoudhandschoenen in het aanrechtkastje liggen om ze op te ruimen.

Mijn buren zijn ook studenten, die net als ik van bijna niets leven, werken en studeren en allerlei romances hebben, en 's avonds op de veranda bijeenkomen, waar we bier drinken en muggen van ons af slaan.

Ik kan me niet veel interlokale telefoontjes veroorloven, maar praat af en toe wel met Amy. Ze heeft een leer-werkbaantje bij een handel in auto-onderdelen en daar moet ik om lachen. Ik kan me wel voorstellen hoe ze, uitdagend en flirterig, de professionele monteurs en weekendsleutelaars plaagt en hun bougies, pakkingen en luchtfilters vasthoudt tot ze op z'n minst haar glimlach beantwoorden.

'Er werkt daar iemand,' zegt ze giechelend. 'Hij heet Jim.'

Een paar maanden later haalt Amy haar middelbare-schooldiploma en reist de familie naar Atlanta om het te vieren. Jim is er ook. Hij is klein en mager, zeven jaar ouder dan Amy, met een grote snor en dik bruin haar dat hij in een hoge kuif naar achteren kamt. Amy flirt met hem, houdt zijn hand vast, kijkt hem vol verering aan.

Ze was van plan om in de herfst naar Montana te verhuizen om te gaan studeren, maar nu ze Jim heeft, voelt het aan alsof ze een arm of been zal kwijtraken als ze gaat.

'Ik hou van hem,' zegt ze.

'Dat zie ik,' zeg ik.

Jim heeft geen plannen. Hij is al trots dat hij de middelbare school heeft afgemaakt en genoeg verdient met zijn werk in de auto-onderdelenzaak.

'Misschien kan hij op een dag bij zijn ouders in de zaak komen,' zegt Amy.

Toch is hij degene die mij – een toekomstige schoonzus – met Kerstmis een trui van zestig dollar geeft. Hij is degene die bij het familiepoker extravagante bedragen inzet en die flinke fooien geeft als hij na een gezamenlijk etentje de hele rekening betaalt.

'Het is belachelijk dat hij zo'n duur cadeau voor me koopt,' zeg ik tegen mam.

'Bedank hem nou maar gewoon,' zegt ze.

Amy zit intussen te stralen. Zij is degene met de gulle vriend. *Zie je hoeveel hij van me houdt?* vraagt haar glimlach.

Een paar jaar later gaat hij in een deftig restaurant op één knie zitten.

Hij vraagt: 'Wil je met me trouwen?'

Ze huilt als hij haar een diamant geeft zo groot als een erwt en ze laat hem aan iedereen zien als symbool van liefde en status en het feit dat ze eindelijk geaccepteerd wordt, gewild is, genoeg is.

'Weet je zeker dat hij de juiste voor je is?' vraag ik.

'Waarom?' zegt ze. 'Keur je hem niet goed?'

'Ik keur hem niet goed of af,' zeg ik. 'Ik wil gewoon weten of je het zeker weet.'

'Hij is fantastisch,' zegt ze. 'Ik ben een geluksvogel.'

Ik zie dat niet zo zitten. Ze is drieëntwintig, grappig, slim en knap, ook al is ze te zwaar. Hij kan geen enkel baantje houden en woont nog bij zijn ouders, terwijl hij al bijna dertig is.

Dan neem ik mezelf onderhanden. Ik heb het recht niet om haar het gevoel te geven dat ik geen vertrouwen in haar oordeel heb. Ze is volwassen. Ze heeft er geen behoefte aan dat ik doe alsof ze haar eigen beslissingen niet kan nemen.

Ik hou mijn mond en glimlach.

Haar trouwdag is er een uit het boekje: een jurk met baleinen en een lange sleep; een stralende glimlach. Ze vraagt onze stiefvader John om haar weg te geven.

'Pap zal woest zijn,' zeg ik. 'Maak je je daar zorgen over?'

'Nee,' zegt ze. 'John is een betere vader voor me dan pap ooit is geweest.'

Ik knik.

Tijdens de receptie stelt de familie zich op in twee rijen.

Amy lacht. Onze familie heeft haar hele leven al parodieën gespeeld en liedjes gezongen, en deze keer is het voor haar.

'Ik zag wel, meneer, hoe u naar haar keek, toen zij voorbij kwam lopen...' zingen we. 'Ging toen uw hart niet van... boem... boem de boem? En slaakte u niet... een zucht?' We laten ons op één knie vallen in de stijl van Al Jolson. Amy lacht verrukt. Dan staan we weer op en stap-trappen we terwijl we in koor zingen: 'Eens verliefd op Amy, voor altijd verliefd op Amy...'

Ze straalt, met haar porseleinkleurige, gave huid en helderblauwe ogen. Haar nieuwbakken echtgenoot is ongeschoold, maar hij heeft een baan. Hij is niet zo intelligent als Amy, maar wie is dat wel? Ik maak grapjes over zijn grote riemgesp en lach om zijn lijzige zuidelijke stem, maar intussen zou ik willen dat ik zo gelukkig was als zij.

Naderhand praat ik vaak met haar.

'Wat hoor ik nou toch?' vraag ik.

'Hij heeft drie vogeltjes,' zegt ze. 'Ze stinken.'

Ze zegt het opgewekt, alsof het een van de dingen is die jonggehuwden nou eenmaal van elkaar accepteren.

'Nou en?' vraag ik.

'Dat hoort erbij,' zegt ze. 'Je weet wel, bij het huwelijk.'

Dat impliceert dat zij meer weet dan ik. Wat ze me niet vertelt is dat de vogels haar pikken, of dat zij degene is die de kooien schoonmaakt en hun uitgevallen veren en voer van de vloer opveegt terwijl haar echtgenoot whisky drinkt en grootse plannen maakt.

'Hij heeft een puppy voor me gekocht,' zegt ze een jaar later. 'Een cocker spaniël.'

'Dat is geweldig.'

'Hij heet Pete.'

Pete is de naam van onze vader en lijkt me een vreemde keus.

'Hij heet Pete? Hoe is dat zo gekomen?'

'Ik weet het niet,' zegt Amy. 'Jim heeft hem zo genoemd.'

'Oké,' zeg ik.

Amy en haar Petie worden onafscheidelijk. Pete is degene die met zijn hele lijf kwispelt als Amy binnenkomt, die in bed tegen haar aan kruipt, die haar overlaadt met kusjes en die haar sokken, piepspeeltjes en bekwijlde brokken cadeau doet.

Ik ga een paar keer op bezoek, hoewel het een heel gedoe is om van Missouri naar Atlanta te vliegen. Hun appartement is altijd een zootje – ten dele omdat Amy altijd al een sloddervos is geweest en ten dele omdat ze hele dagen werkt en bijna alleen kostwinner is. Jim is ontslagen bij de auto-onderdelenzaak en zit nu meestal thuis te drinken.

Amy wordt zwaarder en moet zich van de bank omhoog hijsen. 's Avonds zitten we een film te kijken en popcorn of chips met uiendipsaus te eten terwijl Jim slaapt. Dat is haar vaste routine 's avonds.

'Ik heb een poosje gewandeld,' zegt ze tegen me.

'Geweldig. Voel je je nu beter?'

Ik heb zelf geen atletisch figuur, maar vergeleken met haar ben ik mager.

Ze lacht. 'Ik ben niet consequent genoeg. En Jim heeft liever dat ik thuis blijf.'

'Echt waar?'

'Hij vindt me leuk zoals ik ben, zegt hij. Minder concurrentie.'

'Jaja.'

Uiteindelijk krijgt ze er genoeg van om zich te zitten vervelen, krijgt ze genoeg van haar werk als secretaresse en krijgt ze er genoeg van dat haar grootste uitdaging bestaat uit het onthouden van alle namen van de cast en regisseurs en de belangrijkste uitspraken van elke film die ooit is uitgekomen. Ze schrijft zich in voor avondschool op het plaatselijke college. Ze volgt een inleiding in de meetkunde en haalt een tien. Ze volgt Meetkunde en haalt een tien. Ze volgt een inleiding in de Algebra en haalt een tien. Ze volgt Algebra. 'Ik heb een tien!' zegt ze aan de telefoon.

Ze is opgetogen en trots.

'Je bent dus toch niet zo slecht in wiskunde, hè?' zeg ik.

Ze lacht. Jaren later vertelt ze me dat Jim tegen haar tekeergaat omdat ze studeert, dat hij haar een streber noemt en dat hij zegt dat ze zichzelf zo slim vindt. Zo nu en dan slaat hij haar, uit frustratie en onvermogen. Daarna verontschuldigt hij zich en de volgende dag overspoelt hij haar met liefdesbrieven en aandacht, en laat hij tientallen rozen naar haar kantoor sturen. Die rozen bestelt hij met de gezamenlijke creditcard, waarvan zij het saldo weer moet aanvullen. Die dingen zal ze me ooit vertellen, maar nu zegt ze alleen: 'Ik heb bloemen van hem gekregen. Ze zijn prachtig.'

'Wat romantisch,' zeg ik. 'Ik wou dat ik een man had die me bloemen stuurde.'

5

Uiteindelijk gaat de nieuwigheid van het plantjes water geven eraf, dus schrijf ik me in voor de opleiding journalistiek en neem ik een baan in de apotheek van het ziekenhuis aan om de kosten te dekken. Dit keer trek ik me niets aan van de hooghartige meiden, de toekomstige nieuwslezers met al te veel zelfvertrouwen of mijn eigen zelfmedelijden. Dit keer duik ik er helemaal in, argumenteer en debatteer ik, markeer ik tekst in mijn boeken en hamer ik een eind weg op de schoolcomputers.

Ik breng veel van mijn tijd door in de rechtenbibliotheek, waar de ramen hoog in de muren zitten, boven donkere kasten vol bij elkaar passende boekruggen, rood naast grijs naast groen. De lampen zijn zwak en hangen twee verdiepingen hoger, de lucht is zo stil dat stofdeeltjes beweginloos in de lucht blijven hangen. Ik masseer mijn voorhoofd en wrijf met mijn vingers hard over de richel die tussen mijn wenkbrauwen ontstaat.

Het theoretisch gedeelte van de opleiding is een lang, moeizaam en traag geploeter, dat me eraan herinnert dat mijn brein als een zwaluw is die zonder vast patroon van hot naar her fladdert. Het projectgedeelte is echter fantastisch. Ik mag vragen stellen, met woorden spelen, in dingen rondneuzen waar niemand iets mee te maken heeft. Het is vijftien jaar na Watergate, maar ik voel nog steeds de betovering van Woodward en Bernstein. Ik ga regeringsvertegenwoordigers om rekenschap vragen, hun het vuur aan de schenen leggen, zorgen dat ze verantwoording afleggen aan hun bazen, de mensen die hen gekozen hebben. Ik ga het hele systeem ondersteboven keren, steen voor steen, om te kijken wat er onderuit komt kruipen.

De school heeft ook stageprogramma's in Parijs, Londen en New York City, maar ik wil naar Washington. Daar zou ik een soort mini-Washington-bureau zijn voor een krant ergens ver weg, en alles behandelen wat er in de hoofdstad gebeurt dat impact heeft op de lezers van de krant. Dus als ik voor een krant in Pittsburgh schreef, zou ik het over het fabriekswezen hebben, en als het een krant in Florida was zou ik over beslissingen van het Congres schrijven die de cirtrusoogst betroffen. Mijn naamregel zou in een of andere ver weg gelegen gemeenschap opduiken terwijl ik zelf in de hoofdstad van het land woonde.

Voorlopig werk ik echter in een ziekenhuisapotheek. Tussen de stormloop na operaties, het bijvullen van de rekken, het inventariseren en invoeren van recepten in de computer door zit ik aan het bureau om de hoek te studeren. Ik verstop me om de eindeloze rij van studenten geneeskunde, artsen in opleiding en onderzoeksassistenten te ontlopen, die allemaal erg overtuigd zijn van hun superieure intelligentie. (Iedereen die genoeg hersens heeft om dokter te worden, wordt ook dokter, zegt een van hen tegen me.) Ze bestellen de verkeerde medicijnen en wij stellen rustig een alternatief voor. Ze eisen dingen onmiddellijk – nu! – en kijken lelijk als we uitleggen dat het een paar minuten zal duren, dat er nog anderen vóór hen zijn; hartinfarcten, verkeersslachtoffers, mensen met beroertes, infarcten en hartstilstanden. We begrijpen hun bezorgdheid, maar hun bestellingen – een medicijn tegen hoge bloeddruk, een laxeermiddel – komt heus wel. Snel genoeg. Dat beloven we.

Ieder uur loop ik de ronde. Ik haal bestellingen op en maak grapjes met verpleegsters, dokters en medisch studenten, keer dan terug naar mijn kamertje vol medicijnen met de halve deur zoals in *Mr. Ed* om weer van voor af aan te beginnen.

Een man die Michael heet maakt ook grapjes met mij. We hebben plezier en flirten met elkaar. Telkens als hij langsloopt, steekt hij zijn hoofd naar binnen om gedag te zeggen. Hij nodigt me uit om buiten op het terras met hem te lunchen, en daarna volgen andere lunches, een biertje, een etentje, seks en vervolgens een relatie.

Vannacht blijf ik bij hem. In de afgelopen weken zijn mijn tandenborstel en een deel van mijn kleren van mijn kamer naar zijn huis verhuisd, dus ik trek mijn schoolkleren uit en doe een spijkerbroek en een sweatshirt van Mizzou aan en ga dan op weg naar de huiskamer.

Ik ben dol op dit huis. Op de muren zit echt pleisterwerk en de plafonds zijn hoog.

's Avonds kook ik voor hem, eten we bij kaarslicht en bespreken we rustig hoe onze dag is geweest. Michael heeft ingelijste posters opgehangen aan draden die aan de lambrisering vastzitten, dus de kamer lijkt net een kunstgalerie. Eén muur is een altaar voor zijn stereo-installatie, zijn platen staan naar genre gerangschikt, de Discwasher-platenreiniger staat tegen de draaitafel aan. Een plaat opzetten is een ritueel. Ik raak ze niet aan, maar ik heb het vaak genoeg gezien. Eerst schuift hij de plaat uit de hoes, waarbij hij alleen maar de rand aanraakt. Daarna haalt hij er langzaam en bijna teder de Discwasher overheen. Hij laat de plaat op de draaitafel zakken en legt de naald in de eerste groef. Zijn smaak varieert van jazz tot klassiek en nog-niet-ontdekte undergroundmuziek die alleen hij herkent. Mijn eigen muzikale smaak neigt naar Top 40, iets wat ik probeer te veranderen. 'Snoepgoed voor de oren,' noemde hij het in het begin als mijn autoradio begon te blèren zodra ik het contactsleuteltje omdraaide. Nu zet ik de radio uit voor ik bij zijn huis ben, om mijn gebrek aan verfijning te verbergen.

Ik zet ook betere koffie voor hem. Ik heb instructies gehad. Op een ochtend probeerde ik na te doen wat ik hem had zien doen.

'Nee, nee, nee,' had hij toen gezegd, en hij ging achter me staan en kuste me in mijn nek. 'Ik zal het je even laten zien.'

Ik ben grootgebracht met Maxwell House, goed tot aan de laatste druppel. Nou ja, niet echt ermee grootgebracht – ik ben pas koffie gaan drinken nadat ik uit huis ben gegaan – maar dat was mijn standaard, mijn beeld van hoe koffie hoorde te zijn. De zilverkleurige percolator op het aanrecht, het opkikkertje van mijn ouders, elke ochtend hun eerste verlangen.

'Even wachten, ik heb nog geen koffie gehad,' zeiden ze terwijl wij vijven door elkaar riepen om logeerpartijen, een lift naar turnen en meer suiker voor onze havermout.

Ik zet water op, haal het pak koffie uit de vriezer en doe voldoende bonen voor een pot koffie in de koffiemolen. De koffiemolen is van Melitta, de pot ook. Het water moet precies goed zijn – heet, maar niet kokend, zegt hij, want dat verpest de smaak. Amerikanen drinken hun koffie te heet, volgens hem.

Na een paar minuten giet ik precies genoeg water in de trechter met filter om de gemalen koffie vochtig te maken. Ik wacht dertig seconden en giet er dan de rest in. Zelfs zonder dat hij erbij staat doe ik het goed.

Het huis stinkt nog van gisteravond, toen ik de pan had laten droogkoken toen ik broccoli aan het stomen was. Het was de tweede keer dat ik dat deed, al kan ik me de eerste keer niet herinneren.

'Wat moeten we doen om ervoor te zorgen dat je dat niet meer doet?' vroeg Michael, zijn hoofd omlaag, zodat hij tussen zijn wimpers door naar me keek.

Ik herinner me dat nu ik op de koffie sta te wachten en ik bedenk dat ik voorzichtiger moet zijn, zodat ik het water niet meer laat verkoken. En dat hij misschien af en toe zelf eens kan koken.

Vanavond ontmoeten we onze vrienden bij Booche's, een honderd jaar oude bar die naar sigarettenrook en vet stinkt en een waar instituut is in de stad. Dat is iets voor de vrijdagavond. Wie komt, die komt, maar het zijn wel allemaal mensen uit zijn kringetje, niet het mijne, zodat ik de buitenstaander ben. Als Michaels vriendin heb ik wel toegang, maar al te vaak snap ik de grappen niet, of de culturele verwijzingen, of de opmerkingen over hun professoren of klasgenoten. Toch verheug ik me erop. Tegen het eind van de avond zal onze lange tafel vol staan met lege bierflesjes en zullen we luid door elkaar heen praten of commentaar geven op het spel van de Cardinals op de kleine televisie die aan de muur hangt, naast het continu ronddraaiende model van de Budweiser Clydesdalespaarden.

Ik drink mijn koffie en denk aan de Debra's, die volgens mij allebei een oogje op Michael hebben. Ze werken samen met hem de late dienst, leunen tegen hem aan als ze lachen, raken zijn arm aan als ze iets zeggen. Het is al twee keer gebeurd dat ik tijdens zijn werk langsging, en dan de eerste Debra zijn schouders zag masseren, haar gezicht dicht bij zijn haar, terwijl hij met gesloten ogen zijn hoofd omlaag liet hangen.

Ik zit na te denken over haar als concurrente als Michael binnenkomt.

'Hallo, daar,' zegt hij.

Ik spring op en omhels hem, mijn hele lichaam tegen hem aangedrukt, mijn gezicht naar hem opgeheven voor een veelbelovende kus.

'Waar was dat voor?' vraagt hij.

'Ik ben gewoon blij dat je er bent,' zeg ik.

We zoenen nog even door en ik laat mijn handen over zijn rug omlaag glijden, druk hem tegen me aan terwijl ik begin te bewegen, maar hij maakt zich van me los.

'Ik trek even deze kleren uit en dan gaan we naar Booche's,' zegt hij. 'Wat doe jij aan?'

Ik kijk naar mijn kleren. Ik voel me prima in mijn spijkerbroek en sweatshirt van Mizzou, en we gaan maar naar een biljartlokaal. Hij blijft me een hele tijd aankijken.

Ik ga me verkleden.

Met Thanksgiving neemt hij me mee naar huis om me aan zijn ouders voor te stellen. Het is een prachtig nieuwbouwhuis met kristal en mahonie en heel veel kamers. Het staat in een buurt met prachtige voorstedelijke huizen, dicht tegen elkaar op kleine kavels. We zijn er al eens eerder geweest, toen zijn ouders er niet waren. We hebben toen geslapen en seks gehad in het bed dat zijn moeder elke dag voor hem had opgemaakt sinds hij een kleine jongen was. Ik had gebruik gemaakt van de drankkast en grapjes gemaakt over de cliënten die zijn vader de beste Schotse of Amerikaanse whisky gaven.

'Je kunt er grapjes over maken of ervan drinken,' zei hij. 'Niet allebei.'

Ik dronk.

Deze keer ben ik echter zenuwachtig. Ik betwijfel dat ze me leuk zullen vinden. Ik ben niet modieus. Mijn haar is kort. Ik leer niet voor onderwijzeres of verpleegster. Ik ben geen geschikte partner. Michael heeft me al gewaarschuwd dat ze er misschien niet zo blij mee zijn dat hun zoon verliefd is geworden voordat hij een succes is. 'Maar doe gewoon een beetje mee,' zegt hij, terwijl hij me een kneepje in mijn dijbeen geeft. 'Als ze je eenmaal kennen raken ze vast op je gesteld.'

Daar ben ik niet zo zeker van. Ik weet één ding, en dat is dat mensen echt niet meer op me gesteld raken als ze me leren kennen. Want als ze me kennen weten ze dat ik niet slim, aardig of grappig ben. Ik ben een indringer. Ik doe alsof ik barst van het zelfvertrouwen, maar ik weet dat ik een mislukkeling ben en dat ik zal falen in alles wat ik probeer. Ik zal niet weten welke vork ik moet gebruiken, ik zal mijn glas water omstoten, ik zal om een tweede glas wijn vragen, ik zal proberen te helpen in de keuken en de aardappelen laten aanbranden of een gat in het aanrechtblad branden. Op de een of andere manier zal ik het verprutsen, dat weet ik gewoon. En als ik dat niet doe, zal ik vast slecht slapen, te vaak naar het toilet gaan, midden in de nacht opstaan en iemand wakker maken, over de kat struikelen, lawaai maken. Op een of andere manier zal ik mezelf vernederen. En hem.

'Hou op je druk te maken,' zegt hij. 'Het gaat vast prima. Onthou alleen dat je niet te hard praat. En begin niet over politiek of godsdienst.'

Juist ja. Ik moet me gewoon ontspannen en mezelf zijn. Geen probleem.

Michaels vader is een lange man met een lage stem, een stevige handdruk en een indringende blik. Michaels moeder is tenger en modieus, haar haren zitten perfect en ze heeft een warme blik.

'We zijn heel blij kennis met je te maken,' zegt ze en ze geeft me een aarzelende omhelzing, waarbij we onze armen om elkaar heen slaan, maar elkaar onder schouderniveau niet aanraken. Ze heeft een duur luchtje op.

Michaels vader neemt hem mee de werkkamer in, een kamer met leren stoelen en kristallen karaffen.

'Cognac?' vraagt zijn vader.

Ze gaan zitten terwijl Michaels moeder mij voorgaat naar de keuken.

'Wil je een schort, liefje?'

Ik doe niet veel – de sla omschudden en de broodjes naar de tafel dragen – en beantwoord de hele tijd vragen.

Waar kom je vandaan?

Wat doet je vader?
Wat studeer je?
Wil je kinderen?

Eindelijk is het tijd. Kaarslicht glimt op porselein en zilver, het tafelkleed is lang en maagdelijk wit, bij elk bord liggen drie vorken en staan twee glazen, een voor water en een voor wijn.

Ze vraagt me de mannen te gaan waarschuwen.

'Het eten is klaar,' zeg ik.

Michael staat op, komt naar me toe en trekt zijn wenkbrauwen op. Ik knik. Tot dusver alles oké.

In de eetkamer trekt hij mijn stoel naar achteren. Ik ga zitten en leg mijn servet op mijn schoot. De kalkoen ligt op zijn schaal voor de patriarch, de aardappelen liggen in hun zilveren schaal, de salade zit in kristal. Ik weet niets van etiquette. Thuis zouden we onszelf gewoon bedienen uit de dichtstbijzijnde schaal en die doorgeven en aanpakken wat er dan voorbijkwam. Ik weet niet of dat hier ook mag. Ik wacht en kijk toe. Als gast word ik echter geacht te beginnen.

'Zullen we even danken?' vraagt de vader.

We buigen ons hoofd en hij spreekt met zijn basstem een gebed uit waarin ook dank wordt uitgesproken voor de aanwezigheid van de gast. Michaels hand glijdt onder het tafelkleed over mijn dijbeen omhoog. We zeggen 'Amen' en kijken weer op. De vader pakt het vleesbestek met ivoren heften en kijkt naar de gedekte tafel. Dan legt hij het gereedschap weer neer. Hij zet zijn handen aan weerszijden van de schaal en kijkt kwaad over de tafel heen.

'Waar zijn verdomme de bataten?'

Ik schiet naar achteren op mijn stoel. 'Verdomme' aan de feesttafel? Dan kijk ik. Er zijn geen bataten. Geen marshmallows en geen bruine-suikersiroop.

'Godverdomme!' roept hij. 'Je doet ook nooit iets goed!'

Hij pakt de kalkoen met schaal, decoratieve takjes peterselie en al op en gooit hem over de tafel. De kalkoen mist het hoofd van zijn vrouw en schuift langs het zijdebehang naar beneden. We zijn stomverbaasd. Binnen een tel springt ze overeind en legt ze de vogel zo goed en zo kwaad als het gaat weer op de schaal. Ze tilt hem op en probeert te gaan staan, haar hand laat een vette afdruk op de muur achter en haar man stormt naar zijn werkkamer en zijn whisky. Ik realiseer me nu pas dat mijn mond openhangt en doe hem dicht. Michael geeft onder de tafel een tikje op mijn been en houdt zijn hoofd schuin. Ik trek mijn wenkbrauwen op. Hij geeft een rukje met zijn hoofd en knijpt in mijn been. Ik trek mijn wenkbrauwen nog verder op. 'Help haar,' sist hij me toe.

Zijn moeder heeft de kalkoen opgeraapt. De vogel ligt op zijn kant op de schaal; het goudbruine vel is opengebarsten en het zachte vlees is zichtbaar waar het beest de muur heeft geraakt. Haar handen zijn glibberig van het vet en ogen nat van tranen. Zonder naar ons te kijken draait ze zich om en draagt ze de vogel de keuken in.

De boosheid waarmee ik ben opgegroeid sudderde, kookte en borrelde net onder het oppervlak. We wisten dat ze er was, wisten het door de te harde kneepjes die we kregen en de onzachte 'liefdevolle tikjes' in het openbaar. Als we naar bed gingen vroegen we: 'Ligt het aan mij? Ben ik een probleemkind?' Mam stelde ons altijd gerust, maar voor ik in slaap viel, legde ik het kussen over mijn hoofd heen en draaide ik van links naar rechts, er zeker van dat ik de familie te gronde richtte, dat het allemaal aan mij lag.

Hier is echter sprake van openlijke woede. En openlijk is goed. Als het openlijk is, kun je het zien en weet je wat de oorzaak ervan is en zelfs als je het daar niet mee eens bent, en het de explosie niet waard vindt, dan nog weet je in elk geval wel wat het is, waar het is en waardoor het veroorzaakt is.

Ik kijk naar Michael. Ik zou iets dergelijks niet van hem accepteren. Ja, hij heeft me een keer geduwd, waardoor ik over de salontafel struikelde en in plaats van me overeind te helpen, duwde hij me met mijn gezicht in de bank. En een andere keer waren we aan het wandelen en trok hij me aan mijn arm overeind, waarbij hij blauwe plekken achterliet die – als iemand het gecontroleerd zou hebben – precies overeenkwamen met zijn vingertoppen. Hij had echter met tranen in zijn ogen zijn excuses aangeboden. Beide keren. En daarna hadden we het erover gehad dat hij lief en intelligent en goed was, maar zich onbemind voelde, alsof hij nooit goed genoeg was, als iemand die zich zou moeten schamen. Ik zal echter genoeg van hem houden om dat gevoel bij hem weg te vagen. Ik zal van hem houden en hem vertellen hoe mooi hij is en hem strelen en hem ervan overtuigen dat hij knap en waardevol en goed is.

Maar nu wenkt hij met zijn hoofd en zegt dat ik zijn moeder moet helpen. En ik weiger. Ik weiger door nog dieper in mijn stoel weg te kruipen. Ik weiger door me niet te verroeren, door hem fel aan te kijken. Eindelijk staat hij op en volgt hij zijn vader naar de werkkamer. Nu zit ik alleen op de met wit satijn beklede stoel aan de tafel vol zilver en kristal en voel ik me niet op mijn gemak. Dus sta ik op. Maar ik weet niet of ik achter hem aan de werkkamer in moet gaan, of naar de keuken, waar ik zacht gesnik hoor. Natuurlijk weet ik het wel. Ik weet dat ik niet naar de werkkamer kan. Ik ben een vrouw en vrouwen hebben geen toegang tot de werkkamer met de cognac en sigaren. Ik weet dat ik de keuken in moet gaan en opgewekt moet doen en haar het idee geven dat ik niets in de gaten heb, dat ik niets zie. Ik weet dat ik de keuken in moet gaan en moet doen alsof, zodat zij nog iets van haar waardigheid kan behouden. Dus dat doe ik.

Samen knappen we de kalkoen op door een doordachte plaatsing op de schaal en wat extra peterselie. We halen de bataten uit de oven. Ze zijn lichtbruin en knapperig, warm en zoet, en ze ruiken naar stroop. Ze doet ovenwanten aan en draagt de bataten naar de onderzetter op tafel. Als ze terugkomt heeft ze de aardappelen bij zich, die ze in een glazen schaal overschept en in de magnetron opwarmt. We gebruiken een spatel om ze allemaal terug in de zilveren schaal te krijgen en dragen die dan plechtig terug naar de tafel. Opnieuw vraagt ze me de mannen te gaan vertellen dat het eten op tafel staat.

Alles wordt herhaald. Mijn stoel wordt naar achteren getrokken, de servetten worden uitgespreid, de hoofden gebogen, zijn hand keert terug op mijn been, er wordt weer een gebed uitgesproken. We kijken weer op. Michaels vader gaat staan, pakt het vleesbestek op en snijdt de kalkoen aan. De maaltijd verstrijkt met beleefde gesprekken over het weer, de plannen voor Kerstmis, Michaels professoren en mijn lessen.

Na het eten leun ik tegen Michael aan.

'Doorbreek de traditie,' zeg ik. 'Ga meehelpen in de keuken.'
Hij kijkt me aan, maar antwoordt niet. Wanneer we opstaan, loopt hij naar de werkkamer. Ik verzamel de borden en breng ze naar het aanrecht.

We rijden in ijzig stilzwijgen terug, niet omdat hij ontzet is over het gedrag van zijn vader, maar over dat van mij.

Later maak ik Amy aan het lachen met mijn beschrijving van het kalkoenvet dat langs het behang omlaag glijdt. We stellen ons voor hoe Michaels moeder meubels verschuift om de vlek te verbergen. We doen alsof het vreselijk komisch is. Ik wil dat het grappig is, dus breek ik het verhaal daar af.

Wat ik pas jaren later te weten kom is dat Amy het begrijpt, omdat Jim woedeaanvallen heeft en haar schoolboeken van het balkon van hun appartement in de container beneden op straat heeft gegooid.

'Hij kan aardig goed mikken,' zegt ze.

Ook probeert zij daar grapjes over te maken.

6

Een maand later vliegen Michael en ik samen naar Colorado voor een skivakantie. Ik heb pas een paar keer gevlogen en nog maar één keer geskied, in Michigan, op een heuvel die daar een berg wordt genoemd. Waar we heen gaan zijn de bergen echter echt. Net als mijn angst. Michael skiet vol vertrouwen. Hoewel hij in het midwesten is opgegroeid, heeft zijn familie duidelijk een deel van het vergaarde geld besteed aan lessen en skivakanties met het gezin. Michael betaalt de reis van de rente van zijn trustfonds. Ik ben dankbaar, maar ook boos om de grote verschillen tussen zijn realiteit en de mijne. Wat ik ook zeg of doe, hij zal nooit begrijpen wat het betekent om geld bij elkaar te moeten schrapen voor de huur, voor warmte en eten. Erger nog, hij denkt dat hij het wel begrijpt.

'Ik heb ooit een hele zomer gewerkt om mijn eigen vakantie te kunnen betalen,' zegt hij.

Ik draai met mijn ogen. 'Applaus voor jezelf,' zeg ik. 'Een hele zomer werken voor iets wat je graag wilt, is heel iets anders dan werken omdat je moet. Er is geen sprake van wanhoop. Het is geen kwestie van leven of dood. Er doet zich geen crisis voor als het je niet lukt. Als ik een keer niet kan betalen, zit ik in het donker, of erger nog: moet ik mijn familie om hulp vragen.'

'Doe niet zo overdreven,' zegt hij. 'Je familie zou je heus wel helpen.'

Ik kijk hem aan alsof hij van de maan komt. Welk familielid denkt hij dat er zal bijspringen? Twee van mijn zussen studeren nog, mijn broer is net een jaar klaar, en mam verkeert niet in de positie om me te helpen. En wat mijn vader betreft, die zou me nog geen geld geven als hij het had – wat niet het geval is.

Mij is geleerd om voor mezelf te zorgen, mezelf te redden. In onze familie is dat een deugd. Een uit noodzaak geboren deugd, misschien, maar wel een deugd waar we trots op zijn.

'Je zou het niet begrijpen,' zeg ik.

'Je overdrijft,' antwoordt hij.

Het is een woordenwisseling die zich eindeloos herhaalt.

Misschien overdrijf ik inderdaad wel, maar ik vind het niet prettig om iemand iets schuldig te zijn, ik vind het niet prettig dat hij mijn vliegticket in het buitenste vak van zijn handbagage stopt en alles regelt, alsof ik zwak of onbekwaam ben.

Ik probeer me echter te ontspannen, gewoon blij en misschien zelfs dankbaar te zijn.

In het vliegtuig is hij erg lief voor me; hij geeft mij de stoel bij het raampje en houdt tijdens het opstijgen en landen mijn hand vast. In Denver regelt hij alles – de huurauto, de navigatie naar onze kamer, de huur van ski's. Ik volg hem vol verwondering. Die avond gaan we uit eten en daarna duiken we het bed in, grijpend, zoekend en zwoegend. De volgende ochtend gaan we skiën.

Ik vind het vreselijk. Het is een stomme sport. Stom en moeilijk en ik krijg het nooit onder de knie, en als ik nog één keer val, dan ga ik gillen of huilen of duw ik mijn gezicht in de sneeuw en sta ik nooit meer op. Ik ben kwaad en moe, heb het koud en heb overal pijn van de ongewone inspanningen die er van mijn spieren worden verwacht en de aanhoudende ijzige kou aan mijn voeten. Bovendien blijft hij me de hele tijd vertellen wat ik moet doen. Als hij het me nog één keer vertelt, als hij nog één keer met zijn betweterige gezicht dicht bij het mijne komt dan ram ik het vol sneeuw. Hij is trouwens ook helemaal niet zo goed als hij denkt. Ik zie andere skiërs en ik zie hem, en hij houdt zijn achterwerk veel te ver naar achteren en zijn bovenlijf te veel naar voren en hij skiet helemaal niet gracieus, dus hoe durft hij mij te vertellen wat ik moet doen?

Halverwege de middag praten we niet meer met elkaar, maar heb ik in elk geval geleerd om in lange, langzame s'en de helling af te skiën. Maar het is nog steeds pijnlijk en koud en niet leuk genoeg om de inspanning of de kosten te rechtvaardigen.

'Wil je ermee stoppen?' vraagt hij.

'Ja,' zeg ik dankbaar, bedenkend dat ik beslist een arm, been of mijn rug zal breken als ik nog één keer naar beneden moet. Hij ziet er teleurgesteld uit, dus ik stel voor dat hij nog een paar keer zonder mij gaat.

'Ik wacht wel in de herberg en kijk daarvandaan toe,' zeg ik.

Hij skiet vrolijk weg. Ik stap van mijn ski's af en strompel de herberg binnen, waar ik bier en friet bestel – die ik me niet kan veroorloven – en dan stilletjes in de ruwhouten duisternis met half dichtgeknepen ogen naar het licht buiten ga zitten kijken.

Ik ben moe en de warmte en het bier maken me doezelig. Ik wil naar onze kamer om te gaan slapen, maar ik wil Michael niet teleurstellen. Ik wil dat hij geniet, dat hij later met veel plezier aan deze vakantie zal terugdenken. Heimelijk hoop ik dat we er over tien jaar om zullen lachen hoe onbuigzaam en vastberaden we waren.

Daar denk ik aan terwijl ik de skiërs voorbij zie suizen. Ik kijk uit naar Michaels jas en zijn blauwe skihelm. Ik wil kunnen zeggen dat ik hem gezien heb, dat hij er fantastisch uitzag daarboven.

Maar ik zie hem niet. Ik zie hem een hele tijd niet. Ik bestel nog een glas bier, trek mijn skischoenen uit en masseer mijn tenen om de doorbloeding weer op gang te brengen. Als hij niet gauw komt, zal ik zelf moeten betalen, en ik heb niet genoeg geld bij me. De serveerster loopt al te drentelen. Ik denk dat haar dienst er bijna opzit en dat ze wil dat iedereen betaalt, zoals ikzelf toen ik als serveerster werkte. Ze komt niet naar me toe, zegt niets, geeft me niet de rekening, dus ik doe mijn best haar te negeren. Ik kan immers niet betalen en haar haar vrijheid geven. Bovendien hebben Michael en ik afgesproken elkaar hier weer te zien, dus moet ik wel blijven.

Ik heb mijn tweede biertje bijna op en pak de laatste frietjes als hij binnenkomt en de sneeuw van zijn schoenen stampt.

'De sneeuw was geweldig,' zegt hij terwijl hij in een vlaag frisse lucht over me heen buigt om me te kussen. 'We krijgen je nog wel eens zo ver dat je over die hobbels springt.'

Ik kijk glimlachend naar hem op, altijd sportief.

'Ja hoor,' zeg ik. 'Ooit.'

Later die avond zijn we in onze kamer, uitgedroogd en aangeschoten.

'Ik wou dat ik was opgegroeid met het idee dat dit soort dingen normaal is,' zeg ik.

Ik denk aan de kosten van huurski's, liftkaartjes, restaurantmaaltijden en deze kamer in een hotel.

Ik heb er meteen spijt van dat ik het heb gezegd. Het klinkt ondankbaar, alsof ik zit te jammeren of hem op een of andere manier bekritiseer, hem het arme rijkeluiszoontje noem, een bijnaam die hij vroeger van zijn klasgenoten op school al vaak genoeg kreeg. Hij heeft er een hekel aan als iemand over zijn vaders geld begint. Hij vindt mij een snob omdat ik niet inzie dat hij net zo hard heeft gewerkt voor alles wat hij in zijn leven heeft als ik, en hij raakt geirriteerd als ik iets anders insinueer. We hebben deze ruzie al vaker gehad.

Dit keer komt er echter geen ruzie. In plaats daarvan kijkt hij me strak aan en knijpt dan in mijn bovenarm.

'Vind je dat fijn?' Hij kijkt me strak en met een woeste blik aan. Hij verdraait de huid en mijn ogen worden vochtig. Ik kijk hem uitdagend aan. Ik schreeuw het niet uit, smeek niet om genade. Zijn woede vlamt op. Hij drukt een hand onder mijn kin en smijt me tegen de muur. En dan, met een blik alsof hij elk moment kan gaan huilen, ramt hij zijn vuist in mijn ribben.

De pijn is vreselijk.

De lucht wordt uit mijn longen weggeslagen en ik klap dubbel, mijn armen tegen mijn maag.

Even later hap ik naar adem. Ik kom overeind en sla hem. Hij slaat me in mijn gezicht en dan weer – één keer, twee keer – in mijn ribben. Ik val op de grond en hij trapt naar mijn nier. Ik steek mijn arm uit en grijp naar zijn kruis. Ik ga voor de enige zwakke plek, de enige plek waar ik hem pijn kan doen. Maar ik mis. Mijn vingernagels laten alleen bloedende schrammen achter op zijn bovenbeen. Heel even kijkt hij geschokt omlaag en dan slaat hij weer in mijn gezicht en val ik, bloedend uit mijn neus, op de grond neer.

Hij staart even naar me en laat zich dan op zijn knieën vallen. Ik deins achteruit.

'O, schatje,' zegt hij

Hij trekt mijn hoofd tegen zijn borst en ik probeer hem weg te duwen. Het doet pijn.

Hij kijkt naar mijn gezicht.

'Ik zal ijs halen,' zegt hij.

Ik krul me op de vloer zo klein mogelijk op, een kussen tegen mijn maag gedrukt als wapenrusting. Ik kan amper ademhalen.

Hij komt terug met ijs uit de ijsmachine in de gang, dat hij in een handdoek wikkelt en voorzichtig tegen mijn neus houdt. 'Ga zitten en leg je hoofd in je nek,' zegt hij.

Ik doe het en er loopt bloed in mijn keel en over de voorkant van mijn shirt. Ik slik. Het smaakt roestig en de scherpe randen van de ijsklontjes doen pijn aan mijn neus. Ik probeer hem weg te duwen, maar hij houdt met zijn ene hand mijn hoofd vast en met de andere het ijs.

'Het spijt me zo,' zegt hij. 'Ik hou zoveel van je.'

Ik zwijg.

'Ik hou zoveel van je,' zegt hij weer. 'Waarom moest je me nou kwaad maken? Je weet toch wel beter.'

Ik zeg niets. Ik adem moeizaam door mijn mond, kan mijn hoofd niet bewegen. Ik wil weg van zijn handen, weg van het afschuwelijke ijs tegen mijn pijnlijke, verstopte neus.

Uiteindelijk stem ik ermee in op te staan en helpt hij me naar het bed. Ik ga duizelig zitten, krimp ineen bij elke verandering van houding. Mijn neus en ribben schreeuwen het uit bij elke beweging.

Hij gaat naast me liggen. Dan staat hij op. En gaat weer liggen. Ik kijk niet naar hem en zeg niets. Bij elke beweging van het matras hap ik naar adem. Maar wel in stilte.

Op mijn rug liggen doet ook pijn en het maakt dat ik me kwetsbaar voel, maar ik durf me niet op mijn zij te draaien. Ik durf hem niet aan te kijken uit angst dat hij het als aanmoediging zal zien, en ik durf hem niet de rug toe te keren uit angst dat hij er iets in zal steken. Ik beroer mijn mondhoek met mijn tong en proef het bloed daar. Ik voel dat mijn ogen dicht gaan zitten door de zwelling en mijn oogleden worden zwaar.

Mijn hart bonkt van de adrenaline die door me heen giert, maar ik kan vechten noch vluchten. Mijn hele lijf trilt. Ik krijg een overdosis van mijn lichaamseigen drug, en ik kan me niet verroeren, kan zelfs geen simpele smeekbede om hulp fluisteren.

Er gaan uren voorbij. Mijn hart is verkrampt, mijn darmen zijn onrustig. Ik ben bang dat ik mezelf zal bevuilen. Ik mag niet in slaap vallen. Hij ligt te neuriën van spanning. Ik kan hem nu niet vertrouwen, niet na wat ik heb gedaan, – na hem te hebben geslagen en gekrabd op zijn kwetsbaarste plek.

Hij staat weer op, waardoor het bed pijnlijk beweegt, en gaat de badkamer in, doet het licht aan en overspoelt de kamer daardoor tijdelijk met een rechthoek van licht.

In het duister daarna haal ik mijn hand langzaam over mijn lichaam omhoog naar mijn ribben. Ik raak ze met mijn vingertoppen nauwelijks aan en krimp ineen in het donker. Dat wordt beslist een blauwe plek.

Ik wil weg, maar hij heeft mijn vliegticket. Hij heeft mijn vliegticket en al het geld dat we aan deze vakantie wilden besteden. Ik heb ongeveer vijftien dollar, en daar kan ik geen kamer voor krijgen, laat staan een ticket naar huis.

Ik kan wel janken, maar wil zijn aandacht niet trekken. Dus blijf ik in stilte liggen en beweeg ik mijn hand over mijn lichaam om de schade op te nemen.

Na een minuut komt hij terug en weer wordt de kamer kortstondig verlicht. Dan is het weer donker en loopt hij heen en weer tussen het bed en de televisie, hij ijsbeert, tuurt naar me, rommelt met mijn dekens, streelt met zijn vingers over mijn wang, kust me zacht. Verontschuldigt zich.

'Ik wilde het niet doen, maar jij dwong me ertoe,' zegt hij. 'Waarom deed je dat? Waarom kon je je mond niet houden? Waarom jaag je mensen altijd tegen je in het harnas? Waarom moest je me zo kwaad maken?'

Ik heb geen antwoorden voor hem. Ik hoor hem zeggen dat het mijn schuld is en heb de puf niet om tegen hem in te gaan. Is het dan mijn schuld dat hij me geslagen heeft? Ik wist inderdaad wel beter. Ik had mijn woorden zorgvuldiger kunnen kiezen, had gewoon van de gratis vakantie kunnen genieten, had voor één keer mijn mond dicht kunnen houden. Maar heb ik iets gezegd wat deze aframmeling waard was? Ik kan het me niet herinneren. Ik weet niet eens meer waar we het over hadden. Ik weet het niet meer en het doet er ook niet toe, want wat ik ook heb gezegd, het gaf hem alleen maar het excuus om te doen wat hij de hele tijd al wilde. Dat weet ik nu. Het broeide onder de oppervlakte, klaar om tot uitbarsting te komen, al sinds... sinds wanneer? Ik kan niet bedenken wanneer het begonnen is, alleen dat ik al een hele tijd wist dat het er was, en dat iets als dit – een combinatie van vermoeidheid, alcohol en mijn grote mond – hem zou doen ontploffen.

Ik heb het gevoel dat ik in het bed wegzak. Ik ben moe en dat wordt met de minuut erger. Mijn energie sijpelt uit me weg. Mijn gedachten zijn niet meer helder. Ik wil dat hij voor me zorgt. Ik wil dat hij weggaat. Ik wil dat hij me mijn vliegticket en een lift naar het vliegveld geeft. Ik wil dat hij doodgaat.

Ik weet dat ik het niet kan riskeren in slaap te vallen zolang hij nog kwaad is, dus roep ik hem. Hij gaat voorzichtig op de rand van het bed zitten en strijkt met zijn hand over mijn haren. Ik trek zijn gezicht omlaag, kus hem voorzichtig met mijn nog pijnlijke en bloedende lippen en steek dan mijn hand in zijn broek. Hij is al hard. Dat had ik wel verwacht. Hij raakt hier opgewonden van. Ik weet dat hij zal gaan slapen als ik hem geef wat hij wil en dat ik dan veilig ben. Ik vraag alleen van hem dat hij op zijn handen steunt om te beschermen wat een dokter later als gebroken ribben zal diagnosticeren.

Als hij klaar is, valt hij in slaap. Ik niet. Alles in me gaat tekeer. Ik heb diarree. Ik wil opstaan om naar het toilet te gaan, maar wil niet dat hij wakker wordt. Dus concentreer ik me er met iedere zenuw in mijn lijf op om stil te liggen.

De volgende ochtend heb ik blauwe ogen en blauwe plekken op mijn ribbenkast. Ik ga niet naar buiten. Hij wel. Hij haalt boodschappen, en verband en gaas voor mijn neus. Wanneer hij terugkomt kruipt hij naast me in bed. Drie dagen lang geef ik hem seks wanneer hij maar wil. Hij is teder en voorzichtig, en het onderbreekt voor even zijn hulp aan mij, zijn gretigheid om eten voor me te halen, mijn kussens op te schudden en de dekens zachtjes over mijn lichaam omhoog te trekken

Soms wanneer hij in de badkamer is, of boodschappen aan het doen, huiver ik bij het besef dat ik een mishandelde vrouw ben. Ik huiver bij de gedachte dat ik ben mishandeld ben en toch de man die dat heeft gedaan toegang tot mijn lichaam geef. Ik huiver om mijn vermogen te doen alsof dit normaal is, alsof het goed is, te vergeten en te vergeven, een vergissing waar hij spijt van heeft. Bij tijd en wijle geloof ik het zelfs.

We kijken oude films en eten pizza in bed. Hij lijkt kalm en vredig en daar ben ik dankbaar voor. Ik weet dat ik dankzij de seks veilig ben.

Na drie dagen vliegen we naar huis. Hij draagt mijn koffers op het vliegveld en beantwoordt de bezorgde blikken van de grondstewardess met een leugen.

'Ze is tegen een boom geskied,' zegt hij. 'Maar alles is in orde. Nietwaar, liefje?'

Ik knik.

In het vliegtuig regelt hij dekens en kussens, en bergt hij mijn tas in het bagagecompartiment boven onze hoofden terwijl ik me voorzichtig in de stoel bij het raam laat zakken. Hij houdt mijn hand vast terwijl het vliegtuig over de startbaan taxiet en ik sta het toe, maar leun met gesloten ogen bij hem vandaan, tegen het raampje.

Ik ga eindelijk naar huis.

Wanneer we steeds hoger gaan vliegen neemt de druk in mijn gezwollen sinussen verder toe. Het voelt aan of mijn ogen uit mijn hoofd zullen springen en alsof mijn trommelvliezen worden doorgeprikt door iets wat niet al te scherp is, zoals een paperclip.

Ik breng mijn handen naar mijn gezicht, maar Michael trekt ze weg.

'Je buizen van Eustachius zitten dicht,' zegt hij. 'Je moet geeuwen, dan gaan ze open.'

Ze zitten dicht omdat jij mijn neus kapot hebt geslagen, denk ik. En ik kan niet geeuwen, want zelfs als ik gewoon ademhaal lijkt het al of er een mes in mijn longen wordt gestoken.

Telkens als de luchtdruk in het vliegtuig verandert neemt de pijn weer toe, tot die aanvoelt als een gillende fluitketel in mijn hoofd. Ik wil mezelf dubbelvouwen, maar dat kan ik niet, niet zonder naar adem te happen. De landing is afschuwelijk.

Landen en daarna opstaan uit mijn stoel en de andere passagiers heel even tersluiks naar me zien kijken. En die zien dan alleen nog maar mijn gezicht.

Michael draagt mijn tassen mijn appartement in en kust me teder. Ik loop de badkamer in en kijk in de spiegel.

Mijn oogkassen zijn paars en blauw, van mijn wenkbrauwen tot mijn jukbeenderen. Ik betast mijn neus. Die doet pijn, maar bloedt niet meer, behalve als ik hem snuit.

Ik trek mijn shirt niet omhoog, want meer wil ik niet weten. Ik weet niet wat ik moet doen. Ik heb behoefte aan een diagnose en aan troost. Als ik naar het ziekenhuis ga, zullen de mensen daar me vol medeleven aankijken en me voor altijd behandelen als een mishandelde vrouw en achter hun handen fluisteren dat zij niet degenen willen zijn die opperen dat ik het verdiend heb, 'maar je weet hoe ze soms kan zijn'. Of ze zeggen – tegen zichzelf en tegen elkaar – dat zij zoiets nooit zouden hebben laten gebeuren, dat zij hem er nooit de gelegenheid toe zouden hebben gegeven, dat ze zichzelf zouden hebben verdedigd, of zouden zijn weggelopen of het de man die mij dit heeft aangedaan, die ze kennen en graag mogen, op een andere manier onmogelijk zouden hebben gemaakt om hen te slaan.

Het is bovendien al dagen geleden dat de verwondingen zijn toegebracht, dus in het ziekenhuis kunnen ze niets voor me doen. En ik wil Michael geen problemen bezorgen. Ik ben degene die de ruzie is begonnen, en hij was naderhand heel teder en schuldbewust, in de kamer en in het vliegtuig.

Toch zijn daar de kneuzingen, als een stille getuigenis, die me in de verleiding brengen het te vertellen, om tegenover mijn baas, mijn vrienden, vriendinnen en collega's, de knappe verpleegsters, de enthousiaste medisch studenten te verklaren dat ik geslagen ben. 'Ik ben niet tegen een boom aan geskied,' zou ik zeggen, en dan zou ik mijn shirt omhoog houden, zodat ze de paarse, blauwe en rode verkleuringen konden zien die uiteindelijk tot geel zouden vervagen.

'Ik ben geslagen,' zou ik zeggen, 'door één van jullie. Door jullie collega, jullie vriend.'

Maar ik weet wat ze zouden denken. Ze zouden denken dat ik erom had gevraagd. Zelfs degenen die vinden dat slaan nooit te rechtvaardigen is zouden me aankijken en dan zou de gedachte zich gewoon aan hen opdringen: wat heeft ze gedaan dat ze dit verdiende? Ik weet het. Met vrouwen die geslagen zijn, moet je medelijden hebben, maar ze worden ook wantrouwend aangekeken, als vrouwen die er op de een of andere manier om hebben gevraagd, die het misschien wel fijn vinden.

Er gebeurt van alles in relaties en dat hoeft niemand te weten. Ik hoef mijn vuile was niet buiten te hangen. Ik hoef het niet te vertellen.

Ik loop door mijn huiskamer heen en weer. Ik moet met iemand praten, dus ik bel Amy.

'Hoe was je vakantie?'

'Leuk,' zeg ik, terwijl ik het telefoonsnoer om mijn vinger draai, 'ik ben alleen een belabberde skiër.'

Ze lacht en we praten een poosje over andere dingen.

'Hé,' zeg ik uiteindelijk, 'hij heeft me geslagen.'

'Wát heeft hij gedaan?'

'Hij heeft me geslagen. Een paar keer. Behoorlijk hard.'

Ze zwijgt even en vraagt dan: 'Is alles in orde met je?'

'Ik geloof het niet. Ik denk dat mijn neus gebroken is. En misschien mijn ribben.'

Ze hapt naar adem.

'Heeft hij je in je gezicht geslagen?'

'Ja.'

'Wat een klootzak,' zegt ze. 'Wat ga je doen?'

'Ik weet het niet.'

'Je hebt het toch zeker wel uitgemaakt, of niet?'

'Nee,' zeg ik. 'Ik bedoel, het was niet alleen zijn schuld.'

'Janine,' zegt ze, 'je kunt niets hebben gedaan waarvoor je dit zou verdienen. Zeg me na. Níéts.'

Ze is mijn kleine zusje en ik schaam me dat ze getuige is van mijn falen. Ik zeg niets. We zijn allebei even stil. Dan zegt ze: 'Ben je van plan te wachten tot hij je vermoordt?'

Ik snuif. 'Hij gaat me heus niet vermoorden,' zeg ik. 'Lieve hemel.'

'Oké, maar ik wil dat je naar een dokter gaat.'

'Alles is in orde,' zeg ik.

'Nee, dat is het niet. Bel een dokter.'

'Ik wil hem geen problemen bezorgen.'

'Dat is toch hoop ik een grapje, hè?'

Ik geef geen antwoord.

'Luister nou, bel iemand,' zegt ze. 'Bel een vriend. Bel een van die arts-assistenten met wie je altijd loopt te flirten. Bel iemand.'

'Oké, oké.'

'En daarna bel je me terug om te zeggen wat die heeft gezegd.'
'Ja, hoor.'
'Beloof het me.'
'Ik beloof het.'
'Goed zo. Ik hou van je.'
'Ik ook van jou.'

Ik hang op. Ze heeft gelijk. Ik ga het met hem uitmaken. Ik ga hem bellen of schrijven om te zeggen dat het voorbij is, dat ik mijn kleren, mijn tandenborstel en mijn huissleutel terug wil.

Of misschien ga ik er wel heen als hij weg is, om mijn spullen op te halen en een briefje achter te laten.

'Ik laat me maar één keer slaan,' zal ik schrijven.

Dat doe ik. Ik zet hem aan de kant.

Ik knik vastberaden en wacht op de euforie en opluchting die ik verwacht te zullen voelen. Maar het enige wat ik voel is eenzaamheid, angst dat ik voor altijd een mishandelde vrouw zal zijn, dat hij terug zal komen. Dat hij niet terug zal komen. Dat ik geen andere opties meer heb.

7

Allereerst heb ik een dokter nodig. Ik volg Amy's advies op en piep Kurt op, een van de arts-assistenten in het ziekenhuis met wie ik goed kan opschieten.

'Ik heb hulp nodig,' zeg ik. 'Ik ben behoorlijk in elkaar geslagen.'

'Heeft hij je geslagen?'

Hij is geschokt, ook al had ik hem al gezegd dat het wat moeilijk liep tussen Michael en mij.

'Ik kom eraan,' zegt hij.

Ik heb Kurt een maand of twee geleden ontmoet, toen hij voor zijn opleiding op mijn verdieping terechtkwam. Ik hield hem voor de gek met een bestelling, zijn stropdas of zijn geflirt met een van de verpleegsters – wie weet hoe het begon? – en het draaide er op uit dat we vaak samen bij de deur van de apotheek stonden te giechelen en buiten de patiëntenkamers met elkaar stonden te fluisteren.

'Hij is getrouwd, hoor,' zei mijn collega Laura.

Ik keek haar aan.

'Hij draagt geen trouwring,' antwoordde ik.

'Alsof dat wat wil zeggen.'

'Daar heb je een punt,' zei ik. Ik leunde over de halve deur heen om hem na te kijken.

'En zijn vrouw is zwanger,' zei Laura.

Ik trok mijn hoofd terug naar binnen om haar aan te kijken.

'Het is niet waar,' zei ik.

'Jawel,' antwoordde ze.

'Dat is niet zo mooi,' zei ik.

Niettemin heb ik hem nu nodig. Hij is een vriend en hij kan me vertellen wat ik moet doen. Ik vertel hem hoe hij moet rijden en kijk dan mijn appartement rond. Er ligt hondenhaar op de vloer, in grote ballen in de hoeken, op de bank en de stoelen. Soms word ik 's ochtends wakker met hondenhaar vastgeplakt aan de balsem op mijn lippen.

Ik vind een bezem en begin te vegen, maar het doet zeer, dus ik duw het meeste onder de bank en pak de roller, waarmee ik in elk geval een deel van de haren van de bank kan krijgen. Ik heb een redelijk stuk schoongemaakt als hij voor het huis stopt.

Hij komt in grote stappen naar boven en hapt naar adem als ik mijn deur opendoe. Hij pakt mijn gezicht vast en draait het naar het licht van de middagzon. Hij knijpt in mijn neusbrug, beweegt hem zachtjes heen en weer en mijn ogen vullen zich met tranen. Hij veegt ze weg, gaat met zijn duimen over de kneuzingen.

'Je neus is gebroken,' zegt hij, en drukt er voorzichtig een kus op.

Hij omhelst me en ik leg mijn hoofd dankbaar tegen zijn borst.

'Ik vind het heel erg dat hij je dit heeft aangedaan,' mompelt hij.

'Heel erg.'

'Mijn ribben doen ook pijn,' zeg ik.

Hij legt zijn handen op mijn schouders en doet een stap achteruit.

'Wijs eens aan,' zegt hij.

Ik wijs naar de linkerkant van mijn borstkas, onder mijn borst.

'Mag ik?' vraagt hij, naar mijn shirt wijzend.

Ik knik. Hij is aardig en ik ben hem dankbaar.

Hij trekt mijn shirt omhoog en onderzoekt de kneuzing. Hij drukt er behoedzaam op met zijn vingers en kijkt naar mijn gezicht als ik ineenkrimp.

'Die zijn ook gebroken,' zegt hij.

Ik huil, ook al doe ik mijn best om dapper te zijn.

'Het is goed,' zegt hij, en trekt me weer in zijn armen en streelt mijn haar. 'Het komt wel weer in orde.'

Het is heerlijk om zijn armen om me heen te voelen. Sterk en precies stevig genoeg. Ik wil daar blijven. Hij wil dat ik er blijf. We blijven een ogenblik zo staan. Dan draai ik mijn gezicht naar hem toe en kust hij me. Ik kus hem ook en voel genot, opwinding en dankbaarheid door me heen stromen. Ik wil me via mijn lippen met hem verbinden. Ik wil dat hij me vasthoudt, me beschermt en me verzekert dat zoiets nooit meer zal gebeuren, dat ik hiermee voor al mijn schulden heb geboet, dat mijn leven vanaf nu mooi zal zijn. Ik wil dat hij zorgt dat ik veilig ben. Ik wil dat hij de pijn wegneemt.

Ik maak me van hem los.

'Wat moet ik eraan doen?'

'Niet veel,' antwoordt hij. 'Je neus staat recht, dus daar hoe je niets aan te doen, en je ribben zullen een poos pijn doen, maar genezen ook wel vanzelf. Wat je wel moet doen is ibuprofen of iets dergelijks innemen en rustig aan doen.' Hij stelt niet voor dat ik een aanklacht zal indienen.

Ik kijk hem een minuut lang aan. Het antwoord is onbevredigend, maar wel zinnig. Het verbaast me, maar ik stem in met zijn zwijgen, stem er zonder woorden mee in dat het oneerlijk zou zijn om een aanklacht in te dienen, omdat niemand kan weten wat er precies is gebeurd. Het zou mijn woord tegen het zijne worden en we zouden allebei verliezen. Het is veel beter om de wonden te laten genezen en door te gaan met mijn leven.

We omhelzen elkaar nog een keer en dan gaat hij met tegenzin weg.

Ik weet dat hij terug zal komen. Ik voel het.

Kurt weet dat ik mishandeld ben en wil me toch nog hebben. Met ieder ander zou ik van voor af aan moeten beginnen en alles moeten uitleggen. Bij hem hoef ik dat niet. Ik hoef hem niets te vertellen en ik hoef niets geheim te houden. Ik heb een hekel aan geheimen. Wat mij is overkomen is te veel om in stilte te dragen.

Hij is knap en intelligent en hij begint te stralen zodra hij me ziet. Hij begint te stralen hoewel hij de waarheid over me weet, dat ik gemeen kan zijn en een vergissing kan begaan en iemand zo kwaad kan maken dat hij me in elkaar slaat. Toch begint hij te stralen. Dat zie ik graag in een man.

Ik vind het fijn, maar ik weet ook dat hij me niet leuk zou vinden als hij me echt kende, echt wist hoe ik in elkaar zit. Maar dat geeft niet, want hij is getrouwd en er kan nooit iets meer tussen ons zijn dan er nu is.

'Hij is getrouwd, hoor,' zegt Laura weer.

'Dat weet ik,' zeg ik deze keer.

'En zijn vrouw is zwanger,' zegt ze weer.

'Dat weet ik. Maar ze zijn niet echt gelukkig.'

Ze schudt haar hoofd en loopt de apotheek uit.

Maar ze weet niets. Ze weet de waarheid over ons niet, dat we verliefd op elkaar zijn geworden. We zijn verliefd, ook al zegt hij dat hij zijn vrouw en zoontje en de ongeboren baby nooit in de steek zal laten.

'Ik ben bij Jim weggegaan,' zegt Amy.

'Wat heb je gedaan?'

'Ik ben bij hem weggegaan. Ik heb mijn best gedaan, maar ik kan het niet meer opbrengen.'

'Wat erg voor je. Wat is er gebeurd?'

'Van alles. Hij kan niet één baantje houden. Hij drinkt weer. Ik betaal alle rekeningen.'

Ik wil tegen haar zeggen dat het tijd werd, dat ik nooit heb begrepen wat ze in hem zag, maar ik hou me in. Ik wacht tot ze meer zal vertellen.

'Slaat hij je?'

'Niet heel vaak,' zegt ze.

'O, Amy...'

Ik weet dat ik mijn mond zou moeten houden, maar ik kan het niet laten.

'Ik heb altijd gevonden dat hij niet goed genoeg voor je was,' zeg ik. 'Jij bent zóveel intelligenter dan hij. Jij brengt bijna al het geld binnen, je doet al het werk in huis. Je bent beter af zonder hem.'

Wat ik er niet bij zeg is dat zij alle rekeningen betaalt, de boodschappen doet, het eten klaarmaakt, de afwas doet, de vogels voert, voor de hond zorgt en de auto voor onderhoud naar de garage brengt. En al die tijd zit hij op zijn luie gat en drinkt hij stiekem whisky uit de flessen die hij onder de bank heeft verstopt.

'Hij is een waardeloze vent,' zeg ik, 'een blok aan je been. Hij heeft de ballen niet om zichzelf op te werken door iets te ondernemen, dus probeert hij het door jou neer te halen. Dat kun je niet gebruiken. En je hebt het zeer zeker niet verdiend.'

'Ik weet het,' zegt ze, stilletjes huilend, 'maar ik ben toch bang.'

'Dat weet ik. Het spijt me. Weet je nog hoe bang ik was toen ik bij Michael wegging? Je vindt wel iemand die beter voor je is.'

'Denk je?'

Kurt gaat niet bij zijn vrouw weg, zo zegt hij telkens en telkens weer. Maar dan verandert het.

'Ik kan niet weggaan voor de baby minstens zes maanden oud is,' zegt hij.

Ik vind die overgang van nooit naar binnenkort een beetje eng. Hij gaat zijn vrouw verlaten om met mij samen te zijn. Dat is wat hij zegt. Ik voel blijdschap. Ik voel paniek. Wil ik hem wel? Is dit de man die ik wil nu zich de mogelijkheid van voor eens en voor altijd voordoet? Hij is intelligent, knap, liefdevol en ambitieus en nu kan hij de mijne worden. Hij zou de mijne kunnen worden, maar ik heb hem nooit gezien als een man voor altijd, en nu zou hij toch iemand voor altijd kunnen worden, hij en zijn twee kinderen en zijn vrouw, die dan zijn ex-vrouw zou worden en kwaad op me zou zijn en me zou haten.

En ik zou iemand zijn die een huwelijk kapot had gemaakt, die een gezin uiteen had gerukt.

Een maand later belt Amy me.

'Ik ben naar hem teruggegaan,' zegt Amy.

Ik denk aan al de keren dat we het erover hebben gehad wat voor ellendeling Jim is en hoeveel beter ze af is zonder hem.

'Hoe komt dat?'

'Hij is veranderd. Hij houdt van me en hij doet echt zijn best. Zolang hij zijn best doet, wil ik er ook mijn best voor doen.'

Ik krimp ineen. We praten erover of ze het zeker weet, of dit de juiste beslissing is, of ze zich zorgen maakt.

'Maar over één ding,' zegt ze.

'Waarover dan?'

'Over wat jullie ervan vinden,' zegt ze. Ze krijgt een brok in haar keel. 'Ik wil niet de zielepoot van de familie zijn.'

Nu krijg ik ook een brok in mijn keel. Ze heeft eerder dingen gezegd die me het idee gaven dat ze zichzelf als een mislukkeling beschouwde, degene haar studie niet had afgemaakt of geen grootse carrière had, of met een man was getrouwd die niets verdiende.

'Jij bent niet de zielepoot van de familie,' zeg ik.

'Ik wil alleen maar dat jullie van me houden.'

'Weet je het dan niet? Weet je niet, Amy, dat je wel honderd keer bij Jim kan weggaan en teruggaan en dat we dan nog steeds van je zouden houden? We zullen altijd van je blijven houden, wat er ook gebeurt.'

We blijven nog een paar minuten huilend aan de telefoon. Dan snuiten we allebei onze neus en zeggen we elkaar gedag.

Ik bel haar een paar weken niet. Ik ben boos omdat ze terug is gegaan en schaam me omdat ik zulke akelige dingen over haar man heb gezegd. Ze belt me zelf ook zelden.

Als zijn baby zes maanden oud is, gaat Kurt bij zijn gezin weg, zodat wij samen kunnen zijn. Zijn kinderen worden de mijne, om de andere dag ongeveer. Ik leer pannenkoeken te bakken in de vorm van hartjes, klavertjes en kerstbomen, ik leer melk groen te verven op St. Patrick's Day en ik leer babypraat te praten terwijl ik een luier verwissel. Ik wieg, lees verhaaltjes voor het slapengaan voor en bewonder meesterwerken van waskrijt.

Ik hou waanzinnig veel van hem en de kinderen, en van wat ik ben geworden: een verzorgster, een huismoeder. Mijn studie zorgt ervoor dat ik me intelligent voel en door Kurt en de kinderen voel ik me bemind.

Onder het geluk schuilt echter schuldgevoel. Ik heb een gezin kapotgemaakt. Ik hou mezelf voor dat Kurt geen belangstelling voor me gehad zou hebben als het huwelijk goed was geweest, dat iedereen nu beter af is. Ik denk aan de punten waarop zijn ex-vrouw hem heeft teleurgesteld, en bedenk dat Kurt en ik voor elkaar bestemd zijn. Die rationaliseringen helpen me de dag door.

Op een dag zijn we samen aan het winkelen in een warenhuis.

'Dit zou je fantastisch staan,' zegt hij, en hij houdt een eenvoudig katoenen zomerjurkje omhoog. Het is lichtblauw, met een mouwloos lijfje en een wijde rok tot onder de knieën.

'Dat kan ik niet aantrekken,' zeg ik. 'Dat is veel te sexy.'

'Ach, kom nou,' zegt hij. 'Je bent een betoverende vrouw. Doe niet zo gespannen.'

Ik schud mijn hoofd.

'Het heeft met je vader te maken, is het niet?' vraagt hij. 'Laat dat nou eens los. Doe het voor mij.'

Ik schud weer mijn hoofd, minder resoluut. Ben ik preuts? Verberg ik mijn lichaam nog steeds om mezelf te beschermen?

Hij koopt het jurkje toch en binnen een week bezwijk ik voor de belofte dat het me aantrekkelijk zal maken. Ik zal Kurt er een plezier mee doen, dat weet ik, dus ik trek het aan. Het omsluit me van borst tot heupen en waaiert dan uit. Ik trek platte sandaaltjes aan en kijk in de spiegel. Ik zie er inderdaad goed uit, al zijn in deze beha mijn tepels iets te zichtbaar. Met mijn armen voor mijn borst gevouwen kom ik de badkamer uit. Hij straalt. Bij het boodschappen doen probeer ik voortdurend het lijfje wat verder omhoog te trekken, hoewel het alles bedekt wat het moet bedekken. Kurt houdt trots mijn hand vast.

Het is een eenvoudig compromis, een poging van hem om mij te verbeteren, en van mij om hem een plezier te doen. Net als het dagelijks wegen lijkt het me niet te veel gevraagd. Het is immers allemaal voor mijn eigen bestwil.

We zijn een jaar samen en zo vreselijk verliefd dat ik niet naar Washington wil vertrekken. Of eigenlijk wel, maar ik ben bang om Kurt en ons nieuwe leven achter te laten.

'Ik kan ook alleen een proefschrift schrijven,' zeg ik tegen mijn mentor, dezelfde professor die me mijn eerste zes gaf.

'Je zegt al jaren tegen me dat je naar Washington wilt,' zegt ze.

'Ik weet het, maar ik wil Kurt en de kinderen niet alleen laten.'

Ze schudt haar hoofd. Een proefschrift schrijven kost erg veel tijd – misschien nog wel een heel jaar, waarvan ik een groot deel zal moeten doorbrengen in de bibliotheek met dingen waar ik een hekel aan heb, en waar ik uiteindelijk statistieken zal bewerken tot wat de professoren 'nieuwe informatie' noemen. En het zou me niet brengen waar ik wil zijn, midden in een bruisende redactiekamer om waarheden boven water te halen en mensen te dwingen te praten over dingen die belangrijk zijn.

Maar als ik een proefschrift schrijf, heb ik een hoop tijd voor het gezin. En Kurt heeft natuurlijk liever dat ik blijf. Ik zou parttime in de apotheek kunnen werken, we zouden samenwonen en hij zou zijn werk hebben en ik het mijne. De kinderen zouden de helft van de tijd bij ons zijn en ik zou research kunnen doen en schrijven wanneer ze in bed lagen.

In Washington zou me tussen echte journalisten begeven, echte mensen die belangrijk werk doen. Ik zie al voor me hoe ik tijdens een persconferentie van de president wordt uitgekozen om die ene vraag te stellen die hem door de mand zal doen vallen, die hem zal dwingen de waarheid te vertellen. Bovendien zou het vertrek naar Washington me een deadline geven, en ik heb deadlines nodig. Ik wil niet eindigen als een van mijn vrienden, slechts een proefschrift verwijderd van mijn master, ofwel ABP – alles behalve proefschrift. Dat is het punt met deadlines; zonder deadlines wordt er niets geschreven.

'Wat moet ik doen?' vraag ik mijn mentor.

'Naar Washington gaan.'

'Maar ik heb de kinderen hier.'

'Dat zijn zíjn kinderen, niet de jouwe,' zegt ze. 'Laat hun vader maar voor ze zorgen. Bovendien zijn er een hoop studenten die het kunnen, ook al zijn ze ouders. En je zou er voor altijd spijt van hebben als je het niet deed. Geloof me.'

Ik praat met Kurt.

'Ik wil het echt graag doen,' zeg ik. 'Ik kijk hier al heel lang naar uit, en ik denk dat ik het jou kwalijk zou nemen als ik het niet doe.'

'Maar dan zouden we niet samen zijn,' zegt hij, terwijl hij me in zijn amen trekt. 'En je zou de kinderen missen.'

'Dat weet ik,' zeg ik, 'maar het is maar voor een poosje.'

Hij houdt me zwijgend vast en zegt dan: 'En als je nou iemand anders ontmoet?'

Ik grinnik. 'Ik ga heus niet op zoek.'

'Maar als het nou toch gebeurt?'

Ik pak hem steviger vast. 'Ik zal niemand ontmoeten die zelfs maar half zo geweldig is als jij,' zeg ik.

'Waarom wil je dan bij me weg?'

Ik lach.

'Ik ga niet bij je weg. Ik ga naar Washington om nog beter te worden in wat ik doe. Ik moet dit doen om me succesvol te voelen, oké?'

Hij houdt me zwijgend vast.

Ik weet waar hij zich zorgen om maakt. Onze relatie is begonnen als een leugen, dus vertrouwen is voor ons allebei wat moeilijk. Maar dat is niet erg. Ik begrijp het. Ik zou me ook zorgen maken.

Het vergt een paar weken van discussie, maar uiteindelijk schrijf ik me in om te gaan. Hij vliegt met me mee om een appartement uit te zoeken, en vertrekt dan weer. Op het vliegveld kust hij me eerst hartstochtelijk en daarna teder en vraagt me dan opnieuw het te beloven.

'Beloof me dat je niemand anders zult vinden,' zegt hij.

Ik beloof het.

In de metro terug naar mijn appartement voel ik me licht. Licht en gelukkig, vrij, bang en geslaagd. Ik doe het! Misschien doe ik het niet goed, maar ik doe het wel. Zonder hulp. Ik doe het in mijn eentje en daar mag ik best trots op zijn.

Ik ben negenentwintig. Ik spring in het diepe en ik zal gewoon heel hard met mijn armen moeten slaan om niet onder te gaan. En uiteindelijk zal ik zwemmen.

's Avonds jagen de geluiden van de stad me angst aan: de sirenes, het luide gelach, de muziek uit passerende auto's. Als ik het licht aandoe om naar het toilet te gaan, schieten er kakkerlakken weg. De eerste avond gil ik, zij het maar kort en alleen omdat ik schrik, niet omdat ik bang ben. Het wordt erger als een van de andere huurders me over de ratten in het washok in de kelder vertelt. Ik heb zelfs nog nooit een rat gezien.

Als ik mijn was moet doen, trek ik sokken en schoenen en een lange broek aan. Ik slaap met mijn armen en benen stevig ingestopt, zelfs als het warm is. Als ik midden in de nacht wakker word met een hand of voet onder de dekens uit, trek ik die er snel weer onder.

Maar geleidelijk aan ontspan ik me. Washington is prachtig in de herfst, als de ginkgo-bomen geel kleuren en de lucht fris aanvoelt. Ik loop door de afgevallen bladeren, trap op de omgekrulde exemplaren die knisperen als de chips die ik mezelf ontzeg om niet aan te komen. Ik loop de vier straten van de winkel naar mijn appartement op de tweede verdieping, met in elke hand een plastic tasje boodschappen.

De lucht ruikt naar bladeren en naar falafel en lamsvlees van de restaurants in de buurt. Ik kan me natuurlijk niet veroorloven daar te gaan eten. Niet van de acht dollar per dag waaruit mijn budget bestaat als ik van mijn spaargeld wil leven zonder te hoeven werken.

Opnieuw heb ik mezelf afgezonderd, nu in een appartement in

Dupont Circle, een opgeknapt stadsdeel waar mijn kamer 550 dollar per maand kost, 50 dollar meer dan Kurt thuis in Missouri betaalt voor een huis met drie slaapkamers en een grote tuin. Het is een prijs die ik graag betaal voor mijn privacy. Mijn klasgenoten zitten in een ander deel van de stad en geven half zoveel geld uit voor een deel van een huis. Er zitten plakkertjes met hun naam op hun eten in de koelkast, hun handdoeken hangen aan designrekjes, maar ze maken nog steeds ruzie over wie wiens melk heeft opgedronken of de pindakaas heeft opgemaakt.

Maar in feite woon ik in mijn eentje en zonder baan in de homowijk om maar één reden: ik mag geen man ontmoeten. Ik ga niet werken omdat ik dan misschien iemand tegenkom die met me naar bed zal willen. En dan zal ik gecharmeerd van hem raken en hem niet kunnen weerstaan, waarna ik Kurt en zijn kinderen en ons leven samen zal laten schieten, of ons potentiële leven samen. Ik zal bezwijken en hij zal alleen achterblijven, nadat hij voor mij bij zijn vrouw is weggegaan. Dat was de redenering achter de keuze voor dit appartement op deze plek, hoewel we zeiden dat het veiliger was, dat misdrijven hier altijd zijn gericht tegen homofiele mannen, niet tegen alleenstaande vrouwen.

Het valt echter niet mee om binnen mijn budget te leven. Als het niet regent, ga ik op de fiets naar kantoor. Als het wel regent of als ik al laat ben of gewoon te moe om het op te nemen tegen taxi's, toeristen en gaten in het wegdek, neem ik de metro, maar dat kost $ 1,60, waardoor er nog maar $ 6,40 overblijft voor boodschappen, bier en af en toe Thaise noedels als lunch.

Een of twee keer ga ik me te buiten en bel ik Amy. Jim is zijn baan als verkoper van biljarttafels in de zaak van zijn ouders kwijtgeraakt. Amy betaalt alle rekeningen, dus ze weet hoe het is om blut te zijn.

'Hij is op zoek naar werk,' zegt ze tegen me. 'Hij vindt vast snel iets.'

'Ja, hoor.'

Later kom ik te weten dat hij hele dagen dronken is, dat zij hem probeert over te halen naar een afkickcentrum te gaan, dat ze naar bijeenkomsten van Al-Anon gaat, voor familieleden van alcoholisten.

'Echt waar,' zegt ze. 'Het gaat goed hier.'

Later zit ik in kleermakerszit op de grond met mijn typemachine voor me en schrijf ik mijn dagelijkse brief aan Kurt.

Ik wou dat je hier was. Ik denk constant aan jou en de kinderen. Je kunt hier massa's dingen gratis doen, zoals naar het Smithsonian of naar de dierentuin gaan. Ik liep vandaag Ted Kennedy tegen het lijf. Letterlijk. Ik liep op de trap van het parlementsgebouw — zoals gewoonlijk aan de late kant — en botste tegen hem op. Hij liep druk te praten met iemand anders, dus hij had het niet zo in de gaten en ik hoefde me dus niet vreselijk te schamen. Hij lijkt meer op een standbeeld dan op een man. Zijn gezicht is verweerd en omringd door een dikke bos leeuwenmanen en hij leek op dat moment erg groot. Daarna was ik in het Senaatsgebouw en kwam ik tussen een groep mannen terecht die de hoek om kwamen, en een van hen was Paul Simon. Ik heb niet opgelet of hij een strikje droeg, maar verder zag hij er precies zo uit als in de tijdschriften.

Het is nu echt officieel. Ik heb mijn perskaart aan een kettinkje om mijn hals hangen, zodat ik op de perstribune van de Senaat en het Witte Huis mag komen en alle belangrijke vergaderingen kan bijwonen die ik wil. De kaart geeft me vrije toegang tot de nationale bibliotheek, de medische bibliotheek van het NIH en weet ik wat al niet meer. Ik ben ook lid van de National Press Club en mijn kantoor is in het National Press Building. De Club heeft een restaurant (dat ik me niet kan veroorloven), een bar, een fantastische bibliotheek, en een klein fitnesscentrum. Tot dusver heb ik vooral gebruik gemaakt van het fitnesscentrum.

Laatst was ik daar met Yvette en nog een paar mensen. Toen zaten er ineens scherpschutters op het dak van het Willard. Dat is aan de overkant van de straat, maar van daarboven lijkt het heel dichtbij. Het Witte Huis is maar twee straten verderop en de president kwam per helikopter aan, dus was de hele boel omsingeld. We besloten dat als er iets van de tafel viel we ons het beste niet konden verroeren, en het zeker niet moesten proberen op te vangen, want dan zouden we neergeschoten worden.

Maar dat heb je allemaal al gehoord voordat je deze brief ontvangt.
Knuffel de kinderen voor me. En jezelf.

Ik sta op om naar de saus op het gasstel te kijken. Mijn stiefzusje en haar aanstaande echtgenoot zijn onlangs samen gaan wonen, en ik profiteer van wat ze dubbel hadden. Ik gebruik hun extra wok om uien en knoflook te bakken, waar ik basilicum, oregano en tomatensaus aan toe zal voegen. Ik gebruik een van hun andere pannen om water te koken voor de spaghetti. Als ik klaar ben, doe ik de restjes in een kan die ongetwijfeld bedoeld was voor limonade of zo. Bijna alles in mijn kamer komt van hen. Het tweepersoonsbed, het koffiezetapparaat, de borden van Corelle, de lakens en dekens. De enige dingen die ik van thuis heb meegenomen zijn mijn wekkerradio, mijn typemachine, mijn kussen en mijn kleren. De typemachine was een cadeau van mijn moeder en stiefvader.

'Ik wil je iets vragen,' zei ik tegen mam. 'Ik zal een typemachine nodig hebben voor de opleiding journalistiek, en ik vroeg me af of je me vijfhonderd dollar zou kunnen leven voor een goeie.'

Vervolgens stelde ik zo rustig als ik kon een terugbetaalschema voor. De masteropleiding zou toch al zwaar genoeg zijn. Zonder typemachine thuis zou het bijna ondoenlijk zijn. Ik zou naar het lab moeten gaan om aan mijn opdrachten te werken, en dat zou dan tussen mijn colleges en mijn fulltimebaan door moeten.

Mam zei dat ze erover na zou denken, met John zou praten en daarna terug zou bellen.

John was degene die belde. Hij zei: 'Nee,' en de moed zonk in mijn schoenen. 'Je krijgt hem alleen als je hem als een cadeau beschouwt.'

Ik begon te huilen.

Die typemachine gebruik ik nu dus om mijn brief te schrijven. Ik draai een nieuw vel papier in de typemachine en druk de Caps-Lock-toets in.

IK — daarna druk ik op de entertoets.

WAS — enter

VAN — enter

PLAN

Ik trek het vel papier er met een bevredigend geluid uit, knip het in de vorm van een grafzerk en plak het tegen de muur boven mijn bed. Het is een talisman, een herinnering aan mijn grootmoeder.

'Wanneer ik doodga,' had ze tegen me gezegd, met haar gezicht zo zacht als bloemblaadjes vlak bij het mijne, 'dan wil ik dat je op mijn grafsteen laat zetten: "Ik was van plan...".'. En ik wil dat je me belooft dat diezelfde woorden niet op de jouwe komen te staan.'

Ik doe een stap achteruit en bewonder mijn werk. Het herinnert me eraan dat het weliswaar moeilijk is om hier alleen en bijna zonder geld te zitten, maar dat het is wat ik altijd al heb gewild, wat ik zei dat ik wilde, wat ik mezelf beloofd heb te doen. Als ik deze kans had laten schieten, zou ik mezelf dat jarenlang kwalijk hebben genomen.

'Onthou dat,' zeg ik tegen mezelf, waarna ik tussen de lakens kruip, omdat ik niets beters te doen heb.

Wanneer ik de volgende dag Kurt aan de telefoon heb, vertel ik hem over de happy-hour-taco's en de scherpschutters en een of ander verhaal dat Eriko vertelde, over dat het Japans geen woord kent voor 'feministe'.

'Wat maak je daar uit op?'

'Was Scott er ook bij?'

'Ja,' zeg ik aarzelend, 'net als Bobbi en Darrell.'

Scott is de enige van mijn medestudenten die mannelijk én heteroseksueel is. Hij is ook degene die de lijst met happy hours heeft geërfd van de studenten van het vorige semester, een lijst waarop staat waar we nacho's, kippenvleugeltjes of een pastabuffet kunnen krijgen voor de prijs van een biertje. Maar dat vertel ik Kurt niet, want dat zou hem het idee geven dat Scott leuk is, dat hij iemand is met wie ik tijd zou willen doorbrengen. Ik vertel hem ook niet dat ik me omdraai en luister als Scott over politiek begint te praten, of dat hij soms met Yvette en mij meeloopt naar het park en bij ons komt zitten terwijl we onze lunch opeten.

Telkens als ik Kurt spreek, glipt die vraag ertussen – *en, was Scott er ook?* – en bijna elke keer lieg ik, om me vervolgens schuldig te voelen dat ik lieg tegen de man van wie ik hou, de man met wie ik wellicht mijn leven zal delen. Maar soms verandert dat en voel ik me verontwaardigd over het feit dat die leugens nodig zijn.

'Een van mijn vrienden is een man, oké?' Dat zou ik willen zeggen. 'Een van mijn vrienden is een man en ik maak plezier met hem, maar ik ga niet met hem naar bed, begrepen? Hij is een vriend en ik ga af en toe leuke dingen met hem doen, ook al raak jij over je toeren zodra je denkt dat ik zou kunnen opmerken dat er andere mannen dan jij op deze planeet zijn. Stop daarmee. Ik hou van jou. Er is niets om je zorgen over te maken.' Maar ik zeg het niet, want het lijkt me te riskant, omdat Kurt zich er kwetsbaar door zal voelen, alsof wat we hebben erg breekbaar is, en dat wens ik hem niet toe. Ik wil dat hij zich veilig en bemind voelt, onbezorgd. Vooral na alles wat hij voor mij heeft opgegeven.

8

Na een semester in Washington studeer ik met veel gejubel af. Ik ben bij Kurt ingetrokken, waar we een futon en een leunstoel met een plaid erover, een formica-eethoek en drie bedden hebben. We hebben het gat in de muur dichtgesmeerd dat Kurt erin had geslagen na een ruzie met zijn ex-vrouw, en de meesterwerken van de kinderen op de koelkast gehangen. Er zijn rozen, ballonnen en enigszins zure champagne, koelers vol Miller Lite en Budweiser, en een taart uit de winkel met een plastic baret erbovenop. Overal is familie. Zijn familie. Mijn familie. Het is de eerste keer dat de twee stammen bij elkaar komen en iedereen zit of staat te praten. Kurt koestert een geheim. Hij mengt zich onder de gasten en houdt alles in de gaten, maar loopt ook telkens weer naar de voorkamer om uit het raam te kijken. Na een poosje knikt hij driftig tegen de kinderen, die naar me toe lopen, me beiden bij de hand pakken en me al giechelend naar de gang trekken.

'Ogen dicht,' zeggen ze.

Ik hoor een deur opengaan en mensen die om stilte manen.

'Oké, doe ze maar open.'

Voor me staat mijn grootmoeder, overgevlogen uit Californië.

'Gefeliciteerd,' zegt Kurt. Zijn gezicht straalt van liefde voor mij, en trots vanwege de verrassing die hij heeft geregeld.

Amy en ik haasten ons naar haar toe. Ze is kleiner geworden. Ze is zacht en mollig en ruikt naar Estée Lauder Private Collection. Haar bril hangt aan een kettinkje om haar hals. Ik ben oma's kleine Nee-nee, een afgeleide van mijn naam die mijn stiefkinderen zullen overnemen. Amy is haar kleine Zsa Zsa, die altijd stralende kleuren draagt, die altijd oma's negligé-lade plunderde als we bij haar op bezoek waren, en dan in alle met stroken afgezette nachthemden en halskettingen rondliep die ze had kunnen vinden. Ook vandaag is ze flamboyant gekleed in rood, paars en blauw, in een rok die ze zelf gemaakt heeft omdat niets anders paste.

Iedereen babbelt, roept kinderen bij elkaar en zoekt tassen en zakdoekjes als de telefoon gaat. Het is mijn vader.

'Ik sta op de kruising van Stadium en Providence,' zegt hij. 'Hoe kom ik bij je huis?'

Ik zwijg. We hadden het feest met opzet voor hem stilgehouden, zodat hij deze viering van mijn sterk uitgestelde succes niet zou verpesten met zijn sarcasme en zijn schunnige grappen. Ik kijk om me heen, naar de mensen die naar mij kijken.

Mijn hersenen werken niet snel genoeg en ik ben niet sterk genoeg om hem te vertellen dat hij moet omkeren en weer negen uur naar Michigan terug moet rijden. Zou ik het kunnen zeggen? Zou ik kunnen zeggen: 'Sorry, pap, maar je bent niet uitgenodigd?' Nee, dat kan ik niet. Dat kan ik niet omdat ik daarna niet zou kunnen omgaan met het idee dat ik hem gekwetst heb, of dat hij zal reageren met: 'Ik ben je vader,' of misschien: 'Ben jij echt zo iemand die haar eigen vader zou wegsturen?'

Ik begrijp niet hoe hij het te weten is gekomen. Ik heb het hem niet verteld. Kurt heeft het hem niet verteld. Hij weet altijd overal van. Hoe doet hij dat toch? Ik probeer tijd te rekken. Ik kan geen goed antwoord bedenken, deels omdat er te veel mensen naar me kijken, maar vooral omdat ik niet het lef heb om te zeggen dat hij weg moet blijven.

Misschien zal het deze keer anders gaan. Misschien gaat het deze keer goed. Misschien beeld ik me dingen in of is hij veranderd en zal hij niet meer iedereen vastpakken, zal hij niet proberen mijn vriendinnen te versieren, zal hij niet zoveel drinken dat zijn lach zelfs nog luider en zijn grappen zelfs nog venijniger worden.

Ik vertel hem hoe hij moet rijden.

Wanneer ik heb opgehangen, vraagt de familie me waarom.

'Ik weet het niet,' zeg ik. 'Ik kon niets anders bedenken.'

Ik geloof dat ik iemand 'shit' hoor zeggen.

Ik leun tegen Kurt aan.

'Pap komt eraan,' zeg ik. 'Hij is al in de stad.'

'Hoe is hij het te weten gekomen?'

'Ik heb geen idee.'

Later horen we dat pap ergens voor naar Steves werk had gebeld en dat zijn secretaresse antwoordde: 'O, die is er niet. Hij is naar het afstudeerfeest van zijn zus in Missouri.'

'Hoe houden we hem bij oma uit de buurt?'

Oma is de moeder van mijn moeder en wil niets meer met pap te maken hebben. Ze was beleefd zolang het moest – serveerde ons vis op vrijdag en klemde haar kaken op elkaar als hij in huis sigaren rookte of zijn voeten op het meubilair legde – maar ze mag hem niet en hij mag haar niet en hoe verder ze bij elkaar vandaan blijven hoe beter.

Het feest zakt in, of misschien ligt het aan mij, maar ik kan er niet meer van genieten dat mijn familie ter ere van mij hier bijeen is. Ik ben teleurgesteld. Ik heb het gevoel dat ik op mijn hoede moet zijn, dat ik voortdurend Kurt of een kind of een meubelstuk tussen mezelf en mijn vader moet zien te houden. Zelfs dan zal hij zijn mentale tentakels naar me uitslaan en deze dag op de een of andere manier een seksueel tintje weten te geven.

Ik kijk naar mijn kleren. Ik draag een witte zijden blouse en een zwarte rok, met een ceintuur om mijn middel. Het ziet er zedig uit, maar hij kan wel mijn benen zien.

Kurt pakt mijn hand vast.

'Ik ben bij je,' zegt hij. Ik druk mijn gezicht tegen zijn hemd.

'Alles goed?' vraagt Amy.

'Nee, het is niet goed!' zeg ik. 'Waarom kan ik deze bijzondere dag niet vieren zonder dat hij het komt verzieken? Waarom moet hij alles verpesten?'

Amy omhelst me. Ze is hier zonder Jim, die weer een baan is kwijtgeraakt. Ze gaat in haar eentje naar Al-Anon-bijeenkomsten om te leren omgaan met zijn drinkgedrag en ze praat geregeld over loslaten, over het aan God overlaten. Ze eet chips terwijl ze praat.

Pap komt binnen, met een peper-en-zoutkleurige baard en zijn adem stinkt naar koffie.

'Hallo, schatje,' zegt hij.

Hij kust me op mijn mond en pakt me stevig vast. Ik probeer me los te trekken en hij houdt me nog steviger vast.

'Niet te geloven hoe lang het duurde om hier te komen,' zegt hij.

Kurt komt dichterbij en steekt zijn hand uit zodat mijn vader zich gedwongen ziet me los te laten.

'Hoe maak je het, Pete?'

De twee mannen schudden elkaar de hand. Dan draait Kurt zich naar me om, veegt mijn vaders kus weg en plant zelf een kus op mijn lippen. De rest van de familie is druk in de weer. Ze leiden elkaar de deur uit en auto's in voor de rit naar de ceremonie. Ik draag mijn toga op een hangertje met een ritselende stomerijzak eroverheen en duik een van de auto's in. Wanneer we bij de zaal aankomen ben ik blij dat ik word meegesleept in de stroom onbekenden, die allemaal trots over het podium paraderen, anoniem in onze toga's en baretten, maar in de wetenschap dat er althans een paar mensen in de menigte aanwezig zijn voor wie wij de allerbelangrijkste zijn. Wanneer ik over het podium loop, hoor ik gejuich hoog op de derde verdieping van de zaal en ik steek mijn diploma in die richting omhoog. Ik voel me goed. Naderhand gaan we allemaal terug naar huis, waar we bier opentrekken, sandwiches stapelen en stukken taart afsnijden met glazuur dat onze tanden blauw kleurt. Mensen halen camera's tevoorschijn en ik poseer in diverse familieconfiguraties – een stralende mam en John, Steve die me grinnikend omhelst, de kinderen en mijn grootmoeder om beurten met mijn baret op; foto's die voor de kinderen een belofte voor de toekomst meedragen, en voor oma een gevoel van spijt over wat zij ook had gewild.

Als pap binnenkomt, verlaten de vrouwen de kamer en verdwijnen naar de achtertuin, de keuken of het toilet. Kurts moeder, een ontzettend hartelijke vrouw die maar niet begrijpt waarom iedereen pap in de steek laat, knoopt een gesprek met hem aan. Ze blijft met hem praten en lacht om zijn grappen. Ze is een knappe vrouw, pas gescheiden, met mooie lachrimpeltjes. Later vertelt ze ons dat pap haar heeft uitgenodigd voor een cruise.

'Ik hou van je, ik hou van je, ik hou van je,' zeg ik tegen Kurt.

We brengen de middagen in bed door, de ochtenden over de hoofden van de kinderen heen naar elkaar glimlachend. We zijn waanzinnig, hartstochtelijk verliefd.

Ik ben een halfjaar terug uit Washington en Kurts scheiding is eindelijk uitgesproken.

'Ik wil geen diamant,' zeg ik tegen hem. 'Diamanten hebben geen persoonlijkheid. Ze kunnen alleen maar glinsteren en zitten in de weg. En wat laten ze zien? Dat je man van je houdt? Dat hij veel geld heeft? Ik wil geen diamant.'

Dus als we op een avond in een restaurant zitten, geeft hij me een zilveren ketting en vraagt hij of ik wil overwegen zijn vrouw te worden.

'Ja,' zeg ik. 'Absoluut.'

'Je krijgt nog wel een ring van me,' zegt hij.

Ik straal.

Een maand later vertrekken we voor een romantisch weekend naar Tan Tara, een vakantiepark aan het Lake of the Ozarks. Het meer is een afgedamde rivier met een donkere, olieachtige bodem door de boten waar het de hele zomer en in de herfst tijdens de weekenden mee vol ligt. Het park heeft iets van een doolhof. Het is in de heuvels gebouwd en steeds verder uitgebreid. De hotelkamers staan in verbinding met het plein en de bowlingbaan en het overdekte winkelcentrum, de drie restaurants en vier bars en de fotostudio waar we poseren als namaakgangsters. Er is een ijsbaan en er zijn met glas omringde squashbanen, die we gebruiken, hoewel we naderhand ruzie maken over technieken en strategieën, en over wie er heeft gewonnen. Er zijn uitzichten over het water en de dennenbomen, en je hoort het geschater van kinderen die door hun ouders in het zwembad worden gegooid.

Ik weet vanaf het begin van het weekend dat hij me een aanzoek zal doen. Ik heb het er met Amy over gehad − gierend van voorpret − en ze wacht op mijn verslag. Ik probeer te bedenken hoe hij het zal vragen. Zal hij het hier doen? Zal hij het nu vragen? Dan verschijnt hij op een avond voor het diner met een geheimzinnig blik en een bult in de vorm van een doosje in de zak van zijn jasje. Hij is bepaald niet subtiel, maar ik doe alsof ik niets in de gaten heb. Wanneer we aan onze salade zitten steekt hij zijn hand in de zak van zijn jasje en zet hij het doosje op tafel. Het is minstens 7,5 cm lang, veel groter dan ik had verwacht. Er volgt een moment van stilte, van eerbiedige verwachting, en dan pak ik het uit. Ik trek het strikje los, haal het papier eraf, adem diep in en maak dan het doosje open.

Het is een Mickey Mouse-horloge. Een Mickey Mouse-horloge met een grote wijzerplaat en een vinylbandje. Heel even ben ik verbijsterd en dan barst ik in lachen uit, zo hard dat ik tranen in mijn ogen krijg. Hij heeft me erin laten lopen, mijn verwachtingen tegen me gebruikt. Ik lach tot ik begin te huilen en hij lacht met me mee, verrukt omdat zijn grap geslaagd is, denk ik. Hij pakt over de tafel heen mijn hand vast en ik gebruik de andere om mijn tranen weg te vegen. Zo grappig is het.

'Dat was een goeie,' zeg ik.

Ik veeg ook met de andere hand tranen weg. Als ik zijn hand weer vast wil pakken, laat hij een ring in de mijne vallen, maar omdat ik dat niet verwacht, valt die in het schaaltje met olijfolie, en we beginnen opnieuw te lachen, tot andere gasten zich omdraaien om te zien wat er aan de hand is en de serveerster komt vragen of alles in orde is. De ring, met een opaal omringd door piepkleine diamantjes, schuift gemakkelijk aan mijn vinger.

'Ik heb hem gekozen omdat het grootste deel van de schoonheid vanbinnen zit,' zegt hij, 'en daarom deed hij me aan jou denken.'

Mijn ogen vullen zich met tranen.

'Wil je met me trouwen?' vraagt hij.

Hij kijkt me glimlachend in de ogen en ik ben uitzinnig van geluk.

'Ja,' zeg ik.

Lachend en huilend vegen we de olie van mijn hand.

Later vertel ik het aan Amy. Ze lacht niet. Ze is nog steeds bij Jim, worstelt nog steeds met haar gewicht.

'Maar je bent aan de buitenkant ook mooi,' zegt ze.

'Dank je, maar snap je het dan niet? Hij vindt me vanbinnen zelfs nog mooier dan vanbuiten. Is dat niet geweldig? Het betekent dat ik goed genoeg ben.'

We besluiten snel te trouwen, met afgezien van de kinderen maar één getuige, in de huiskamer van een geestelijke die ik ken. Ook zijn ouders zijn gescheiden en niet iedereen kan op zo korte termijn komen, dus nodigen we liever niemand uit dan dat we het risico lopen dat iemand zich buitengesloten voelt. In plaats daarvan willen we onze geloften herhalen tijdens een groot feest in de zomer. En dat noemen we ook onze trouwdag. Dan kunnen we twee keer per jaar onze trouwdag vieren.

Ik breng mijn dertigste verjaardag door met het maken van een trouwjurk, gebroken wit met een verlaagde taille en een kanten rok tot op de knie. Hij is eenvoudig maar mooi.

'Ik wou dat ik van boven wat meer had,' zeg ik voor de grap. Kurt slaat zijn armen om me heen en kust me in mijn hals.

'Als het je dwarszit,' zegt hij, 'kunnen we er misschien een keer iets aan laten doen.'

Ik lach. Het idee alleen al is belachelijk. 'Van m'n leven niet,' zeg ik.

Hij glimlacht.

Een paar dagen voor onze trouwdag keldert de temperatuur en scheurt het motorblok van mijn Mazda pick-up. Ik moet toch elke dag naar mijn werk kunnen, de kinderen van en naar school en crèche halen en brengen, boodschappen en hondenvoer en rugzakken halen, en Kurt eten brengen op zijn werk. Maar ik zal me wel redden, dat weet ik zeker.

Kurt wordt kwaad, maar niet op mij en hij blijft nooit lang kwaad. Hij maakt zich alleen zorgen over het geld, hoewel ik ook werk. Ik ben arm geweest, dus ik word niet bang van het idee. Bovendien gaan we over een paar dagen trouwen. Wat doet een kapot motorblok er dan toe?

De volgende dag sneeuwt het, kleine ijzige vlokken die op struiken, autoruiten en de straat vastvriezen.

'Kan ik jouw auto lenen?'

Hij kijkt op van zijn bureau. Hij heeft net een nieuwe witte Mazda 626 gekocht, een solide, indrukwekkende vierdeursauto die we ons eigenlijk niet kunnen veroorloven.

'Waarvoor?'

'Niets,' zeg ik glimlachend.

'Niets, hè?'

'Niets belangrijks.'

Hij kijkt me aan.

'Ik denk niet dat je met dit weer de weg op moet gaan,' zegt hij.

'Ik red me wel,' zeg ik. 'Ik heb in Michigan leren rijden, weet je nog?'

Wat ik hem niet vertel is dat ik van plan ben naar de hobbyzaak te rijden om een versiersel te kopen voor op onze bruidstaart, die de kinderen en ik de vorige avond hebben gebakken – kersentaart met boterglazuur en spikkeltjes. Ik heb geprobeerd hem een wat formeler aanzien te geven door een deel van de bovenste laag weg te snijden, maar op de een of andere manier heeft het nu iets van een grote bonbon. Er hoort een plastic bruidspaartje op zodat hij niet meer lijkt op iets wat ik voor de verjaardag van een van de kinderen zou maken.

Hij schudt glimlachend zijn hoofd. 'Oké,' zegt hij. 'Maar wees voorzichtig.'

Ik loop met twee treden tegelijk het trapje af. Ik doe mijn gordel om, rij achteruit de oprit af en glijd iets door bij het stopbord. Onze straat is glad, maar ik weet zeker dat de hoofdwegen vrijgemaakt en bestrooid zijn. Ik zie maar een paar andere auto's en als andere mensen niet rijden als gekken, gaat het heus wel goed.

Ik sla linksaf de hoofdweg op en voer mijn snelheid langzaam op naar dertig kilometer. In dit tempo zal het een halfuur duren voor ik bij de winkel ben, maar de radio staat aan, het is een stralend witte dag en ik ben gelukkig. Ik ga over twee dagen trouwen. Ik krijg een man die voor altijd en altijd en altijd van me zal houden. We gaan van alles meemaken, zullen samen herinneringen krijgen, de kinderen opvoeden en alles zijn waar ik ooit van heb gedroomd.

Andere mensen slingeren, maar de grote auto heeft een prima wegligging. Ik tik zingend de rem aan. De auto voor me rijdt langzaam op de kruising af. Ik heb alle ruimte om te stoppen en heb er alle vertrouwen in. De wielen verliezen echter hun grip en de auto draait naar opzij. Ik stuur mee in de slip, zoals ik geleerd heb, en de auto draait zodat ik nu met de passagierskant naar het kruispunt toe glijd. Ik corrigeer en de auto trekt recht.

Ik tik steeds de remmen aan, maar die pakken niet. Ik kan onmogelijk tot stilstand komen voor het stopbord, dat zie ik. Maar het kruispunt is vrij, dus als ik kan ophouden heen en weer te slingeren, komt het wel goed.

De dwarsstraat is een hoofdverkeersweg, dus zal ik eerst de rijbaan oversteken die van links naar rechts gaat en dan de baan die van rechts naar links gaat. Beide zijn vrij, dus alles komt goed, ook al tik ik constant de rem aan en stuur ik heen en weer. Alles komt goed. Maar dan rijdt er een auto van links het kruispunt op en de bestuurderskant waar ik zit is naar hem toe gericht. Ik kan niet om hem heen. Dat weet ik, terwijl ik met één hand aan het stuur draai en de andere voor mijn gezicht sla.

Als er een eind komt aan de slip, sta ik op de middenberm, met de voorbumper tegen een brandkraan. Mijn handen aan het stuur zijn wit en mijn hart bonkt, maar ik bloed niet. Ik adem diep in en kijk op.

Er komt een strooiwagen over het kruispunt recht op me af gegleden. Ironisch, dat het nou juist een strooiwagen moet zijn. Dat denk ik in wat naar mijn idee mijn laatste moment op aarde zal zijn, maar de strooiwagen glijdt langs me heen, dendert de andere stoeprand op en komt drie meter voor een kinderdagverblijf tot stilstand.

Ik adem in.

De auto die ik heb geraakt – of die mij heeft geraakt – zit in de kreukels, mijn auto zit in de kreukels, de strooiwagen schakelt knarsend en rijdt achteruit het grasveld van het kinderdagverblijf af, maar ik mankeer niets. Ik mankeer niets.

Het lawaai buiten en in de auto verstomt en ik doe het portier open. Een politiewagen slipt over het kruispunt heen, komt er voorbij tot stilstand en het verkeer komt weer in beweging. Een buurman stopt als ik de schade sta te inspecteren.

'Alles goed met je?'

Ik knik.

'Met mij wel,' zeg ik. 'Maar niet met de auto.'

'Dat zie ik. Zal ik Kurt gaan halen?'

'Wil je dat doen? Dat zou fantastisch zijn.'

Ik sta te bibberen en begin bijna te huilen van dankbaarheid dat er iemand is die om me geeft, dat er iemand zal komen die me vastpakt en me over mijn hoofd aait en zegt dat het in orde is, dat het iedereen had kunnen overkomen en dat hij blij is dat ik niet gewond ben.

Ik sta tegen de auto geleund wanneer de buurman Kurt afzet.

'Wat heb je verdomme gedaan?' schreeuwt hij. 'Dit is een splinternieuwe auto! We kunnen ons dit niet veroorloven!'

'Het spijt me,' zeg ik.

'Je zei dat je kon rijden met dit weer. Wat heb je verdomme gedaan?'

'Kurt,' zeg ik, 'de strooiwagen gleed ook door. En de politiewagen ook.'

Het maakt allemaal niet uit. Ik heb te hard gereden. Ik zat niet op te letten. Ik zag de andere auto en ben niet gestopt. Ik ben een waardeloze prutser. Als hij had gereden zou het niet gebeurd zijn. Dan zat zijn auto nu niet in de kreukels, zouden we geen honderden dollars reparatiekosten kunnen verwachten, zou de verzekeringspremie niet omhoog gaan en zouden we zeer zeker niet hier midden op een kruispunt in de sneeuw staan schreeuwen dat een van ons zo'n verdomde idioot is.

Ik begin te huilen en word dan kwaad... op mezelf. Als ik niet tegen de buurman had gezegd dat ik niets mankeerde, zou Kurts eerste reactie bezorgdheid om mij zijn geweest. Dat weet ik zeker. Hij is vast geschrokken toen hij het hoorde, ook al haastte de buurman zich om hem te vertellen dat er alleen schade aan de auto was. Dit is gewoon een reactie op de adrenaline, op de angst dat ik gewond was.

Dat moet het zijn. Het gaat de hele avond door. De beschuldigingen, de wijzende vinger. Ik slaap nauwelijks.

De volgende dag stuurt hij me bloemen.

Het spijt me, staat er op het kaartje, in het handschrift van de bloemist. *Laten we morgen trouwen.*

9

'Als het je dwarszit, betaal ik wel voor plastische chirurgie. We zijn drie maanden getrouwd en liggen in bed. De voorjaarsgeluiden van vogeltjes en verkeer komen door het open raam naar binnen. Ik kijk omlaag naar mijn borst. Ik heb amper een cup A. 'Zit het jou dwars dat ik plat ben?' vraag ik. Hij strijkt met zijn handrug over een van mijn tepels. Ik vind dat een heerlijk gevoel. 'Nee,' zegt hij. 'Mij stoort het niet. Maar jou volgens mij wel.' Ik ga er over na liggen denken. Ik zou inderdaad wel willen dat ik niet zo plat was, maar opereren? En wat dan? Rond paraderen met grote borsten alsof ze van mezelf zijn? Ik zou me een oplichter voelen.

Anderzijds, echte borsten zijn niets dan vet en dat is eigenlijk ook niets om trots op te zijn. Maar ze zouden er toch voor moeten opereren. En dat doet pijn.

Ik pak mijn borsten in mijn handen en duw ze omhoog en naar elkaar toe om een decolleté te vormen. Ik ben dertig en bijna borstloos. Door het fitnessen na mijn dagelijkse wegingen ben ik nog platter geworden, maar dat kan me niet schelen. Ik geloof tenminste niet dat het me wat kan schelen.

Maar hij vindt het jammer, dat weet ik. Natuurlijk houdt hij van me zoals ik ben, maar hij zou het leuker vinden als ik grotere borsten had. Of misschien ben ik degene die grotere borsten wil. Of misschien wil ik ze omdat hij ze wil, omdat het hem blij zou maken.

'Zou jij het doen als je mij was?'

'Nou en of,' zegt hij. 'Als het mij net zo dwars zat als jou zou ik het zeker laten doen.'

Later die dag kijk ik in de spiegel. Mijn achterwerk is stevig en mijn buik is plat door uren in de sportschool. Ik bel Amy, maar verberg mijn vraag diep in het gesprek.

'Ik voel me dik,' zeg ik.

Amy snuift. 'Ja hoor,' zegt ze. 'Hoeveel ben je aangekomen, een ons?' Ze heeft dit soort praat al vaker van me aangehoord.

'Heel grappig,' zeg ik, hoewel ze waarschijnlijk gelijk heeft. Als ik straks tien minuten extra op de stepmachine train, ben ik het waarschijnlijk weer kwijt.

'Ik zag gisteren een bumpersticker die me aan jou deed denken,' zegt ze.

'Wat stond erop?'

'Fitness, eet gezond en sterf met een fantastisch lichaam. Maar dood is dood.'

Nu snuif ik.

'Grappig,' zeg ik. 'Hé, ik denk erover borstimplantaten te nemen.'

Ze blijft even stil.

'Meen je dat nou?'

Amy heeft al sinds de middelbare school hangborsten. We hebben het er wel eens over gehad of een borstverkleining het voor haar gemakkelijker zou maken om te sporten en om passende kleren te vinden. Nu snijden haar behabandjes in haar schouders en trekt het gewicht van haar borsten haar naar voren, wat het moeilijk maakt om te lopen en onmogelijk om te joggen.

'Kurt en ik hadden het erover,' zeg ik. 'Ik denk er wel over het te laten doen... zodat ik er leuker uitzie in mijn kleren.'

'Natuurlijk,' zegt ze.

Het blijft even stil.

'Is het echt iets wat je zelf wilt? Het lijkt me niets voor jou.'

'Ik weet het,' zeg ik, 'maar het lijkt me wel leuk om voor de verandering eens borsten te hebben.'

'Hoe zit het dan nu met "Vrouwen horen niet naar hun uiterlijk te worden beoordeeld"?'

'Ik weet het,' zeg ik. 'Maar soms worden vrouwen nou eenmaal wel naar hun uiterlijk beoordeeld, dat weten we allebei.'

Ik krimp ineen terwijl ik het zeg. Amy is het laatste jaar minstens tien kilo aangekomen. Jim drinkt nog steeds en eten geeft Amy iets te doen 's avonds. Dat en film kijken.

'Oké,' zegt ze. 'Maar denk erom dat mensen met grote borsten soms dik lijken, ook al zijn ze dat niet.'

'Dat klopt. En ik ben klein, dus ik word net als in dat mopje van oma.'

'Welke?'

'Zoiets van, ik heb de kantoorleeftijd bereikt: mijn borsten hangen in mijn bureaula.'

Amy lacht. Haar borsten hangen al heel lang in haar bureaula.

'Ik laat ze niet veel groter maken, hoor,' zeg ik.

'Aha.'

Ik hang op en kijk weer in de spiegel. Mijn borsten zijn inderdaad klein, maar dat doet er niet toe. Wat er wel toe doet is dat de lichaamsdelen waarbij het op zelfdiscipline aankomt er zo goed uitzien als ze met vastberadenheid en onthouding kunnen worden.

Ik ben prima zoals ik nu ben.

Die avond in bed zegt hij: 'Overweeg je nog steeds implantaten te nemen?'

'Dat heb ik niet overwogen,' zeg ik.

Hij trekt me naar zich toe.

'Ik weet gewoon dat het je dwarszit,' zegt hij.

'Ik vind het wel eens jammer,' zeg ik, 'maar het zou ijdel zijn om me te laten opereren. Bovendien geeft het de verkeerde boodschap af aan vrouwen, namelijk dat je slank kunt zijn en toch grote borsten kunt hebben. Dat is nou net wat ze nodig hebben om zich gebrekkig te voelen.'

'Kleine borsten zijn geen gebrek,' zegt hij.

'Dat zou niet zo moeten zijn, maar probeer dat eens uit te leggen aan de meisjes die zijn opgegroeid met barbies. Of centerfolds. Of porno.'

'O, daar komt de feministische tirade weer,' zegt hij.

'Het is geen tirade. En wat is er mis mee om feministe te zijn?'

'Niets,' zegt hij, en hij keert me zijn rug toe.

'Wat mankeert jou eigenlijk?' zeg ik terwijl ik ga zitten.

'Niets,' zegt hij. 'Luister, als je geen seks met me wilt, zeg dat dan gewoon. Je hoeft geen ruzie te beginnen.'

Ik geef een klap op mijn kussen en draai me ook op mijn zij. Ben ik een ruzie begonnen? Ik heb hier echt een hekel aan. Ik was volkomen kalm en gelukkig en nu is hij ineens kwaad op me. Ik vind het vreselijk als hij kwaad op me is. Vooral als ik niet snap wat ik verkeerd heb gedaan. Ik ben niet over borstimplantaten begonnen, ik dacht er zelfs niet aan. En nu word ik ervan beschuldigd een feministische tirade af te steken? Ik hou me aan mijn rand van het bed vast. Ik ben niet van plan me naar hem om te draaien, te proberen hem zover te krijgen dat hij me vergeeft. Wat zou hij me moeten vergeven? Ik heb niets gedaan.

Maar hij is gekwetst en boos, dat merk ik. En hij houdt van me. Hij houdt van me zoals ik ben. Hij wil gewoon dat ik trots ben op mijn lichaam en hij weet dat ik die kleine borsten vervelend vind. Want dat is wel waar. Dat is altijd al zo geweest, al sinds ik een tiener was en pap er grappen over maakte dat ik zo plat was als een strijkplank. Maar vind ik het erg genoeg om ervoor onder het mes te gaan? Jakkes. Dat betekent een mes en bloed en narcose en mensen die zich afvragen waar die grote borsten ineens vandaan komen. Het zou pijnlijk en gênant zijn en het zou impliceren dat de grootte van je borsten wel degelijk belangrijk is.

Ik draai me op mijn rug en voel aan mijn borsten. Wat zeiden we op de middelbare school ook weer? Meer dan een handvol is verspilling. Of was dat meer dan een mondvol? Ik draai me om naar Kurt en aai over zijn rug. Hij zou alles voor me doen, dat weet ik. Als het omgekeerd was, zou hij het gedaan hebben als ik dat wilde, gewoon om mij gelukkig te maken. Dat heeft hij tegen me gezegd.

Ik kruip tegen zijn rug aan, maar hij schudt me af.

Dan niet, denk ik, en ik ga weer op mijn eigen helft liggen.

In de loop van de nacht moet hij me toch vergeven hebben, want ik word wakker met zijn armen om me heen. Ik glij behoedzaam uit bed om hem niet wakker te maken. Ik schuifel de badkamer in – mijn voeten doen nog pijn van de aerobics van gisteren – en breng een hele tijd op het toilet door voordat ik de weegschaal uit de badkamerkast haal. Ik stap er langzaam op en verplaats mijn gewicht een beetje in de hoop dat hij dan iets minder aan zal geven. Eenenvijftig en een halve kilo staat er in het schermpje. Tweeëntwintig procent lichaamsvet.

Ik stap eraf.

Terwijl ik wacht tot de digitale cijfertjes verdwijnen kijk ik naar buiten, over de twintig are grond die geleidelijk afloopt naar het meer. De tuin ziet er prachtig uit, al kan ik vanaf hier wat gras in een van de bloembedden zien staan. Ik kijk op naar de spiegels die mijn lichaam vanuit alle hoeken laten zien en frons. Om de een of andere reden kan ik die vijf centimeter grote plek cellulitis hoog op mijn linkerdijbeen maar niet kwijtraken. Ik strijk hem met mijn vingers glad, maar hij komt terug. Er zit niet zo'n zelfde plek op mijn rechterbeen, wat dus nergens op slaat. Ik draai me naar een andere spiegel, maar de plek zit er nog steeds. Ik trek mijn buik in en span mijn armen. Niet slecht, afgezien van die cellulitis. Ik weet dat Kurt nog meer van me zou houden als ik volmaakt was.

Ik kijk weer naar de weegschaal. De cijfertjes zijn verdwenen, dus ik stap er weer op. Eenenvijftig en een halve kilo, tweeëntwintig procent lichaamsvet. Als ik met de honden ga rennen en straks naar aerobics ga, komt het wel goed.

'Hoeveel is het vandaag?' vraagt hij net achter me.

Ik schrik op.

'Ik dacht dat je nog sliep.'

'Hoeveel is het?'

Ik vertel het hem.

'Niet slecht,' zegt hij. 'Ik had gedacht dat het meer zou zijn na onze vreetpartij van gisteren.'

'Ik weet het,' zeg ik lachend. 'Dat was me de maaltijd wel. Wat is jouw gewicht?'

Hij stapt op de weegschaal.

'Een pond erbij,' zegt hij. 'We kunnen wel wat extra trainen.'

'Ik ben al onderweg,' zeg ik, en hij glimlacht.

Hij kruipt terug in bed terwijl ik shorts en een joggingbeha aantrek.

'Tot straks,' zeg ik, en ik buig naar voren om hem te kussen.

'Veel plezier,' zegt hij. Dan steekt hij zijn hand uit en strijkt over de voorkant van mijn topje.

'Weet je,' zegt hij, 'ik snap best dat je een paar maten meer wilt.'

Ik sla zijn hand weg.

Op de sportschool spring ik op de steps, start mijn programma en concentreer me. Ik wil 350 calorieën verbranden in een halfuur, maar dat valt niet mee met mijn gewicht. Hierna ga ik gewichtheffen. Kurt en ik houden niet van slappe armen.

Naderhand zie ik in de kleedkamer een topless vrouw met prachtige borsten. 'Welke maat heb jij?' vraag ik haar.

'Cup B,' zegt ze. 'Ik denk erover er iets aan te laten doen.'

'Waarom zou je? Ze zijn perfect.'

'Vind je?' Ze draait haar hoofd en bekijkt ze in de spiegel. Ze komt net onder de zonnebank vandaan, dus ze zijn mooi bruin, met gelijkmatig kastanjebruine tepelhoven.

'Ik zou graag een C-cup willen,' zegt ze.

'Ik zou wel een B-cup willen, geloof ik. Dat zou genoeg zijn om mijn kleren te vullen en misschien ook wel om mijn man blij te maken.'

Ze lacht.

'Ik ben single,' zegt ze. 'Misschien als ik grotere borsten had...'

'Denk je dat mannen ons ooit zullen leren waarderen om ons verstand?'

Ze kijkt me met een stalen gezicht aan en laat de stilte een poos duren, alsof ze nadenkt.

'Nee,' zegt ze dan. We we lachen allebei.

Een paar weken later komen onze families bijeen voor ons trouwfeest. In feite zijn we al getrouwd – in december, in verband met het belastingvoordeel, en met alleen de kinderen en een goede vriend als getuige erbij. Maar als het aan mij ligt wordt dit het feest dat telt. Onze families zullen erbij zijn wanneer we de geloftes uitspreken die we zelf hebben geschreven, over liefhebben en eren, over inspireren en steunen, en over voor altijd waanzinnig verliefd zijn.

Er zijn tranen, beroerde dichtkunst, een feest met voedsel van een cateraar en kaarslicht en mensen die de Bump en de Locomotion dansen op een dansvloer onder een tent in de achtertuin. We gaan allemaal de vloer op voor '*We are Family*'. Jane pakt haar dochter op en ik mijn stiefdochter. Kris danst met Amy. Jim is in Atlanta is gebleven. Amy ziet er ontspannen en gelukkig uit wanneer we allemaal rond de middelste tentstok dansen.

Dan vraagt Steve de aandacht. De eigen, stief- en schoonbroers en -zussen gaan naast elkaar staan. Ze schrapen hun kelen en ritselen met papier en beginnen dan aan een lied over hoe Kurt en ik elkaar hebben ontmoet, op de wijs van 'Doo Wah Diddy Diddy'. Kurt slaat zijn arm om me heen. Hij lacht ook. Aan het eind van het lied zit weer de hele familie op één knie, met de armen wijd gespreid, in Broadway-stijl. Deze traditie, die mij zo vertrouwd is, is voor Kurt net zo exotisch als een Afrikaanse stammendans.

We geven een groot applaus, omhelzen iedereen, vallen lachend in kleine groepjes uiteen en proberen te raden welk meesterbrein welke regel bedacht heeft.

Later doe ik een langzame dans met Kurt. Ik draag een zomerjurkje tot boven de knie, enkelsokjes en witte gympen. Ik lijk eerder een sportinstructrice dan een bruid wanneer ik op mijn tenen ga staan om me tegen mijn man aan te vleien.

Pap komt achter me staan. Ik voel zijn baard in mijn nek voor ik zijn stem hoor.

'God, wat heb jij sexy benen,' zegt hij.

Kurt draait me meteen bij hem vandaan.

Zes maanden later vraagt een dokter me mijn bovenlijf te ontbloten zodat hij mijn borsten kan onderzoeken. Mijn gezicht gloeit van schaamte bij de gedachte dat deze man, die niets om mij geeft, mijn onderontwikkelde borst bekijkt, me klinisch beoordeelt en uiteindelijk de diagnose *hypomastie* – abnormaal kleine borsten – stelt. Ik ben verontwaardigd als ik dat op de pre-operatieve papieren lees. Mijn borsten zijn niet abnormaal; ze zijn alleen maar klein.

We hebben deze arts gekozen omdat hij in hetzelfde ziekenhuis is opgeleid als mijn man, maar zijn praktijk twee uur verderop heeft opgezet, wat het voor ons gemakkelijker maakt om anoniem te blijven – alsof niemand het dan zal merken.

Hij gaat langs de randen van mijn tepelhoven snijden, de huid oprekken en dan ronde kunststof zakjes gevuld met siliconen erin plaatsen. Er zal sprake zijn van pijn, zwelling, bloeding en ongemak door het oprekken. Hij verzekert me dat dat overgaat.

'Krijg ik een katheter?' vraag ik. Ik moet er niet aan denken dat dokters een buisje in mijn urinekanaal steken.

'Nee,' zegt de dokter. 'We zijn binnen een paar uur klaar, dus dat zal niet nodig zijn.'

Dat lucht me op.

'Kan ik straks nog op mijn buik slapen?'

De dokter kijkt verbijsterd.

'Ja, natuurlijk,' zegt hij. 'U zult ze na een poosje niet eens meer voelen.'

Ik knik.

'Kan ik nog borstvoeding geven?'

Kurt en de dokter kijken me allebei verbaasd aan.

'Als ik zwanger mocht worden, bedoel ik.'

Het blijft even stil.

'Bent u nu zwanger?'

'Nee, natuurlijk niet. Maar als ik dat nou wel was.'

'Ja. Uw kansen zouden wat dat betreft niet kleiner zijn dan die van andere moeders.'

Ik knik. Kurt knijpt in mijn hand. We hebben besloten geen kinderen te nemen, omdat we niet willen dat die van hem zich maar stiefkinderen zullen voelen. Maar ik wilde het toch even weten. Voor het geval we van gedachten veranderen.

'U hebt een beha nodig voor als u weer naar huis gaat,' zegt de dokter.

'Oké. Hoe weten we welke maat het moet zijn?'

'Aanvankelijk zult u wel een grote C-cup hebben,' zegt hij. 'Ik adviseer de meeste patiënten iets goedkoops te kopen. Wanneer de zwelling is afgenomen en u zich er prettig bij voelt, kunt u op zoek naar iets voor langere duur.'

Ik zet mijn handtekening op de stippellijn. Twee weken later slenteren Kurt en ik over de lingerieafdeling van een plaatselijk warenhuis.

'Kan ik jullie helpen?' De verkoopster heeft lippenstift op haar tanden.

'Eh... nee,' zeg ik. 'We vinden het wel.'

Ze kijkt naar mijn borsten en dan naar de beha in mijn hand.

'Is het voor jezelf?' vraagt ze, en ik knik. 'Jouw maat hangt hier, liever,' zegt ze, en ze gaat me voor naar de rekken met oefenbehaatjes en beha's die bol staan van de vulling.

'Dank je,' zeg ik, terwijl ik doe alsof ik kijk en nauwelijks mijn lach kan inhouden.

Kurt komt naast me staan en bekijkt weloverwogen de opties. Zodra de verkoopster zich heeft omgedraaid, glippen we terug naar de C-afdeling.

'Deze?' zegt hij.

Ik lach.

'O, mijn god, die is gigantisch!' zeg ik. 'Laten we er een paar kopen en maar kijken welke het beste is.'

De verkoopster komt terug en laat haar afkeuring blijken, maar ik houd stand en steek mijn borst naar voren.

'We nemen deze,' zeg ik, en ik geef ze aan haar.

'Prima,' zegt ze.

We proberen onze lach in te houden als we de winkel uit lopen, maar redden het nauwelijks tot aan de auto.

Die nacht lig ik te woelen. Ik ben nog nooit geopereerd. Ik weet niet wat ik moet verwachten, weet niet hoe ik me moet gedragen. Ik hoop dat ik niets gênants doe, zoals te veel praten tijdens de verdoving, in bed plassen of in mijn broek poepen. Ik hoop dat ik niet ga overgeven. Ik haat overgeven.

De volgende ochtend zit ik in de polikliniek met een hemd aan dat aan de achterkant open is, een netje als van een cafetariadame op mijn haar en mijn vinger in een hartslagmeter geklemd, waaraan een lichtgevend puntje zit à la ET.

Ik kus Kurt gedag en drijf weg op een stroom van de verdoving. Het voelt goed om me te laten gaan. Ik zie bloemen en vuurwerk. Ik hoor muziek en gelach. Ik voel me veilig en bemind.

De operatie had vier uur moeten duren, maar dat wordt zeven uur omdat de dokter met zijn scalpel mijn linkerlong raakt, die daardoor dichtklapt. De dokter maakt een extra sneetje in mijn huid en steekt een buisje tussen mijn ribben door in de lek geprikte long. Die zuigt lucht op, vult zich en we beginnen allemaal weer normaal te ademen.

De operatie duurt zo lang dat de dokter uiteindelijk toch een katheter inbrengt. Wanneer ik wakker word, ben ik kwaad om die verbroken belofte, om de schending van mijn geslachtsdelen, maar ik ben zo gedesoriënteerd door de verdoving dat ik nauwelijks kan staan zonder om te vallen.

Ik breng mijn handen naar mijn borst. Die is enorm en zwaar. Een pijnlijke, kloppende wond. De verpleegsters helpen me in een rolstoel en Kurt rijdt me naar buiten, ook al heb ik bij elke bocht de neiging de slokjes 7-Up uit te kotsen die ze me in de uitslaapkamer hebben gegeven.

We logeren in een hotel naast het ziekenhuis, zodat we in geval van nood snel terug kunnen zijn. Onderweg daarheen vertel ik Kurt dat ik snak naar iets te eten.

'Wat dan?' vraagt hij.

'Toffeerepen en Cheeto's,' zeg ik.

Hij doet alsof hij moet overgeven, zegt dan dat hij ze met plezier voor me zal halen, zodra hij me in bed heeft geholpen.

Wanneer we onze kamer bereiken ben ik suf en ik ga opgelucht liggen, maar schiet meteen weer overeind. De pijn is witheet nu het gewicht van de verschuivende implantaten mijn zenuwen uitrekt. De dokter heeft me hiervoor gewaarschuwd. Hij heeft me verteld dat het erger zou zijn als de implantaten door de losgemaakte ruimte tussen mijn ribben en borstspieren zouden bewegen, wat wel zou moeten als ik wilde dat ze 'op natuurlijke wijze' bewogen. De pijn giert door mijn lijf en elke poging te bewegen vergt veel moed.

Kurt ondersteunt me met kussens – twee achter mijn rug en één op mijn schoot om mijn nieuwe borsten te ondersteunen. Daarna gaat hij weg om mijn snacks te halen.

Ik bel Amy.

'Het is gebeurd,' zeg ik.

'Hoe voel je je?'

'Beroerd,' zeg ik. 'Ik ben suf en zwaar en mijn borst doet vreselijk zeer. Hoe is het met jou?'

Ze lacht.

'Vergeleken met jou, fantastisch.'

'En vergeleken met iemand anders?'

'Best,' zegt ze. 'Een beetje rot. Jim is weer zijn baan kwijtgeraakt en we hadden gisteravond de gebruikelijke ruzie over het zoeken naar een nieuwe baan. Maar afgezien daarvan gaat het best.'

Ik wou dat ik er voor haar kon zijn, dat ik naar de details kon luisteren, haar kon helpen te bedenken wat ze moet doen, maar terwijl ze praat, val ik bijna in slaap.

'Het spijt me, Amy,' zeg ik. 'Echt waar, maar ik zak weg.'

'Ik hoor het,' zegt ze. 'Ga slapen. Ik bel mam wel om haar te vertellen dat het goed is gegaan.'

'Bedankt. Ik hou van je.'

'Ik ook van jou.'

Ik zak onderuit in de kussens. Waarom heb ik mezelf dit laten aandoen? Heb ik voor deze pijn gekozen? Ik zie er vast belachelijk uit. Iedereen zal het doorhebben. Ze zullen weten dat ik ijdel ben. Ze zullen denken dat ik zo onzeker ben dat ik grote borsten nodig heb om me goed te voelen.

Ik word nog door die gedachten in beslag genomen als Kurt binnenkomt.

'Kunnen we er even naar kijken?' vraagt hij.

'De dokter heeft gezegd dat we moeten wachten tot morgen.'

'Heel even maar. Wat kan dat nou voor kwaad?'

Ik kijk hem aan.

'Ik voel me afschuwelijk,' zeg ik. 'Ik wil gewoon stil blijven zitten.'

Hij gaat op de rand van het bed zitten en streelt voorzichtig over de voorkant van mijn shirt.

'Wauw,' zegt hij.

Het kost me moeite om vriendelijk te blijven. Ik ben misselijk, het doet zeer en ik ben uitgeput. Ik wil slapen, maar kan geen comfortabele houding vinden.

'Heel even kijken,' zegt hij. 'Toe nou.'

Hij schenkt me zijn prachtige, jongensachtige glimlach en zijn ogen schitteren van plezier.

Ik schud mijn hoofd omdat het zinloos is zo'n knappe man iets te weigeren. Ik laat mijn benen langzaam van het bed zakken; mijn borst en armen schreeuwen het uit bij elke beweging. Dan schuifel ik naar de spiegel boven de commode, waar ik als een kind mijn armen omhoog houdt, zodat hij de meters en meters verband kan afwikkelen.

Ik huiver als hij om me heen reikt, bang dat hij tegen me aan zal stoten, bang en opgetogen over wat ik te zien zal krijgen. Als hij stopt, zie ik mezelf: gezwollen en misvormd onder een laag gaas met aangekoekt bloed, die hij er voorzichtig afhaalt.

Ik hap naar adem. Mijn borsten zijn strak gespannen, rond en reusachtig. En ze zijn paars, donkerbruin en groen. De zwelling en bloeduitstortingen zijn schokkend, net als de zwarte hechtingen rondom mijn tepels. Ik zwijg. Een andere reactie kan ik niet geven. Kurt reikt echter van achteren om me heen en neemt een borst in elke hand.

'Wauw,' zegt hij.

'Hij knijpt heel zachtjes en ik krimp ineen.

'Buig eens een beetje voorover,' zegt hij. Ik doe wat hij vraagt. Hij wrijft zijn onderlichaam tegen mijn achterste en ik doe mijn ogen dicht. Ik vind mezelf vreselijk om te zien, maar ik ben blij dat hij niet van me walgt.

'Oké, pak maar weer in,' zeg ik. 'Ik wil wat lekkers.'

'Nog even,' zegt hij, en hij kijkt in de spiegel hoe zijn handen over mijn paars-en-blauwe vlees dwalen.

In feite voel ik minder pijn als hij ze met zijn handen ondersteunt, dus ik laat hem begaan, ook omdat ik van hem hou.

'Ik was zó bang,' zegt hij nu, terwijl hij zijn armen om me heen slaat en zijn wang tegen mijn rug legt. 'Het duurde veel langer dan ze hadden gezegd en ik was zó bang dat ik je kwijt zou raken.'

Ik steun op de commode terwijl hij tegen mijn rug leunt. Even later gaat hij recht staan en pakt hij mijn heupen vast, duwt zichzelf tegen me aan.

'Weet je...' Hij kijkt me via de spiegel aan.

'Dat meen je toch niet?' zeg ik.

'Ik doe voorzichtig.'

Ik kijk hem in de spiegel aan. Hij heeft een hekel aan afwijzing. Dat weet ik. Een grote hekel. En wat kan het ook voor kwaad?

'Heel, heel voorzichtig,' zeg ik.

Hij glimlacht.

Naderhand kijk ik een halfuurtje televisie, maar mijn benen zijn rusteloos.

'Ik moet even lopen,' zeg ik.

Hij helpt me overeind en houdt mijn handen vast terwijl ik behoedzaam door de muffe gang de frisse lucht tegemoet loop. Ons hotel staat op een richel naast een dam, en het land gaat aan weerskanten steil omlaag. Ik word draaierig als ik naar beneden kijk. Ik klamp me aan zijn arm vast om niet te vallen. Elke stap is pijnlijk en maakt me duizelig. De wereld draait om me heen.

'Dit was genoeg,' zeg ik. Hij leidt me terug naar onze kamer.

'Oei,' zeg ik, 'ik voel me belabberd.'

Hij helpt me op het bed, gaat dan de badkamer in en komt terug met een koel, nat washandje, dat hij op mijn voorhoofd legt.

'Dank je,' zeg ik zuchtend.

Hij gaat naast me op het bed zitten en streelt mijn haar. Voorzichtig legt hij zijn hoofd op mijn buik en gaat met zijn hand over mijn gezwollen borstkas.

'Je moet eraf,' zeg ik, en ik duw hem weg. Mijn buikspieren doen zeer. Alles doet zeer.

Ik draai me – heel langzaam – op mijn zij en hij gaat tegen mijn rug aan liggen.

'Dit wordt leuk,' zegt hij terwijl hij een hand op mijn borst legt. Ik voel daar echter niets van, door de vele lagen verband. Dat neem ik tenminste aan.

De realiteit is dat ik het gevoel in die borst heb verloren. Er is bij elke borstvergroting tien procent kans dat dat gebeurt, heeft de chirurg gezegd. Ik was ervan uitgegaan dat ik geluk zou hebben. Ik behoor immers altijd tot de gelukkigen, niet dan? Nee, deze keer niet.

Het zit me dwars dat ik het gevoel heb verloren in mijn borst – de plek die het dichtst bij mijn hart ligt, de plek die ik als de zetel van mijn liefde beschouw. Als ik iemand omhels, voel ik geen huid tegen mijn huid. Als ik een kind krijg, zal ik niets voelen als het bij me drinkt. Ik probeer me er niet druk over te maken. Ik was gewaarschuwd.

Wat ik niet had verwacht is dat de dokter mijn borstspieren zou losmaken van mijn borstbeen en dat nu telkens als ik mijn borstspieren gebruik – om een kind op te tillen, een potje te openen, te kanoën of te roeien – mijn borsten in de richting van mijn oksels bewegen. Dat vind ik schokkend. Er past een hele hand tussen mijn borsten. Beide problemen beperken me erg in wat ik kan dragen. Wat we hebben gedaan uit ijdelheid heeft lelijk uitgepakt.

Jaren later maak ik bezwaar als hij aan mijn dode borst zit.
'Ik kan het niet voelen, weet je,' zeg ik, 'en als jij ermee speelt, word ik daar alleen maar aan herinnerd.'
'Dit draait niet alleen om jou, weet je,' zegt hij. 'Soms wil ik er niet over hoeven nadenken of ik wel de juiste borst te pakken heb. Bovendien voel ík hem wel.'
Ik probeer zijn logica te weerleggen, maar hij heeft gelijk. Hij kan hem wel voelen en ervan genieten. Dat ik dat niet kan, doet er niet toe. Ik ben gewoon pissig over wat ik ben kwijtgeraakt om aantrekkelijk te zijn. Ik moet het loslaten.

10

In het voorjaar komt de kermis naar de stad, en bouwen kermisklanten die amper tanden in hun mond hebben, op het geasfalteerde parkeerterrein van het winkelcentrum de Tilt-a-Whirl, de Himalaya Express en de Zipper op, waarna ze de jongste kinderen oppakken en in de stoeltjes zetten en daarbij smeer en vegen pruimtabak van hun stevige handen op de lentejurkjes achterlaten.

De kinderen kwebbelen en gillen, vragen om suikerspinnen, oliebollen en popcorn, terwijl de ouders jammeren over de prijzen, drie dollar per kind per rit, ouders extra. We gaan er elk jaar heen. Mikey en Claire, opgetogen omdat het einde van het schooljaar in zicht is, rennen door het zaagsel, roepen hun smeekbeden boven de klantenlokkers, het lawaai van de machinerie en het metaalachtige geblèr van te luide muziek uit.

Ik hou het nauwelijks bij, gekleed als ik ben in mijn roze truitje en witte minirokje, en met hakken die steeds blijven hangen achter de kabels die over de grond slingeren.

De kermisklanten kijken natuurlijk. Ze fluiten bewonderend. Ze strelen me met hun ogen.

Ik vind het vreselijk. Ik voel me net zo besmeurd en betast als de jurkjes van de kinderen, alleen smeriger. Op een of andere manier voel ik hun adem, de stank van hun ongepoetste tanden. Ik pak de hand van mijn man vast, op zoek naar veiligheid.

De andere vrouwen kijken ontsteld en wenden dan hun blik af. Altijd weer.

'Maak je daar niet druk om,' zegt mijn man. 'Ze zijn gewoon jaloers.'

Hetzelfde gebeurt bij paardenraces en in ijzerhandels, waar we altijd hulp kunnen krijgen, soms meer dan we nodig hebben. De in schort gestoken winkelbediendes komen naar ons toe zodra we ergens blijven staan.

'Kan ik u ergens mee helpen?' vragen ze.

De mannen in vrijetijdskleding, afzakkende spijkerbroek en flanellen bloes, bestuderen aandachtig de rolmaten, winkelhaken en kleine materialen, kijken snel even en wenden dan hun blik af. Hun vrouwen en vriendinnen werpen me dreigende blikken toe.

'Maak je daar niet druk om,' zegt mijn man. 'Ze zijn gewoon jaloers.'

Het is moeilijk om vriendinnen te maken met de kleding die ik draag en de onrust van mijn man telkens als we mensen uitnodigen, zijn voortdurende afkeuring van mijn vrienden.

'Met haar moet je niet omgaan,' zegt hij, 'ze heeft een hekel aan mannen. Waar heb je die mensen trouwens voor nodig? Heb je niet genoeg aan ons?'

Ik zeg lunches af, wijs uitnodigingen af, verschijn op het Halloweenfeest op school in een Catwoman-kostuum dat zo provocerend is dat de lerares van kleur verschiet.

'Jeetje!' zegt ze. 'Dat is echt te sexy voor op school.'

Ik voel me ontmoedigd en ze probeert me snel te troosten.

'Ik ben gewoon jaloers,' zegt ze. 'Als ik jouw figuurtje had, zou ik ook zoiets aandoen. Geloof me.'

Ik voel me iets beter, maar nog steeds onbehaaglijk, heen en weer geslingerd tussen wat ik denk dat juist en gepast is, en de mening van mijn echtgenoot; dat de kleren van de andere moeders – de mummies en heksen en zigeunerinnen die ik zo mooi vind – tekenen zijn van een vrouw die het heeft opgegeven. Ik mag nooit opgeven.

In de kelder van ons huis hebben we een kamer met een spiegelwand. Ik oefen mijn aerobics daar onder een poster van Nike. 'Er is geen eindstreep,' staat erop. Ik vind hem mooi, en toch ook weer niet. Waarom is er geen eindstreep? Waarom moet ik altijd nog beter worden?

Als we 's avonds uitgaan tut ik me op, trek hoge hakken en strakke rokjes aan. Op een avond loop ik na thuiskomst direct naar mijn kast en trek ik mijn strakke uitgaanstenue uit. Ik doe een wijde flanellen broek en een oud sweatshirt aan waar 'California' op staat en dat ik jaren eerder heb gekocht tijdens een bezoek aan mijn groot-moeder. Ik draag het bijna elke dag en het voelt precies goed aan, zo zacht en warm en veilig dat ik een zucht slaak als ik het aanheb en mijn armen om mezelf heen sla.

Kurt komt binnen.

'Nou, dat is ook niet bepaald subtiel,' zegt hij, en hij loopt weer weg.

Ik ga hem achterna.

'Wat? Wat heb ik gedaan?'

Hij kijkt naar mijn kleren.

'Kan het nog minder opwindend?'

Ik kijk omlaag. Ik voel me hier prettig in, maar zie er niet sexy uit. Kennelijk gaat dat niet samen.

Ik sla van achteren mijn armen om hem heen, maar hij duwt ze met twee vingers van elke hand van zich af, alsof hij vies van me is.

'Probeer het maar niet eens,' zegt hij.

Ik ga ongelukkig slapen.

11

'Ik ga bij hem weg,' zegt Amy.
'Goed zo,' zeg ik, maar ik ben voorzichtig. Ik wil niet te veel
zeggen. Andere keren dat ze bij hem wegging heb ik gezegd dat hij
een loser en een klootzak was. Maar als ze dan weer naar hem
terugging, belde ze me minder vaak en kregen onze gesprekken iets
geforceerds.
'Ik wil niet alleen zijn,' zegt ze.
Dat weet ik en ik begrijp het. Ik kan me niet voorstellen dat ik
alleen zou moeten zijn, maar ik kan me ook niet voorstellen dat ik
met een manipulerende, overheersende man getrouwd zou zijn die
me probeert te onderdrukken.
'Waag de sprong,' zeg ik.
'Ik ben bang.'
'Je kunt het. Jij kunt alles.'
Ze snuft.
'Je kunt het,' zeg ik nog eens.
'Ik wil niet alleen zijn,' zegt ze weer.
'Ik weet het. Dat is eng.'
'Wie zal er dan van me houden?'
'Ik hou van je.'
Ze lacht. Jij moet van me houden, je bent mijn zus.'
'Ja, maar anders zou ik toch wel van je houden,' zeg ik. 'Je bent lief.'
Ze huilt en zegt: 'Dat weet ik.'
'Ik meen het echt. Je bent mooi, gevat, slim en grappig. Je trekt
mensen aan.'
Ze huilt weer even en snuft dan.
'Ik weet het,' zegt ze. 'Ik kan het.'
We hangen op, maar ik weet nog niet zo zeker of ze het zal kun-
nen. Of eigenlijk wel, maar ik maak me zorgen om haar. Ze heeft

thuis gewoond tot ze trouwde. Ze heeft nooit op zichzelf gewoond, heeft nooit geloofd dat ze alle rekeningen zou kunnen betalen of alles kon doen wat erbij hoort als je een huis hebt, ook al doet ze dat nu al een hele tijd. Ze had echter het waanidee dat ze iemand had om op te steunen. Een man in haar bed, een andere naam op haar rekeningafschriften.

Ik weet het nog niet, maar uit een huwelijk stappen is een gigantische sprong in de ruimte, met een kortstondig gevoel van euforie, maar dan het besef dat je in het luchtledige hangt, dat je elk moment ontzettend kunt falen, in een emotionele en financiële explosie. Te pletter vallen op de rotsen.

De volgende ochtend rij ik naar de winkel in sportartikelen, waar ze de namen van kinderen achter op shirts van de Little League aanbrengen en allerlei trofeeën graveren. Ik vraag de verkoper me hun medailles te laten zien. Ik wil een talisman voor Amy maken, iets wat haar eraan zal herinneren dat ze sterk en dapper is.

De verkoper laat me namaak bronzen schijven zien met verhoogde afbeeldingen van hardlopers die het lint op de eindstreep breken, van voetballers die achter de bal aan gaan, van mannen en vrouwen, jongens en meisjes die een basketbal mikken of met een slaghout zwaaien. Ik overweeg de verschillende mogelijkheden. Ze lijken geen van alle juist. Dan vind ik wat ik zoek, onder in de vitrine, een beeltenis van de Gevleugelde Victorie, triomfantelijk en dapper, haar armen naar de hemel geheven.

'Die wil ik,' zeg ik.

Vervolgens kies ik een rechthoekig metalen plaatje van vijf centimeter breed en laat er één woord in graveren: 'Moed'.

Met Amy in mijn gedachten rij ik naar huis. Ik wou dat ze alleen had gewoond tussen mams huis en dat van Jim, dan had ze nu meer zelfvertrouwen gehad. Ik kan me niet indenken waarom ze nog zo lang bij hem is gebleven.

Ik snuif minachtend. Hij is door zijn ouders ontslagen toen hij biljarttafels en toebehoren moest verkopen. Ik lach weer, opgelucht dat ze eindelijk van hem los weet te komen. Niet meer smeken, vleien, zijn bezopen lijf 's avonds naar bed slepen. Geen kots meer opruimen. Niet meer worden geslagen of geduwd, of voor dik uitgescholden.

Ik voel me duizelig van blijdschap, ook al gaat het niet over mij.

Ze heeft niet veel verteld, maar als ze dat deed, had ze altijd een excuus voor hem.

'Hij was dronken,' zei ze bijvoorbeeld. 'Hij is gewoon gefrustreerd over het geld. Ik hou van hem. Ik wil niet alleen zijn.'

Ik schud mijn hoofd als ik daaraan denk. Ik denk dat ze gewoon bang was om alleen te zijn. Ik weet wat eenzaamheid is, maar ik ben niet bang om op eigen benen te staan, al zal het misschien moeilijker zijn nu ik meer weelde gewend ben. Maar ik weet hoe ik aan eten en onderdak moet komen en kan zelf het vuilnis buiten zetten. Ik heb lekke radiateurs gedicht, filters en bougies vervangen en bij sloperijen naar onderdelen gezocht.

Kort nadat ik mijn rijbewijs had gehaald, ben ik naar de rechter geweest om mezelf te verdedigen tegen een bon voor door rood rijden. Pap reed met me naar afdeling infrastructuur van de gemeente, waar ik de blauwdruk van het kruispunt ophaalde. Hij reed met me naar de oprit waar de agent geparkeerd had gestaan en hielp me foto's te maken van de gezichtslijn van de agent. Hij reed met me naar de dienst wegbeheer om de gegevens over de afstelling van de verkeerslichten op te halen.

Ik liep het gerechtsgebouw binnen met de opgerolde plattegrond onder mijn arm en de foto's en de gegevens over de verkeerslichten in een mapje. Mijn vader ging mee, maar ik stapte alleen door het klaphekje. Mijn vader ging op de eerste rij van de tribune zitten en boog naar voren om mij te coachen.

'Ze doet het prima,' zei de rechter tegen hem. 'Ga zitten en houd uw mond.'

Ik voelde me triomfantelijk. En nog meer toen ik won.

Ik vraag me af of Amy ooit een dergelijke overwinning heeft meegemaakt.

Op weg naar huis juichten en joelden we en speelden we alles nog eens na wat ik had gezegd.

'Zie je,' zei hij, 'het is goed om voor jezelf op te komen.'

Ik vraag me af of hij dat ooit tegen Amy heeft gezegd. Ik betwijfel het.

Thuis gekomen gebruik ik het lijmpistool dat ik van Amy heb gekregen om zowel de medaille als het plaatje met 'Moed' erin gegraveerd op een stuk zwart fluweel te lijmen. Het ziet er goed uit. Ik schuif het in een lijstje en lijm groen fluweel tegen de achterkant, met daarop een stuk papier waarop ik heb geschreven: 'Net als de laffe leeuw heb je de moed altijd al gehad. Je had alleen een medaille nodig om het jezelf te bewijzen.'

Ik hoor weer mijn vaders stem. 'Wil je liever een medaille of een borst om hem op vast te spelden?'

Even ben ik kwaad.

Ik laat Kurt de onderscheiding zien. Hij kijkt op van zijn computer en glimlacht.

'Dat vindt ze vast prachtig,' zegt hij.

'Ik denk het ook.'

Hij kijkt weer naar zijn computer, maar ik blijf staan. Hij kijkt weer op, met opgetrokken wenkbrauwen. Ik glimlach naar hem, trots op mezelf.

Uiteindelijk zegt hij: 'Heb je al gewerkt vandaag?'

'Nog niet.'

'Heb je niets te doen?'

'Jawel, maar ik vond dit belangrijker.'

Hij kijkt weer naar zijn computer.

'Niet iedereen hier heeft die luxe,' zegt hij.

De boodschap komt over. Ik ga naar een andere kamer, verpak mijn creatie in bubbeltjesplastic, doe het geheel in een doos en adresseer het aan Amy. Dan ga ik aan mijn bureau zitten om te werken.

Als ik klaar ben, ga ik naar Kurts kantoor.

'Laten we naar Booche's gaan,' zeg ik. 'Ik heb zin om te biljarten.'

Hij zit onze boekhouding bij te werken, zijn vinger glijdt over de lijst met transacties, zijn ogen gaan van het papier naar het beeldscherm. Het duurt even voor hij reageert, maar dan kijkt hij op.

'Oké,' zegt hij. 'Geef me een paar minuten.'

Ik ga naar boven en trek een spijkerbroek en T-shirt aan. Als hij ook bovenkomt, trekt hij me op het bed.

'Weet je,' zegt hij tussen het zoenen door, 'dat korte zwarte rokje?'

Ik lach.

'Dat zou je leuk staan vanavond.'

De mensen kijken op als we bij Booche's naar binnen stappen, maar dat doen ze altijd. Telkens als de deur opengaat, kijken ze op om vrienden te begroeten, of te mopperen op degene die de kou mee naar binnen brengt. Kurt en ik lopen naar de bar voor een paar pilsjes en een setje ballen. Ik leun tegen de tafel terwijl Kurt begint. Als ik voorover buig om te spelen, is mijn ondergoed zichtbaar, dus ik probeer in plaats daarvan door mijn knieën te zakken, maar schiet daardoor slecht omdat ik mijn evenwicht verlies op mijn hoge hakken.

'Ontspan je,' zegt Kurt. 'Je ziet er fantastisch uit.'

Aan de volgende tafel zijn mannen aan het spelen. Ik zie ze naar me kijken, elkaar aanstoten en zo gaan staan dat ze in mijn shirt of onder mijn rok kunnen kijken. Eentje laat zijn keu achter me vallen en bukt om hem op te raken als ik tegen de bal stoot.

Er wordt hard gelachen.

Een paar dagen later gaat de telefoon. Het is Amy. Ze lacht en huilt tegelijk.

'Het is prachtig,' zegt ze.

'Ik dacht wel dat je het mooi zou vinden.'

'En ik heb inderdaad moed,' zegt ze. 'Je hebt gelijk. Bedankt dat je me eraan herinnerd hebt.'

Tegen de tijd dat we ophangen, lachen we allebei, hoewel mijn ogen vochtig zijn. Ik hoop zó dat het haar zal lukken.

En iedereen leeft mee. Ze moet naar een goedkoper appartement verhuizen, dus mam en John rijden erheen om haar te helpen inpakken. Andere familieleden en vrienden helpen de dozen te versjouwen. Ik ga niet naar haar toe. Ze woont in Atlanta en ik in Missouri. Ik heb kinderen, een echtgenoot. Ze hebben me nodig.

Mijn cadeau aan haar is een doos vol kleine dingen – een schroevendraaier, een peertje, een rol toiletpapier, wat kaarsen, badschuim en een koelkastmagneetje – samen met een tegoedbon van een discountwinkel.

'Dit is voor alle kleine dingen die je in een nieuw huis nodig hebt,' schrijf ik op het kaartje. Ik zet er mijn naam en die van Kurt onder. Ik hoop dat ze zich daardoor bemind zal voelen.

Ik vertel haar niet dat Kurt en ik een moeilijke periode doormaken.

Een deel van het probleem is dat ik omkom in het werk, en maar blijf doorgaan als een kleine locomotief in de hoop dat ik niet zal stilvallen.

'Ben je nou zo vervelend omdat je te veel werk hebt,' vraagt Kurt, 'of omdat je helemaal geen werk hebt en nooit meer werk zult krijgen en alleen en in armoede zult sterven?'

Ik probeer te lachen.

Over een paar dagen gaan we met de kinderen op vakantie, dus ik maak voor die tijd nog twee verhalen en een nieuwsbrief af, plan de hele reis, pak alles voor iedereen in en regel een opvangadres voor de hond, zorg dat de koelkast leeg komt, zet de bezorging van de post en de krant tijdelijk stop en vraag een buurvrouw de tuin te sproeien.

Kurt werkt ook als een gek, de prijs die het ziekenhuis van hem vraagt voor de week vakantie. Dat is natuurlijk mijn schuld. Het is mijn schuld dat hij zoveel werkt, mijn schuld dat hij geld naar zijn ex-vrouw moet overmaken, mijn schuld dat ik niet begrijp hoeveel stress zijn werk met zich meebrengt. Bovenal is het mijn schuld dat ik niet inzie hoe verdomd veel hij voor dit gezin doet.

Twee dagen geleden had hij tennisballen aan touwen in de garage opgehangen zodat als een van ons tweeën onze auto de garage in rijdt, we op precies de goede plek kunnen stoppen en er ruimte overblijft voor de grasmaaier en de fietsen. Maar toen kwam ik thuis met mijn stomme auto met de stomme antenne die niet vanzelf inschuift en die prompt in het touw vast kwam te zitten, waarop hij 'Stop! Stop!' begon te roepen, omdat mijn antenne anders zou afbreken. Daarna maakte hij het touw los van de antenne en zei dat ik LANGZAAM achteruit moest rijden zodat hij de huishoudtrap kon uitklappen, erop kon klimmen en zijn zware werk ongedaan kon maken. En of ik wel wist hoe erg dat was?

En gisteren heeft hij mijn auto meegenomen, wat een echte beproeving voor hem was omdat de airconditioning kapot is en je zelf aan een hendeltje moet draaien om het raampje open te krijgen. Hij is ermee naar de verzekeringsagent geweest om toestemming te vragen om de gebarsten voorruit te laten vervangen, daarna naar de Honda-dealer om te kijken of de veiligheidsgordel die de hond kapot had gebeten kon worden gerepareerd. Hij gaat hem ook nog laten uitlijnen en de airconditioning laten maken, zegt hij. En goh, hij is pas de halve zomer kapot.

Dat was gisteren, en de stress is verder toegenomen, dus ik ben al geïrriteerd als ik in mijn auto stap. Ik draai het sleuteltje om en de radio blèrt door de auto. Ik graai naar de volumeknop. En ik moet ver graaien ook, want hij heeft mijn stoel helemaal naar achteren laten staan, bijna op de achterbank, zodat ik niet eens met mijn voeten bij de pedalen kan. Ik ruk aan de hendel, ram de stoel naar voren, zet de radio uit en blijf even in de stilte zitten. Ik overweeg uit te stappen en tegen hem tekeer te gaan. In plaats daarvan rijd ik LANGZAAM achteruit. Want ik weet dat hij zal zeggen dat ik het recht niet heb om te klagen. Dat weet ik omdat ik dat al eerder heb gehoord. Hij is degene die het geld binnenbrengt. Als hij niet zulke lange dagen maakte, zouden we het niet redden. 'Dan redden we het niet. Hoor je wat ik zeg? En dan ben jij chagrijnig omdat je zoveel moet doen. Als het je niet aanstaat, ga dan maar een jaar op jezelf wonen. Eens kijken hoe je dat eraf brengt. Eens kijken of ik je dan nog terug wil.'

In gedachten hoor ik het hem telkens opnieuw zeggen. Telkens en telkens weer.

Het enige wat ik vraag is dat hij mijn auto achterlaat zoals die was toen hij erin stapte. Uit beleefdheid. Een gebaar dat zegt dat hij rekening met me houdt, dat het hem iets kan schelen dat ik een hartstilstand krijg als de radio zo hard staat. Als ik zo cool, jong en hip was als hij zou ik de muziek ook hard willen hebben. Als ik succesvol was zou ik ook een auto hebben zoals hij, met een radio die automatisch terugkeert naar een van tevoren ingesteld volume wanneer je de motor uitschakelt. Dus het is niet zijn schuld dat hij die vergeet terug te zetten in primitieve auto's zoals de mijne, waarin je bijvoorbeeld echt een schakelaar moet overhalen om de lichten aan te doen of – ik noem maar iets – de radio uit te zetten.

Man, wat ben ik woest.

Ik kijk naar mijn arm. Vanmorgen sloeg hij me in mijn maag. Het was voor het eerst in jaren en het was niet hard, maar wel hard genoeg om me op de grond te doen vallen. Nu heb ik uitslag op mijn arm waar die over het aanrechtblad schampte en een steeds groter wordende bloeduitstorting op mijn billen. Ik was geschrokken, hoewel het niet de eerste keer was.

Naderhand keek hij op me neer toen ik op de grond lag en zei: 'Oké, mevrouw de aanstelster. Zoals jij wilt.' En daarna liep hij de keuken uit.

Geen verontschuldigingen. Natuurlijk niet.

Dus nu ben ik over m'n toeren en ga ik gebukt onder een laaiende woede en verdriet. Vanbinnen huil ik.

Ik rij naar de supermarkt, waar ik glimlach tegen buren die ik in de gangpaden tegenkom.

'Heerlijk weer, nietwaar?' zeg ik tegen de een.

'Prima,' zeg ik tegen een ander, 'en met jullie?'

Weer thuis bel ik Amy. We praten over haar nieuwe appartement, haar hond, mijn stiefkinderen. Ik doe erg mijn best gelukkig te klinken. Ik wil haar niet betrekken in mijn verdriet.

Bovendien is ze zo enthousiast over haar nieuwe leven dat ik me gelukkiger voel door mijn gesprek met haar.

Het is allemaal een kwestie van instelling, denk ik. Ik zie veel vrouwen die hun beroerde huwelijk met een opgewekt vernisje bedekken en schud mijn hoofd. Ik ontloop hen. Als ik dat niet deed zou ik hen moeten vragen: 'Zie je dan niet dat hij je als een hond behandelt? Weet je niet dat je je kinderen het slechte voorbeeld geeft door te doen alsof alles in orde is? Wil je dat ze denken dat een goed huwelijk zo hoort te zijn?'

Wanneer ik als tiener thuis was, wist ik altijd wanneer er iets onder het oppervlak broeide. Het was alsof je over matglas boven iets afschuwelijks liep, zoals kolkend water, lava of slangen. Je staat op het glas en alles is prima, maar het blijft glas en het zou kunnen barsten en dan zou je vallen en door het afschuwelijke naar onderen worden getrokken. En zelfs als het niet breekt, dan kun je toch die slangen voelen, het gevaar dat onder de oppervlakte leeft. Dus loop je er zo snel mogelijk overheen, naar de veiligheid van je slaapkamer, de school of een van de buren.

Ik herinner me dat nu, en ook dat ik wanneer ik ernaar vroeg werd gerustgesteld: 'O, nee, schatje. Alles is in orde. Echt waar. Je vader en ik hebben alleen niet zo'n goeie dag vandaag.'

Ik zal mijn huwelijk nooit met een laagje vernis bedekken. Dat zou niet juist zijn.

Ik breng de dag door met het bakken van brood en het naaien van

een jurk voor mijn stiefdochter. Voor het avondeten serveer ik ge-
haktbrood, gepofte aardappelen en sperziebonen, een familietraditie. Ik vraag de kinderen naar hun dag terwijl ik boter op de aardappelen doe, hun gehakt snijd en meer melk inschenk. Ze zijn
opgewekt en levendig. Ik glimlach over hun hoofden heen naar
Kurt. Hij glimlacht terug en ik voel het weer. Dit is de man die ik
heb gekozen, de man die mijn hart sneller doet slaan, die mijn geschiedenis en mijn dromen kent. Als we maar niet vergeten elkaar
te omhelzen, komt het wel in orde. Dan komt alles goed.
     Die avond zet ik kaarsen rond het bad. Ik zet zachte muziek aan
en verschijn in een negligé in de deuropening. Hij werkt de laatste
tijd immers veel onregelmatige diensten die zijn slaap verstoren en
ik weet dat hij daar chagrijnig van wordt. En we hebben inderdaad
geldzorgen. Ik moet harder werken zodat hij zich minder zorgen
hoeft te maken. Het ligt niet alleen maar aan mij, maar ik kan er wel
iets aan veranderen.

12

Ik doe de radio en de lichten uit en spring nog steeds zingend uit mijn auto. Na een vlucht en een autorit van twee uur ben ik terug van mijn bespreking in New York, en nu doet de afstandsbediening van de garagedeur het niet. Ik hijs mijn koffer achter uit de auto en rijd hem naar de voordeur. Het licht van de bewegingsdetector gaat aan, maar de deur is op slot.

'Hallo, hallo,' roep ik, terwijl ik herhaaldelijk op de bel druk. Die laat in huis een opgewekt ding dong weerklinken. Ik wiebel van de ene voet op de andere, en doe het ik-heb-te-veel-frisdrank-gedronken-en-moet-nu-heel-erg-plassen-dansje als ik de kinderen over de hardhouten vloer naar de deur hoor komen rennen. Claire is er als eerste en ze worstelt met het slot terwijl haar broer haar met zijn heup opzij probeert te duwen. Eindelijk krijgen ze de deur open.

'Je bent weer thuis!' roepen ze. Ik spreid mijn armen en Claire stapt in mijn omhelzing. Ze draagt een groene jurk tot op haar enkels die ik voor haar verkleedkist heb gemaakt, en een trouwsluier.

'Wat heb je voor ons meegebracht?'

Ik lach.

'Hallo. Welkom thuis. We houden van je. Heb je een goede reis gehad?'

'Ja, ja, ja,' zegt Mikey, 'maar wat heb je nou voor ons meegebracht?'

Ik steek mijn hand uit en trek hem ook in mijn armen. 'Help me even mijn koffer binnen te brengen, dan zullen we het zo zien.'

Mijn bijna volgroeide stiefzoon pakt de koffer, trekt hem over de drempel en beide kinderen vallen er bovenop en proberen de rits te pakken te krijgen.

'Je mag wel hopen dat het niets breekbaars is,' zeg ik.

Ik hoor Kurt de hoek om komen.

'Wat doe jij verdomme, hier?' vraagt hij.

De kinderen verstarren, en ik slik moeizaam.

'Dag, schat,' zeg ik, en ik draai me om.

'Wat doe je? Waarom ben je niet door de garage binnengekomen?'

Ik ga tussen hem en de kinderen staan.

'De afstandsbediening werkte niet,' zeg ik. 'Misschien heb ik hem verkeerd geprogrammeerd.'

Ik kijk naar de kinderen, die met wijd open ogen en mond staan toe te kijken, en dan weer naar hun vader, die dichterbij komt. Ik sla mijn armen over elkaar.

'Geweldig,' zegt hij. 'Dat is geweldig. Je verpest altijd alles, dus waarom dit niet?'

Mijn lip begint te trillen en ik doe een stap achteruit, waarbij ik bijna over de kinderen val.

'Jij gaat zomaar weg en laat ons gewoon achter. Probeer ik iets leuks voor je te doen en dan verpest je het weer!' Hij doet een stap naar voren.

'Waar heb je het verdomme over?' vraag ik. 'Ik kom net binnenlopen.'

'Precies, je komt net binnenlopen nadat je god weet wat hebt gedaan in New York en je merkt niet eens wat ik allemaal voor je heb gedaan.'

Ik kijk om me heen. 'Het huis ziet er fantastisch uit,' zeg ik, en ik onderdruk de aandrang om te vragen waarom hij complimentjes moet krijgen als hij wat doodgewone klusjes doet die niet worden opgemerkt als ik ze elke dag doe.

'Ruik ik manicotti?'

'Leuk geprobeerd,' zegt hij, 'maar het is al te laat.'

Ik kijk naar de kinderen, die achter me zijn gaan staan.

'Wat?' zeg ik. 'Wat nu weer?'

Hij komt dichterbij, zijn adem slaat in mijn gezicht en ik krijg tranen in mijn ogen. Hij klemt zijn kaken op elkaar.

'Waarom ga je niet terug naar buiten,' bijt hij me toe. 'Waarom stap je niet in je stomme auto en probeer je die stomme afstandsbediening niet opnieuw?'

Ik stap over mijn koffer heen naar achteren en trek daarbij de kinderen naast me.

'Goed idee,' zeg ik. 'Laten we opnieuw beginnen. Kom maar met mij mee, kinderen.'

'Nee,' zegt Kurt. 'Nee, we doen het niet op jouw manier. De kinderen blijven hier bij mij, want ze maken deel uit van wat er nog van de verrassing over is.'

Ik kijk de kinderen om beurten in de ogen en probeer ze zwijgend gerust te stellen. Zonder mijn man de rug toe te keren loop ik naar buiten en de hoek om, uit het zicht. Pas dan sta ik mezelf toe te huilen, met diepe gierende uithalen die van veel dieper dan mijn borst komen. Wat heb ik verkeerd gedaan? Waarom heb ik nou weer iets verpest? Hij probeert kennelijk iets liefs te doen, en ik heb het bedorven.

Ik stap in mijn auto en klem mijn handen om het stuur. 'Verdomme! Verdomme! Verdomme!' zeg ik en ik sla met mijn hoofd tegen het stuur tot ik verkeerd mik en de claxon raak. O, shit. De garagedeur gaat een stukje open en Kurt komt er gebukt onderdoor.

'We kwamen al, hoor,' zegt hij. 'Hou op met die verdraaide claxon.'

Hij gaat terug naar binnen en de deur gaat weer dicht. Ik kijk voor me uit. Wat word ik nu geacht te doen? Ik klap het spiegeltje omlaag en controleer mijn make-up. Twee uur geleden heb ik me in het toilet op het vliegveld opgefrist. Nu is mijn mascara uitgelopen. Ik maak mijn vingers vochtig, haal ze onder mijn ogen door en snuif dan. Mijn vriendinnen vragen me altijd waarom ik bang ben om naar New York te gaan. Maar ik ben verdomme juist bang om thuis te komen.

De garagedeur gaat open en ik start mijn auto. Voor me wappert een wit laken met een enorm rood hart erop geschilderd. 'We houden van je, Nene,' staat er boven het hart. De randen zijn versierd met handafdrukken en handtekeningen in allerlei kleuren, en mijn kinderen staan voor hun meesterwerk. Ik hap naar adem. Ze moeten hier dagen mee bezig zijn geweest. Nu begrijp ik waarom Kurt zo van streek is.

Ik toeter in de vorm van applaus. De kinderen beginnen te springen en te klappen.

'O, jongens, dat is prachtig!' zeg ik terwijl ik mijn portier open. 'Wat moeten jullie hard gewerkt hebben!'

Ik omhels de kinderen en glimlach over hun hoofden heen naar Kurt. 'Dank je,' zeg ik geluidloos. Hij glimlacht, komt naar ons toe en sluit ons allemaal in zijn armen. 'Ik hou van je,' zegt hij en dan kust hij me, terwijl de kinderen vanuit de veilige haven van onze armen omhoog kijken. Ik leun tegen hem aan, opgelucht dat wat er ook mis was nu achter ons ligt, maar nog steeds verbaasd. De garagedeur wilde niet open, dus was ik door de voordeur gegaan. Hoe ik het ook wend of keer, ik geloof niet dat ik zijn boosheid verdiend heb. Maar goed, het is voorbij.

We eten inderdaad manicotti en de kinderen zijn dolblij met de snuisterijtjes en souvenirs die ik voor hen heb meegebracht.

'Waar is papa's cadeautje?' vraagt Claire.

'Papa krijgt zijn cadeautje straks,' zeg ik met een glimlach naar hem.

'O, dat zal wel,' mompelt hij.

Ik woel door zijn haren en zeg: 'Wat, lieverd?'

'Ik zei,' zegt Kurt overdreven duidelijk, 'o... dat... zal... wel.'

Ik frons en trek mijn hand terug. 'Wat bedoel je daarmee?'

'Ik bedoel dat ik zeker weet dat je iets voor me hebt meegebracht,' zegt hij. 'De vraag is alleen van wie jij het gekregen hebt.'

Ik knijp mijn ogen tot spleetjes. Dan wend ik me weer opgewekt tot de kinderen.

'Luister eens, jongens,' zeg ik. 'Ik zal de afwas wel doen. Jullie hebben eten voor me klaargemaakt en het huis opgeruimd en dat prachtige spandoek voor me gemaakt, dus jullie hebben wel een uurtje tv verdiend.'

De kinderen schuiven hun stoelen naar achteren en hollen de trap af. Ik hoor ze zappen en hoor dan de dreigende themamuziek van een afschuwelijke politieserie waar ze normaal niet naar mogen kijken.

Ik overweeg om naar beneden te roepen om hen te corrigeren, maar realiseer me in een helder moment dat er niets in het programma voorkomt dat hen meer kwaad zal doen dan wat ze tussen ons beiden meemaken.

13

Amy's scheiding is vlot geregeld. Hij krijgt de vogels, zij de hond. Hij krijgt de bank, zij het bed. Ze verdelen de overbelaste creditcards. Hij betaalt de ene helft, zij de andere. Het huwelijk heeft vijf jaar geduurd, en maar een paar daarvan waren goed.

'Woehoe!' zegt ze wanneer het papierwerk geregeld is.

'Je bent een moedige vrouw,' zeg ik.

Ze aarzelt.

'Dat weet ik nog niet zo zeker,' zegt ze.

'Nou, het is wel zo.'

'We moeten met iemand gaan praten,' zeg ik tegen Kurt. 'Anders redden we het niet.'

'Het gaat best,' zegt hij. 'We zijn slimmer dan zo'n therapeut. We komen er zelf wel uit.'

Ik keer hem de rug toe.

Weken later, na weer een lange ruzie, zeg ik het weer.

'We moeten met iemand praten. Ik hou dit niet meer vol.'

De derde, vierde of vijfde keer dat ik het zeg – schreeuwend, huilend, met de deuren slaand – geeft hij toe.

Dus nu buigt de relatietherapeute naar voren, haar handen tussen haar knieën.

'Jullie houden van elkaar, dat klopt toch?'

Ik kijk in zijn ogen. Die zijn vochtig, net als de mijne.

'Natuurlijk,' zeg ik.

Hij knikt.

'Laat elkaar dat dan merken,' zegt de therapeute. 'Ga naar huis en zoek manieren om elkaar het gevoel te geven dat de ander je dierbaar is. We zuchten en kijken elkaar nog steeds aan. Ik heb geschreeuwd, ik heb gevloekt, ik heb gehuild. Ik ben leeg.

We lopen hand in hand het kantoor uit. Op de parkeerplaats kussen we elkaar. Het zal allemaal goed komen. Later die week komt Kurt in de keuken achter me staan. Ik heb mijn aerobicstenue al aan, maar ben brooddeeg aan het maken, zodat dat kan rijzen terwijl ik weg ben.

'Maak geen plannen voor het weekend, oké?'

'Waarom niet?' vraag ik.

'Gewoon,' zegt hij. 'Ik heb iets in gedachten.'

Ik ben geïntrigeerd, maar hoe ik ook aandring, vlei en kietel, hij vertelt me niets. Op vrijdag komt hij echter met een speelse grijns op zijn gezicht mijn kantoor binnen.

'Kom eens mee,' zegt hij.

Hij neemt me mee naar onze slaapkamer en vraagt me te gaan zitten. Dan loopt hij om het bed heen en kruipt achter me.

'Niet kijken,' zegt hij.

Ik lach. Hij is in een speelse bui, dus dit wordt vast leuk.

Ik hoor hem een la open en dicht doen. Ik voel zachte zijde als hij een sjaaltje langs mijn gezicht strijkt en het dan voor mijn ogen bindt. Ik wil het aanraken, maar hij houdt mijn handen vast.

'We gaan een ritje maken,' zegt hij. 'En ik wil dat je de blinddoek om houdt.'

Ik knik. Hij pakt mijn hand vast en trekt me overeind. Ik loop schuifelend, op de tast onze slaapkamer uit, de gang door, het washok door en de garage in. Ik hoor hem het autoportier openen en hij helpt me op de passagiersstoel.

Het portier wordt dichtgeslagen en ik wacht in stilte tot ik hem het andere portier hoor openen en hem hoor instappen.

Hij zet de radio aan en zegt dat ik me lekker moet ontspannen en van de rit moet genieten. Ik voel dat we de garage uit rijden, de oprit af, rechtsaf op straat op en dat we aan het eind linksaf slaan. Ik kan onze weg volgen door de geluiden, de schaduwen en omdat die me bekend is.

'Heb je enig idee waar we zitten?' vraagt hij.

'We zitten nu op Nifong,' zeg ik. 'We zijn net voorbij de McDonald's gekomen. Dat ruik ik.'

Hij lacht. Dan slaat hij onverwachts rechtsaf en vervolgens linksaf, waarna hij afremt voor een verkeersdrempel. Nu weet ik het niet meer, Ik leun achterover en voel afwisselend zon en schaduw, en het lichte rijzen en dalen van de autoweg ten zuiden van de stad. Ik vertel hem niet dat ik al weer weet waar we zijn. Ik kan me beter ontspannen en genieten, dus ik ga helemaal op in de muziek, de leren stoel en het ritme van de banden.

Zo nu en dan vertelt hij me over een passerende auto, waarin de passagiers naar de vrouw met de blinddoek kijken. Af en toe hoor ik dat we iemand voorbijgaan en dan sla en klauw ik naar het raampje alsof ik ontvoerd ben.

'Hou daarmee op,' zegt hij lachend. 'Anders bellen ze straks overal langs de snelweg het alarmnummer.'

Ik lach ook en merk dan dat ik naar het toilet moet.

'Ik moet plassen,' zeg ik. 'We moeten even stoppen.'

'Hm,' zegt hij. 'Daar had ik geen rekening mee gehouden.'

Hij rijdt door, geeft me een gedetailleerd overzicht van mogelijk geschikte toiletten. Daar is een groot servicestation, maar hij zou met me mee het toilet in moeten, en volgens hem zijn daar meerdere toiletten. Er is een parkeerplaats, maar daar hebben we hetzelfde probleem. Ten slotte vindt hij een klein vervallen benzinestation langs de weg, het soort waar het toilet buitenom is en waarvoor je eerst aan de kassa de sleutel moet gaan vragen, die altijd vastzit aan een flinke knuppel of een liniaal, zodat je hem niet per ongeluk in je zak kunt stoppen en meenemen.

We stoppen en ik wacht tot hij de deur opendoet, dan pak ik hem bij zijn arm en laat ik me naar binnen leiden in het enige, naar Lysol ruikende toilet.

'Doe de blinddoek niet af, hè,' zegt hij.

'Nee hoor,' zeg ik, al voelt of ruikt het hier niet als een plek die ik er gemakkelijk uit zou pikken in vergelijking met een hoop andere benzinestationtoiletten.

Als ik klaar ben, roep ik hem en komt hij weer naar binnen om me naar het fonteintje te leiden, waar ik mijn handen was en uit gewoonte naar mezelf wil kijken in de spiegel, maar ik zie natuurlijk alleen de binnenkant van het sjaaltje.

Ik vind de hele ervaring vreselijk grappig en loop lachend onder zijn begeleiding terug naar de auto. En dat is maar goed ook, want Kurt vertelt me dat er een stel ineengedoken in hun auto vlak bij het toilet zit en dat aan hun houding duidelijk te zien is dat ze ons kenteken hebben opgeschreven. We vallen lachend de auto in.

Een uur van doezelen, muziek luisteren en over niets bijzonders praten verder, voel ik de frisse bries als hij zijn raampje opent. Ik hoor niets behalve het gejank van jetski's. We zijn in de buurt van water, dat is alles wat ik weet.

Enkele minuten later komt de auto tot stilstand en loopt Kurt eromheen om mijn portier te openen.

'Sta op,' zegt hij, met zijn hand losjes op mijn arm. Ik kom voorzichtig overeind en hij leidt me weg van het portier en duwt het dicht. Ik voel zijn arm achter mijn rug en zijn mond tegen mijn borst als hij zich bukt en zijn andere arm achter mijn knieën legt. Hij tilt me op en draagt me, nog steeds geblinddoekt, over een houten plankier de schaduw in.

Hij zet me neer, gaat achter me staan en kust me in mijn hals alvorens hij de blinddoek verwijdert voor een uitzicht op het grote toeristische meer van de staat, omringd door sparren, prachtig blauw water, waar het gejammer van jetski's en motorboten wordt gedempt door de bomen. We staan op het houten terras van een blokhut, een van de vele die tussen de bomen verspreid staan. Hij maakt de deur open en we gaan naar binnen, laten ons op het bed vallen en trekken elkaar de kleren van het lijf. Veel later voel ik dat hij uit bed stapt.

'Ik haal de spullen uit de auto,' fluistert hij, en dan kust hij me op mijn wang. Hij stopt de dekens goed in bij mijn nek en rond mijn lichaam, omdat hij weet dat ik een hekel heb aan tocht. Glimlachend doezel ik weg.

Later zitten we op het terras met een drankje erbij naar de zonsondergang te kijken.

'Wacht hier,' zegt hij, en hij gaat naar binnen. Na een paar minuten roept hij me binnen. Op het bed liggen een rode bustier, zwarte nylonkousen, schoenen met naaldhakken en een strak rood jurkje.

'Ik wacht hier wel,' zegt hij, en hij strijkt met zijn hand over mijn billen terwijl hij de kamer uit loopt.

Ik ga met een zucht op de rand van het bed zitten en laat me dan achterover vallen op het nog steeds rommelige bed. We zitten in een familiepark. Ik zou hier prima aan het diner kunnen verschijnen in iets ruimvallends en comfortabels, iets waarin ik me kan bewegen zonder dat ik bang moet zijn dat ik van mijn hoge hakken zal vallen of dat mijn kousenband te zien is. Het zal met die schoenen al niet meevallen om gewoon over de houten plankier te lopen. Laat me alsjeblieft mijn enkels niet verzwikken.

Ik sta op en trek de korte broek en het T-shirt uit die ik voor onderweg aan had. De bustier zit strak, de baleinen drukken in mijn ribben en de beha-beugels in mijn oksels. Ik trek eraan, til mijn borsten op, leg ze in de cups en trek de onderkant over mijn heupen. De kanten randjes snijden in mijn vlees.

De kousen voelen echter heel luxueus en zijdezacht aan als ik ze over mijn benen tot aan mijn dijen omhoog trek. Ik strijk ze glad, steek mijn tenen uit, bewonder mijn kuiten in de kousen. Ik draai me snel om en maak de jarretels aan de achterkant vast. Ik voel me een kruising tussen een prostituee en mijn grootmoeder in kousen en jarretelgordel, lang voordat panty's met broekjes werden uitgevonden. Ik vind het moeilijk te begrijpen dat mannen zo'n ouderwets uitwendig skelet aantrekkelijk vinden.

Ik stap in de jurk, trek hem over de bustier omhoog en draai me om naar de spiegel. Mijn borsten puilen uit. Ik lijk wel een barbie. Niet te geloven.

Ik steek mijn voeten in de hoge pumps en loop de woonkamer in, waar hij met zijn rug naar me toe staat te wachten. Hij draait zich langzaam om en glimlacht, waardoor ik meteen vergeet dat de baleinen in mijn ribben drukken.

'God, wat ben je sexy,' zegt hij.

In het restaurant staren de mensen naar me. Ze kijken op van hun cordonbleus en hun grote, doorregen steaks. De vrouwen met een mengeling van hoon en angst; de mannen met lust en de wens dat hun eigen vrouwen er zo fantastisch uit zouden zien. Dat zegt Kurt, tenminste.

'Ze zijn gewoon jaloers,' zegt hij. 'Ze zouden willen dat ze hadden wat wij hebben.'

Ik weet het nog zo net niet. Ik zit stijfjes rechtop, beschaamd. Ik voel me een hoer.

Maar ik heb genoeg aan Kurts ogen. Onder zijn blikken krijg ik het warm. Dat maakt het de moeite waard om er anders uit te zien, om later te proberen te bowlen zonder voorover te buigen – we zijn immers nog steeds in een familiepark – om later in de nachtclub van het park met minipasjes te dansen op mijn naaldhakken, op de tonen van 'Lady in Red' terwijl Kurt nog steeds bewonderend naar me kijkt.

Als Kurt naar het toilet gaat, trek ik de schoenen uit en masseer ik opgelucht mijn voeten. Ik laat mijn schoenen onder de tafel vallen, klaar om me te laten gaan, de muziek in mijn lichaam te laten doordringen en losjes te dansen, althans zo losjes als mogelijk is binnen de beperkingen van mijn jurk. Ik wil mijn armen spreiden en als een kind ronddraaien onder de lichtregen van de discobal. Ik sta naast de tafel heen en weer te wiegen met mijn hoofd achterover als Kurt achter me komt staan, zijn armen om mijn vernauwde middel slaat en me in mijn hals kust.

'Doe je schoenen aan, dan gaan we nog even dansen,' zegt hij tussen twee kussen door.

'Ik dans wel op mijn kousen,' zeg ik.

Hij stopt met kussen.

'Prima,' zegt hij.

Ik draai me naar hem om, sla mijn armen om zijn nek en hef mijn gezicht naar hem op voor een kus.

'Als je geen seks wilt, kun je dat ook gewoon zeggen,' zegt hij.

Ik wijk achteruit.

'Wat?'

'Niets,' zegt hij. 'Zullen we maar gewoon weggaan?'

'Ik wil nog dansen.'

'Ik heb er genoeg van,' zegt hij. 'Laten we gaan.'

Hij pakt mijn hand vast. Ik trek me los en raap mijn schoenen en tas op. Hij blijft naar me staan kijken.

'Wat?'

'Ga je op blote voeten het hele park door lopen?'

Ik kijk hem een poosje aan en buk me dan om de schoenen aan te trekken.

Met wiebelende enkels en samengeknepen tenen loop ik door het park terug.

Een paar dagen later bel ik Amy.

'Het probleem met op een voetstuk staan,' zeg ik, 'is dat je eraf valt als je probeert te bewegen.'

'Wat is er gebeurd?'

Ik zwijg even.

'Geloof me nou maar gewoon,' zeg ik.

'Ja, hoor.'

Langzaam raken we Dave kwijt, Kurts collega en vriend, die bezwijkt aan longkanker, veroorzaakt door tientallen jaren hardnekkig roken en versneld door de chemotherapie, die zijn handen bont en blauw heeft gemaakt en hem van zijn dikke witte haardos heeft beroofd. Dave heeft vijf kinderen bij twee vrouwen. Zijn relatie met de oudsten is verstoord. Nu ligt hij op zijn sterfbed, dus rij ik twee uur naar het vliegveld van St. Louis om de zoons uit zijn eerste huwelijk op te halen, die ermee hebben ingestemd hem te bezoeken.

Ik ben aan de late kant en ik hol door de luchthaventerminal, hijgend en snikkend omdat ik niet wil falen. Ik vind hen en rij – te hard – met hen naar het ziekenhuis. Ze zijn op tijd om hun vaders laatste uren mee te maken.

Bij de begrafenis zitten Kurt en ik op de eerste rij, een ereplaats voor zijn beste vrienden en zijn familie.

Lori, de hoofdzuster in het ziekenhuis waar Dave werkte, loopt naar de microfoon en begint haar grafrede, krachtig en welbespraakt.

'Ik weet zeker dat Dave nu glimlacht,' zegt ze, 'en dat hij blij is te zien dat Janine zo'n kort rokje aan heeft.'

Ik ben verbijsterd, voel me vernederd en weet niet wat te doen. Ik blijf zitten, mijn rug recht, mijn handen in elkaar, mijn enkels gekruist. Kurt geeft een kneepje in mijn dijbeen, daar waar mijn rok nauwelijks de bovenrand van mijn kousen bedekt. Hij glimlacht. Volgens mij is hij trots. Ik doe ook mijn best trots te zijn, maar ben voornamelijk misselijk. Ik zie mezelf – heel even – door de ogen van andere mensen en schaam me.

'Ze zijn gewoon jaloers,' zegt Kurt later. 'Ze zouden willen dat ze er zo uitzagen als jij.'

Ik zwijg.

De sfeer binnen Daves familie gaat weer over van sterfbed-beleefdheid in de gebruikelijke vijandigheid. De zoons uit het eerste huwelijk willen Daves golfclubs, zijn biljarttafel en de schilderijen van de voorouders aan de muur meenemen. Het is mijn taak te bemiddelen, te onderhandelen, te sussen. Ik praat met de weduwe, ik praat met de zoons. De oudste van de twee uit dreigementen, steekt zijn vuist op. Twee dagen na de begrafenis ben ik alleen met de oudste zoon, de vrijgezel met het ruige haar. Hij kust me.

Ik voel me schuldig. Ik voel me opgewonden. Ik voel me angstig. Ik kan het Kurt niet vertellen. Pas jaren later doe ik dat.

'Waarom?' vraagt hij.

'Ik weet het niet,' zeg ik. 'Ik had het niet gepland. Ik heb er geen aanzet toe gegeven.'

Hij kijkt me aan met tranen in zijn ogen.

'Ik vertrouwde je,' zegt hij.

Ik weet niets te antwoorden.

Een jaar later overlijdt Jim. Hij is weer een baan kwijtgeraakt en hij is uit zijn appartement gezet. Hij is halverwege de dertig en woont weer bij zijn ouders, en daar sterft hij ook. Aan een kapotte slokdarm, veroorzaakt door jarenlang drankmisbruik.

'Ik ga naar de begrafenis,' zegt Amy.

'Gaat dat goed, denk je?'

'Ik denk het wel,' zegt ze. 'Zijn zus heeft een hekel aan me, maar de anderen hebben gezegd dat ik mag komen.'

Naderhand vertelt ze me dat alles ging zoals verwacht. De zus deed kil tegen haar. Een tante bedankte haar.

'Als jij er niet was geweest, had hij zich al veel eerder doodgedronken,' zei de tante.

'Dat is mooi,' zeg ik wanneer ze het me vertelt.

'Het ging wel.'

Ik kan me niet voorstellen dat ik die rouwkamer binnen zou lopen terwijl ik wist dat sommige mensen daar een hekel aan me zouden hebben. Of misschien zouden hebben. 'Misschien' is bijna net zo erg als 'zeker'. Het is eng.

Amy voelt zich echter sterk. Ze deelt haar appartement met Lisa, een huisgenote die haar beste vriendin is geworden. Ze heeft promotie gekregen op haar werk. Ze volgt lessen aan het plaatselijk college. Ze worstelt nog steeds met haar gewicht, maar ze klinkt opgewekt.

Een paar maanden later vertelt Amy me dat Jim de schuld op de creditcards die nog steeds op hun beider naam staan, niet had afbetaald. Ze huilt.

'Hoe bedoel je, op jullie beider naam?'

'Hij nam er een paar mee en ik een paar. Hij heeft op de zijne het saldo niet aangevuld.'

'Hebben jullie dat tijdens de scheiding dan niet afgehandeld?'

'We hadden geen geld om alle schulden af te betalen.'

'Maar had je die dan niet gewoon op een nieuwe kaart kunnen overschrijven?'

'Dat hebben we niet gedaan, oké. En nu is het te laat.'

Ze heeft een schuld van meer dan vijftienduizend dollar, plus achterstallige belasting, al wordt die haar uiteindelijk kwijtgescholden. Ze verdient als secretaresse vierentwintigduizend dollar per jaar. Het zal jaren duren voor ze uit de schulden is.

We zijn in Warren Dunes State Park, aan de zuidwestelijke rand van Michigan, waar het zand twintig verdiepingen hoog ligt. Een deel van de familie is bijeengekomen om Onafhankelijkheidsdag te vieren, en Amy en ik zijn meteen hierheen gereden, naar het meer waar we zo van houden.

Zodra we parkeren loopt Amy meteen naar het water. Nu staan we tot aan onze schenen in het water en werken we onze tenen dieper in het zand.

'Kijk die meisjes eens,' zeg ik, en ik knik naar drie middelbarescholieres die giechelend voorbij lopen. 'Ze zijn knap, en weten het waarschijnlijk niet eens. Waarschijnlijk maken ze zich druk om een puistje of hun haar of een ander "gebrek". Jammer dat ze zich niet kunnen ontspannen en genieten van hun schoonheid.'

Amy kijkt me aan.

'Wees maar niet al te aardig' zegt ze. 'Ze noemden mij verdomme net een walvis.'

Ik voel me geschokt. Geschokt en gekwetst. En defensief. Ik wil die meisjes aanspreken op hun gedrag, ze hard aanpakken, een beroep doen op hun menselijkheid, ervoor zorgen dat ze naar de persoon achter het vet kijken. Ik wil ze te grazen nemen.

Ik mompel iets over kleine krengetjes.

'Word nou niet al te rechtschapen,' zegt Amy. 'Herinner je je de familie Varken nog?'

Ik kijk haar aan. De familie Varken. Een gezin in de kerk waar we in onze jeugd heen gingen, allemaal zwaar, met platte gezichten en brede neusvleugels. We wezen altijd naar hen, giechelden en maakten knorgeluiden tot mam ons uit elkaar haalde en een van ons naar een andere bank stuurde, waar we nog steeds nauwelijks onze lach konden houden.

De familie Varken.

Ze heeft me tot zwijgen gebracht.

Jim is er niet meer, maar Amy wordt steeds zwaarder. Ik wil haar vragen hoe dat is, waarom ze niet probeert er iets aan te doen. Ik weeg mezelf elke dag. Telkens weer. Voor het ontbijt, in het uur van honger voor de lunch, voor ik naar bed ga. Zij weegt zich nooit. Het lijkt haar niets te kunnen schelen.

Eén keer heeft ze me om advies gevraagd.

'Eet geen gesuikerde ontbijtgranen,' zei ik tegen haar.

'Ik moet wel,' zei ze. 'Als ik die andere koop, strooi ik er meer suiker over. Ik doe zelfs suiker bij de gesuikerde soort.'

Dat is waar. Ze strooit suiker over de Froot Loops en de Frosty's. Ze eet chips en stukken taart zo groot als haar hand. Ze doet het zonder erbij na te denken. Lopen, zitten, eten. Altijd eten.

Ik niet. Ik ontzeg mezelf dingen die ik graag heb en noem ze CNW – de calorieën niet waard. Het is een code van Kurt en mij. Dit snoepgoed, die taart of dat hoofdgerecht bevat meer calorieën dan het het waard is. Ik gooi een halve snoepreep weg voor ik de eerste hap neem. Ik geniet van de laatste hap, net als iedereen, dus het maakt niet uit hoeveel happen er tussen de eerste en de laatste zitten. Ik proef de eerste en ik proef de laatste. Wat ertussenin zit, is alleen kauwwerk.

Mijn junkfood is bier.

Wanneer ik Amy 's avonds een biertje aanbied, zegt ze: 'Ik heb liever chocola. Alcohol is de calorieën niet waard.'

Ik denk over al die dingen na terwijl we langzaam langs de waterkant lopen, schelpen zoeken en naar de knappe mensen kijken. Ik hou mijn buik in, vergelijk mezelf – altijd in mijn eigen nadeel – met andere vrouwen. Vrouwen die vijftien jaar jonger zijn dan ik, zo jong dat het nauwelijks vrouwen zijn. Ik ben slank voor mijn leeftijd, maar voor mij is dat een belediging. Ik wil slank en volmaakt zijn in vergelijking met wie dan ook. Ik wil dat Kurt trots op me is. Maar ik weet dat die cellulitis er zit. Ik weet dat die oplicht in de zon. Ik trek mijn buik nog verder in.

14

'Dag, schat,' zegt hij. Ik worstel me door de laag watten heen die de narcose om mijn brein heen heeft gelegd. Ik deins terug voor het licht en het geluid als hij voorover buigt om me te kussen. Zijn adem ruikt naar chocola. Chocola? Ik probeer me om te draaien onder het gewicht van de verwarmde dekens die ze over me heen hebben gelegd tegen het klappertanden, het bibberen van de kou na een operatie. Ik weet me nauwelijks op mijn zij te rollen voordat ik helder vocht en slijmerige gal in het niervormige schaaltje braak dat de zuster voor me omhoog houdt.

Ik draai terug, doe mijn ogen dicht en zak weer weg in de stilte. Minuten of uren later kom ik langzaam weer bij. Mijn lichaam reageert nog traag, maar ik open mijn ogen terwijl mijn brein langzaam uit de mist tevoorschijn zwemt. Kurt zit in een stoel naast het bed, met een roos in zijn hand, zijn ogen dicht, zijn hoofd tegen mijn zij. Mijn andere been zit van mijn enkel tot een paar centimeter onder mijn kruis in een brace.

De chirurg heeft net een knieband gerepareerd die een halfjaar eerder tijdens een skivakantie was gescheurd. Het was onze derde dag en ik was uitgeput, zowel van het skiën als van de intense kou. Halverwege een afdaling gleed mijn linkerski weg. Ik hoorde het knappen voor ik de pijn voelde en toen lag ik in de sneeuw naar de mensen in de skilift boven me te roepen of iemand alsjeblieft, alsjeblieft de reddingsbrigade wilde waarschuwen. De kou trok door mijn skibroek heen, een dunne skibroek, omdat ik in de warme soort zoals Kurt die draagt klein en dik leek. Ik had een dikke ingepakt, maar toen we in de winkel op onze beurt stonden te wachten om ski's te huren, zag hij een mooie zwarte legging die me slank maakte.

'Ik kan me niet voorstellen dat die warm is,' zei ik.

'Het gaat vast prima,' antwoordde hij. 'Ik hou je wel warm.'

Hoe hij van plan was me warm te houden tijdens het skiën wist ik niet, maar we kochten de legging, en die bood me absoluut geen bescherming toen ik daar in de sneeuw lag.

De reddingswerkers kwamen aangeskied, keken naar mijn knie en bonden me vast op een slee. Toen pakte een van hen de handgrepen vast alsof het een riksja was en begon de berg af te dalen, ik op mijn rug, strak in dekens gewikkeld, hij zigzaggend en met de punten van zijn ski's naar buiten om zijn snelheid te beperken, die mij nog altijd overweldigde in mijn hulpeloze positie met mijn hoofd naar beneden. Kurt klemde zijn ski's onder en probeerde ons bij te houden.

Bij de eerstehulppost aangekomen, knipte de EHBO-er mijn nieuwe skibroek van onderen af open en kwam mijn knie tevoorschijn, toen al zo groot als een grapefruit.

'Knap gedaan,' zei de reddingswerker.

'Dank je,' zei ik. 'Het was mijn laatste afdaling van vandaag.'

'Ja,' zei hij, 'dit soort dingen gebeurt altijd tijdens de laatste afdaling.'

'Echt waar?' vroeg ik, maar toen realiseerde ik me dat het een flauwe standaardgrap van die jongens was.

Zes maanden later heb ik mezelf en mijn man er eindelijk van overtuigd dat een operatie noodzakelijk is. Wekenlang heb ik geklaagd over de pijn, de zwelling, het wegschieten, het gevoel dat mijn bovenbeen van mijn onderbeen af zal schuiven en ik weer zal vallen, maar Kurt zei dat ik me aanstelde.

'Ik dacht dat jij zo flink was,' zei hij. 'Je hebt er aerobics mee gegeven, nota bene. Zo erg kan het dus niet zijn.'

'Volledig afgescheurde voorste kruisband,' zegt de chirurg.

'Gewoon geknapt,' stemt zijn assistent met hem in.

Geen wonder dat het onstabiel aanvoelde.

De verpleegster geeft me kleine slokjes 7-Up.

'Sorry van de chocola,' zegt Kurt. 'Ik was bang en heb een reep Snickers opgeschrokt.'

'Het geeft niets,' zeg ik, wazig glimlachend. 'Sorry dat ik je bijna onderkotste.'

Hij lacht. 'Ik ben gewoon blij dat je nog leeft.'

Een paar uur later lig ik op mijn bed geïnstalleerd, mijn been stijf en omhoog gelegd, nog suf van de narcose en de pijnstillers. Ik ben te misselijk om te eten, te moe om zelfs maar voor de televisie te zitten, te suf om te lezen.

'Dank je dat je zo lief voor me was, vandaag,' zeg ik.

Hij gaat voorzichtig op de rand van het bed zitten.

'Ik ben blij dat ik dat kon doen,' zegt hij.

Hij legt zijn hoofd op mijn borst en ik geef onhandige klopjes op zijn hoofd.

'Ik was zo bang om je kwijt te raken,' zegt hij.

Ik geef afwezig klopjes. De pil die ervoor zorgde dat ik mijn been niet voelde, begint uitgewerkt te raken en mijn knie speelt weer op. Mijn maag is van streek. Eén verkeerde geur en ik vrees dat ik weer zal moeten overgeven.

Hij kust me in mijn hals, nestelt zich tegen me aan, kust en bijt me zachtjes. Zijn mond zuigt en zoekt en komt steeds dichter bij mijn mond.

'Ik ben gewoon zo blij dat je nog leeft,' mompelt hij weer.

Zijn lippen vinden de mijne en ik voel zijn tong in mijn mond glijden. Hij verlegt langzaam zijn gewicht tot hij naast me ligt en steekt zijn hand onder mijn shirt.

'Voorzichtig,' zeg ik.

'Ik doe voorzichtig.'

Zijn mond bedekt de mijne, vindt mijn hals, mijn borsten, alles behalve mijn onbeweeglijk gemaakte been.

'Toe, laten we dat niet doen,' zeg ik.

'Ik ben zo blij dat je nog leeft,' zegt hij tussen twee kussen door. Mijn been klopt.

'Ik kan wel een pijnstiller gebruiken,' zeg ik.

Hij blijft me gewoon kussen, maar ik duw hem weg.

'Ik wil een pijnstiller,' zeg ik. 'Mijn been doet vreselijk zeer.'

Hij staat langzaam op, loopt de badkamer in en komt terug met een glas water en een tablet vicodin, die ik dankbaar aanneem.

'Dank je,' zeg ik. Ik ga weer in de kussens liggen en leg mijn been goed.

'Als we je been nou eens op een extra kussen leggen?' vraagt hij. Hij meent het nog ook.

Hij streelt mijn gezicht, gaat met zijn handen over mijn lichaam, kust me.

De pijnstiller maakt me suf en moe. Zijn handen maken dat ik me begeerd voel. Ik geef toe, ook al tolt mijn hoofd en lijkt mijn lichaam steeds dieper in het bed weg te zakken.

Het doet alleen pijn als hij tegen mijn brace stoot, of als zijn gewicht op mijn lichaam de positie van mijn been op de kussens verandert. Of als mijn lichaam schokt door zijn bewegingen.

Naderhand hobbel ik op mijn krukken naar de badkamer. Ik spat koud water in mijn gezicht en kijk in de spiegel. Mijn gezicht is kleurloos, mijn lippen droog en gebarsten door de uren onder narcose. Ik zie er afgemat en afgetobd uit, een schim van mezelf. Hoe kan hij de liefde bedrijven met iemand die er zo uitziet? En dan dringt het plotseling tot me door. Hij houdt zelfs van me als ik er zo uitzie. Ik moet bijna huilen van dankbaarheid.

Hij houdt zoveel van me dat het idee alleen al om me kwijt te raken − wat erg onwaarschijnlijk was, aangezien het een eenvoudige orthopedische operatie was − hem gek maakte, zodat hij door de gangen liep te ijsberen, de snoepautomaten plunderde en zich op de kamer half slapend aan me vast klampte.

Een andere man had me misschien alleen gelaten om te slapen, me in de kussens geïnstalleerd en 7-Up en zoutjes gebracht en me vervolgens alleen gelaten zodat ik kon rusten. Maar wij zijn niet zo. Wij zijn niet saai. Wij zijn hartstochtelijk. We hebben elkaar nodig, en soms is die behoefte fysiek.

Ik mag van geluk spreken dat ik een man heb die zo naar me verlangt.

Als ik weer zonder krukken kan lopen, vlieg ik naar mams huis in Atlanta, met een mand aan mijn arm. Ik heb een pompoentaart bij me voor mijn stiefvader. Hij heeft longkanker en zal niet lang meer bij ons zijn. Wij kinderen gaan er om beurten heen en doen wat we kunnen. Ik maak het terrasmeubilair schoon. Steve en Amy planten begonia's. Die van Steve staan op exact gelijke afstand van elkaar, die van Amy zijn willekeurig ergens neergepoot. Mam moet lachen als ze het ziet. Hun persoonlijkheden zijn terug te vinden in haar bloembed.

Ik ben gekomen om mam te steunen, en misschien om afscheid te nemen van John, maar ik praat ook veel met Amy.

'Gaat het met je?'

Ze laat zich op de bank zakken en leunt tegen me aan, alsof ik de stevigste van ons tweeën ben.

'Niet echt,' zegt ze.

Ze houdt zich goed voor mam, die zich op haar beurt goed houdt voor John, maar ze is erg van streek door het feit dat ze de man zal verliezen die de afgelopen elf jaar haar beste versie van een vader is geweest. Ze leunt tegen me aan en huilt.

'Ik zal hem vreselijk missen,' zegt ze.

'Ik weet het.'

Ik zal hem ook missen, maar voor Amy is het erger.

Mam belt. Zij en John sparen al een poos voor een reis naar Australië. Dat was hun droom.

'Moeten we gaan?' vraagt ze mij, maar vooral ook Kurt en de dokter.

'Doen,' zeggen we allemaal. 'In Australië hebben ze ook dokters.'

Ze beginnen plannen te maken. Op een ochtend maakt John mam echter wakker en zegt: 'Laten we in plaats van naar Australië te gaan alle kinderen voor een week uitnodigen, net als toen we trouwden.'

'Weet je het zeker?' vraagt mam.

'Er is niets waar ik mijn geld liever aan zou uitgeven,' zegt hij.

We vliegen allemaal naar Florida, waar we in een complex van verschillende huizen met een zwembad, een boot en voldoende slaapkamers verblijven. De eerste dag spelen we in het zwembad, eten we en doen we kaartspelletjes tot de kinderen er genoeg van krijgen. De tweede en derde dag zijn hetzelfde. Make-up verdwijnt. Iedereen wordt bruin. Kinderen kruipen bij tantes op schoot, pakken ooms bij de hand. We zijn één grote familie en voelen ons bij elkaar thuis.

Op een dag komen er wolken aanzetten waar dikke regendruppels uit vallen. De kinderen hangen op stoelen en banken. 'Er is niets te doen,' jammeren ze.

'Ga kaarten,' zeggen we, opkijkend van onze boeken. 'Ga spelletjes doen.'

Het regent zo hard dat we het hekje rond de veranda nauwelijks kunnen zien.

Michael, de man van Kris, doet de deur open en stapt naar buiten. 'Kom op,' zegt hij. 'Het water is heerlijk.'

'Ik peins er niet over,' zeg ik.

De volwassenen lachen om hem, warm en droog aan onze kant van het glas. Amy kijkt om zich heen en loopt dan de regen in. Ze begint lachend in een kringetje te dansen, haar armen in de lucht.

'Kom op, jongens. Doe niet zo flauw.'

Ik glimlach, maar blijf zitten waar ik zit. De kinderen rennen wel naar buiten. Ze maken uitgelaten bokkensprongen, glijden door het water en vangen de regen op met hun tong. Amy is opgewekt, temidden van haar familie, waar ze zich bemind voelt.

15

'Waarom zeggen mensen dat ze op eieren lopen? Niemand loopt ooit op eieren. Dat kan helemaal niet. Het is stom en het is onmogelijk.'

Ik hoor Amy lachen door de telefoon.

Het gaat goed met haar. Ze heeft twee keer promotie gemaakt en is nu de assistente van een of andere directeur. Ze lijkt gelukkig.

'En waarom hebben we het over op eieren lopen?'

'Een van mijn vriendinnen zei dat ik klonk alsof ik op eieren liep,' zeg ik, 'maar dat is belachelijk.'

Ze lacht weer.

'Kom op,' zegt ze. 'Vertel.'

Ik wil het niet vertellen. Ik wil het wel vertellen. Ik wil haar zeggen dat ik bang ben, dat ik elke dag voel dat ik hem kwaad zal maken. Ik weet niet hoe of wanneer, maar het gebeurt gegarandeerd. En dan stormt hij naar buiten en maak ik me zorgen dat ik hem kwijt zal raken, pieker ik over de ruzie, en probeer ik erachter te komen wat ik verkeerd heb gedaan en hoe en waarom, en hoe ik ervoor kan zorgen dat het niet weer gebeurt. Zo gaat het elke dag. Ik ben gespannener dan de bal oude elastieken in de kern van een ouderwetse golfbal. Pel de beschermende buitenlaag eraf en ik knap uit elkaar.

Ik vertel het haar echter niet, want ik schaam me er te veel voor om dat te doen. Het zou ertoe leiden dat ze naar me kijkt en zich afvraagt waarom ik er niet uit stap, waarom ik niet wegga, waarom ik die onzin van hem pik.

Ik wil er niet uit stappen, ik wil dat het weer goed komt. Ik wil de goede dingen niet kwijt, de leuke dingen. Zoals wanneer hij zijn hand zacht op mijn schouder legt, zoals de tedere, liefdevolle seks. Ik wil de man tegen wiens rug ik aan mag kruipen als ik krampen heb, de man die naar me luistert als ik over mijn werk pieker. Maar dat is niet alles. Niet als ik eerlijk ben. Ik wil ook de heftige dingen, de dingen die mijn hart op hol doen slaan, die maken dat ik midden in de keuken zijn kleren van zijn lijf wil trekken. Ik wil de opwinding als ik de garagedeur hoor, ik wil de trap af rennen zodat ik mijn armen om zijn nek kan slaan zodra hij binnenkomt. Wat ik niet wil is de boosheid.

En ik wil niet alleen zijn. Ik denk er wel eens aan, hoe het zou zijn om weer uit te gaan, om iemand anders te moeten zoeken die van me zal houden. Maar ik heb zo mijn gebreken. Rimpels, littekens en nukken. Ik heb een hekel aan parfums en andere luchtjes. Ik kan geen gesprek voeren als er muziek aanstaat. Ik kan humeurig zijn en heb een zwakke knie. Ik weet nergens de weg. Als je het me uitlegt kom ik er wel, maar ik onthoud niet hoe ik terug moet rijden.

Kurt weet dat allemaal en houdt evengoed van me. Iemand anders zal dat niet doen.

Toch zou ik me in mijn eentje kunnen redden. Ik beschik over nuttige vaardigheden, heb een bul. Ik heb het al die jaren voor ons huwelijk op eigen houtje gedaan, en dat zou ik weer kunnen. Kurt betaalt onze rekeningen nu – omdat hij meer verdient en het heerlijk vindt om elke cent te kunnen verantwoorden. Maar ik zou het ook kunnen. Ik weet hoe het moet.

In plaats daarvan schrijf ik 's ochtends en breng ik de rest van de dag door met koken, wassen, afspraken maken, kinderen halen en brengen, boodschappen doen en verjaardagen, vakanties en familiebezoekjes plannen en voorbereiden.

En alleen losers zijn alleen. Het is akelig om het toe te geven – vooral nadat ik Amy heb toegejubeld dat het prima is om alleen te zijn, dat het fantastisch en bevrijdend is – maar niets in me gelooft dat het voor mij oké is om alleen te zijn, dat ik in mijn eentje goed genoeg ben, dat alleen-zijn niet betekent: 'Niemand wil mij hebben!'

Bovendien is het eenzaam om alleen te zijn. Het betekent dat je alles zelf moet doen, dat het niemand iets kan schelen of mijn vliegtuig veilig en op tijd geland is, of dat ik genoeg heb van mijn werk, de president, de toestand in de wereld, of dat mijn eeltknobbel pijn doet.

Dat is ook een van mijn gebreken. Ik heb een eeltknobbel die steekt als ik hoge hakken draag, waardoor ik stijfjes loop. Het ziet er niet uit als ik mank loop, dus dat doe ik niet. Ik loop normaal, zij het met moeite, door mijn bewuste besluit om niet te wankelen of te fronsen, ook al steekt mijn voet en doet mijn rug pijn omdat ik de te ver gekantelde stand van mijn bekken en te grote druk op de bal van mijn voet, op mijn eeltknobbel moet compenseren.

Na een paar drankjes klaag ik er soms over, maar dan wordt hij kwaad.

'Andere vrouwen lopen ook op hoge hakken,' zegt hij. 'Kijk maar in de tijdschriften. Kijk maar op tv. Jij loopt alleen maar te klagen omdat je een feministe bent.'

Daar heb ik niets tegenin te brengen. Ik ben inderdaad een feministe. Ik geloof dat vrouwen net zo belangrijk zijn als mannen, en dat we niet moeten toestaan dat we als objecten behandeld worden.

Ik vind het belachelijk dat vrouwenwerk niet betaald wordt. Dat het feit dat we dingen uit liefde doen betekent dat we er geen geld voor krijgen, en dat geld gelijk staat aan waardering. Vriendinnen discussiëren met me, zeggen dat het niet waar is, maar in onze maatschappij is het wel waar. We kennen belang, waarde, sociale status toe aan de mensen die het meest verdienen. Dat zijn de beste mensen, degenen die in de gunst staan bij de goden.

Wij zijn die mensen. Wij hebben een groot huis, auto's en glimmende sieraden. Ons leven lijkt volmaakt.

We vliegen naar Fort Lauderdale, huren een rode cabriolet en rijden naar het noorden, langs hoge flatgebouwen, promenades vol mensen in T-shirts en uit de kluiten gewassen hotels.

Binnen een halfuur rijden we het kleine toeristische kustplaatsje Lauderdale in, met zijn visrestaurants, zijn pier, zijn ijssalon en winkels die magneten, deurstoppers en presse-papiers in de vorm van schelpen verkopen, evenals strandjurkjes, bikini's, sandaaltjes, zonnebrandcrème, emmertjes, gedroogde zeesterren en toffees. In de middenberm van de hoofdstraat staat een standbeeld van een vlucht zeemeeuwen.

'Kijk daar eens,' zegt Kurt grinnikend als we een groepje mannen en jongens passeren die op het plein in het stadspark aan het basketballen zijn.

We rijden langzaam door.

'Daar is het,' zeg ik.

The Little Inn by the Sea. Diep koraalroze, een lobby van drie verdiepingen hoog, gedomineerd door een continu werkende fontein en met felgekleurde kussens op het meubilair waartussen rekken vol door het vocht omgekrulde paperbacks en tijdschriften staan. Je ruikt nog de geur van de wafels van die ochtend.

Het gebouw heeft de vorm van een hoefijzer waarvan de uiteinden naar het strand gericht zijn. In de kromming van het hoefijzer, beschut tegen de wind, wordt een haast pijnlijk blauw zwembad omringd door bonte bougainville, palmen en kerstverlichting.

De eigenaren zijn Duits en Frans, van elk twee, en ze spreken Engels met een rollende, zangerige tongval.

'Op het dak is een terras waar u topless kunt zonnebaden,' zeggen ze, met duidelijk plezier om de Amerikaanse preutsheid.

Kurt kijkt me gretig aan, en ik glimlach.

We vervallen in een ritme van 's ochtends koffie en een stuk rennen en daarna een boek bij het zwembad voor mij terwijl hij slaapt, vervolgens rum voor mij als ik 's avonds tegen een boom geleund zit toe te kijken terwijl hij basketbalt.

'Pas dit eens aan,' zegt hij.

Hij houdt een zwarte bikini met string omhoog.

Ik schud lachend mijn hoofd.

'Echt niet,' zeg ik.

'Toe nou,' probeert hij me lachend over te halen. 'Dat is leuk.'

We zijn in een van de tientallen toeristische winkeltjes langs het strand. Ze worden allemaal bemand door Pakistaanse meisjes met toffeekleurige ogen en koffie-met-melkkleurige huid, van wie er eentje tussen de rekken naar me toe komt.

'Wilt u deze passen?'

Ik hou de bikini's van mijn keuze omhoog. Ze hangen als slierten rode, paarse en blauwe spaghetti tussen mijn vingers. De vrouw maakt de deur van een multiplex pashokje open. Er hangt een peertje recht boven me en ik sta maar een paar decimeter van de spiegel af.

Ik kleed me tot op mijn ondergoed uit en trek de eerste bikini aan. Het broekje is een Braziliaans model, amper tien centimeter breed, dat veel meer vlees bloot laat dan het bedekt. Ik draai me om zodat ik mijn achterwerk kan zien in de spiegel, en word er niet vrolijk van.

'Laat eens kijken,' zegt Kurt.

'Even wachten,' zeg ik.

Ik stop de randen van mijn ondergoed onder het broekje. Dat leidt tot bobbels en hier en daar nog een randje wit. Dan leg ik mijn borsten in de cups en open de deur op een kiertje.

'Kurt?'

'Hier ben ik.'

'Steek je hoofd even naar binnen.'

Hij doet het. Zijn ogen stralen.

'Die vind ik leuk,' zegt hij.

Ik draai me om en kijk in de spiegel. Mijn cellulitis valt erg op in dit licht, maar ik weet dat het er beter uit zal zien als ik in de zon ga liggen (of Kurts voorbeeld volg en een paar keer onder de zonnebank ga voor we op vakantie gaan). Er zitten echter beugels in het topje en ik heb een hekel aan beugels. Ze voelen helemaal niet prettig aan en maken dat mijn borsten uit het topje puilen. Ik schud mijn hoofd. Hij haalt zijn schouders op.

'Probeer die zwarte eens.'

Ik draai met mijn ogen en hij gaat weg.

De volgende bikini heeft een groter broekje en geen beugels, maar het topje is zo klein dat het lijkt of mijn borsten een kilometer uit elkaar zitten met een grote vlakte ertussen.

'Kurt?'

'Doe gewoon de deur open,' zegt hij.

'Liever niet,' zeg ik. 'Steek je hoofd maar naar binnen.'

Ik open de deur op een kiertje en draai me dan om naar de spiegel. Kurt opent de deur verder en hij en de elegante Pakistaanse kijken me aan.

'Het staat u goed,' zegt de verkoopster.

Kurt straalt.

'Ze heeft gelijk.'

Ik wil mijn handen voor mijn borst houden, maar ik wil ook dat hij op deze manier naar me kijkt, alsof hij nauwelijks van me af kan blijven. Ik zou alles voor deze man doen. Ik schud mijn hoofd, maar moet ook lachen.

'Probeer de zwarte,' zegt hij

Ik probeer ze allemaal en laat mezelf telkens zien aan hem en de verkoopster, die in de buurt blijft om zich ervan te vergewissen dat de rijke blanke toeristen niet naar buiten lopen met een bikini onder hun kleren. Er is een paarse bikini bij die ik mooi vind.

'Het staat u goed,' zegt de verkoopster.

'Laten we deze nemen,' zeg ik.

'Probeer de zwarte,' zegt hij.

'Nemen we de paarse als ik de zwarte aanpas?'

'Probeer de zwarte.'

Er is niets anders meer, dus ik trek de zwarte bikini aan.

'Doe de deur open,' zegt Kurt.

'Steek je hoofd maar naar binnen,' antwoord ik. Ik draai me om zodat ik in de spiegel mijn achterwerk kan bekijken. De aanblik staat me niet aan. Ik ben vijfendertig en hoor geen string meer te dragen. Het maakte niet uit of het stijlvol is of helemaal in de mode, of dat ik er in Europa misschien een zou hebben gedragen zonder erover na te denken. Dit zijn de Verenigde Staten en de enige mensen die strings dragen, pronken met zichzelf en proberen uit te dagen, te verleiden.

Kurt kijkt door een spleetje en gooit de deur dan helemaal open.

'Draai je om,' zegt hij.

Ik draai me om.

'Wauw,' zegt hij.

'Het staat u goed,' zegt de verkoopster weer.

Onze seksuele midlife-voorkeuren vervelen haar en ze blijft alleen om erover te waken dat we niets stelen, om de klanten te vertellen wat ze willen horen. Ik kijk van haar naar Kurt, die me aankijkt met een onweerstaanbare mengeling van liefde en lust.

'Je bent een lekker ding,' zegt hij.

Ik steek mijn tong uit en trek de deur dicht.

'Ik ga voor de paarse,' zeg ik als ik het pashokje uit kom.

'Ach, laten we de zwarte ook kopen,' zegt hij.

Hij glimlacht naar me, zijn ogen twinkelen. Er ligt een belofte in die ogen. We kopen beide.

In de volgende winkel pas ik strandjurkjes. Wuivend batik, strak rayon, stretchjurkjes zo kort dat je bijna mijn slipje kunt zien.

'Ik vind deze mooi,' zeg ik, ronddraaiend in een ruim jurkje in A-lijn met spaghettibandjes.

Ik voel me wild en vrij en probeer te zijn zoals hij wil dat ik ben. We kopen echter een paar plateausandalen en een strak jurkje dat volgens hem het blauw van mijn ogen prachtig doet uitkomen.

Terug in het hotel geeft hij me de jurk, de schoenen en de zwarte bikini. Ik ga de badkamer in en trek de bikini aan. Ik kijk in de spiegel. Van boven is het erg flatterend, met net zoveel opwaartse druk dat ik er normaal uitzie, dat het lijkt of mijn borsten puur natuur zijn. Door het hoog uitgesneden broekje lijken mijn benen ook langer, maar ik krimp ineen als ik me omdraai om het van achteren te bekijken. Ziet hij de putjes dan niet? Mijn god. Ik trek de jurk aan en ga terug naar de kamer.

'Je bent vreselijk sexy,' zegt hij, en hij trekt me naar zich toe.

Ik trek de string uit mijn bilspleet.

'Dit is belachelijk,' zeg ik.

'Waarom is het belachelijk?'

'Omdat ik dat ding niet in het openbaar ga aantrekken.'

'Waarom niet? Je ziet er fantastisch uit. Je werkt hard om er zo fantastisch uit te zien. Dus dat mag je best laten zien. En bovendien kent niemand ons hier,' zegt hij, 'en ik vind het mooi.'

Ik ben gevleid dat hij me zo graag ziet. En zo samen met hem in deze kamer vind ik het prima. De kleren winden hem op, en daardoor voel ik me begeerlijk, dus in zekere zin winden de kleren mij ook op. Ook al geven ze me het gevoel dat ik een stuk rauw vlees in een stripverhaal ben voor een kwijlende wolf met een mes in de ene en een vork in de andere hand. Ik schuifel wat heen en weer.

'Trek je jurk uit.'

Ik trek mijn jurk uit, adem diep in en wil de sandalen uitschoppen.

'Hou ze aan,' zegt hij.

'Laten we naar het strand gaan,' zeg ik later.

Ik pak de paarse bikini en trek de kaartjes eraf.

'Die niet,' zegt hij. Zijn rugspieren lijken over elkaar te rollen als hij zijn hand uitsteekt en de string van de vloer opraapt.

'Je houdt me voor de gek,' zeg ik.

'Kom op,' zegt hij. 'Doe niet zo gespannen. Je zei dat je op deze vakantie alleen maar lol zou maken.'

'Ik vind het niet lollig om mijn reet aan iedereen te laten zien,' zeg ik, al moet ik wel lachen.

'Je hebt een prachtige reet,' zegt hij. 'En dat ding staat je fantastisch.'

Hij steekt zijn hand uit. Ik pak de bikini niet aan. Hij brengt zijn hand dichterbij en ik laat me vermurwen.

Op het strand aangekomen ga ik op mijn handdoek zitten, met mijn korte broek nog aan.

'Zullen we een stukje gaan lopen?' vraagt hij.

Ik kijk naar hem op. Jezus. Hij steekt zijn hand naar me uit en ik sta op. Hij wacht.

'Doe je die korte broek niet uit?'

Ik zucht, doe de rits open, pel de broek over mijn benen omlaag en voel de wind, de zon en naar mijn idee wel duizend ogen op mijn achterwerk.

We lopen over het strand. Ik kijk recht voor me uit of naar het water. Kurt kijkt om zich heen, vergelijkt ons met de mensen die we tegenkomen.

Ik zie een vrouw in onze richting aan komen lopen.

'Zie ik er beter uit dan zij?' vraag ik.

'Veel beter,' zegt hij.

'En zij?'

'Hoe oud is ze, vijftien?'

Dus ik zie er niet beter uit dan zij, en dat steekt me.

'Staren de mensen me aan?' vraag ik.

Hij kijkt om zich heen.

'Ik hoop het,' zegt hij met een trotse en bezitterige blik in zijn ogen.

Hij gaat een paar passen achter me lopen. Ik probeer met waardigheid te lopen, maar weet dat hij openlijk naar me lonkt.

'Laat dat alsjeblieft,' zeg ik.

'Ik kijk alleen maar,' zegt hij. 'Ben je niet blij dat ik je lijf mooi vind?'

Hij komt weer naast me lopen en glimlacht. Ik ga dichter bij hem lopen. Hij is de meest seksueel onweerstaanbare man die ik ken. Het is alsof hij zijn eigen krachtveld heeft en zodra ik maar in zijn buurt kom, word ik daar in getrokken. Hij straalt dat nu uit, bewust of onbewust, en hoewel ik me vernederd voel omdat ik zo rondloop, wil ik toch dat hij naar me verlangt.

Hij neemt me in zijn armen en houdt me vast, streelt met zijn handen over mijn rug, laat ze omlaag glijden naar mijn nog witte, blote billen en trekt me tegen zich aan, mijn bekken tegen zijn bekken.

Kinderen spelen in de golven of rennen met emmertjes voorbij. Een oude man kijkt naar ons en wendt zijn blik af. Een vrouw kijkt boos.

'Hou op,' zeg ik. 'Laat me los.'

'Wat,' zegt hij, 'mag een man zijn vrouw niet eens meer omhelzen?'

Ik probeer Amy erover te vertellen, maar het ligt gevoelig. Ze is de afgelopen jaren aangekomen tot zo'n honderdvijftien kilo, en heeft moeite om leuke kleren te vinden.

'Het was gênant,' zeg ik. 'Ik kon zelf niet eens geloven dat ik het deed.'

'Waarom deed je het dan?'

'Ik weet het niet. Ik denk omdat hij het zo graag wilde, ken je dat? En door zijn verlangen voelde ik me sexy.'

'Jij bent toch wel sexy,' zegt ze.

'Dank je, maar jij bent mijn zus.'

Ze lacht.

'Ik zou het niet doen,' zegt ze, en dan grinnikt ze. 'In elk geval niet in het openbaar.'

Ik zwijg.

'Wat ik niet begrijp is waarom hij wil dat ik er zo uitzie.'

'Zo zijn mannen nou eenmaal,' zegt ze. 'Die zijn visueel ingesteld. Ik weet niet of het iets biologisch of iets cultureels is, maar het is wel zo. En trouwens,' zegt ze, 'je hebt een prachtig lijf.'

Ik lach, maar ik wou toch dat het voldoende was om alleen thuis sexy te zijn.

'Raad eens,' zegt ze. 'Ik ga een opleiding therapeutische massage volgen.'

'Wat ga je doen?'

Hoewel Amy colleges heeft gevolgd, heeft ze geen graad gehaald.

'Ik word al een poos gemasseerd door een heel sexy latino – hij komt bij mij aan huis – en ik heb besloten dat ik dat ook wil doen.'

Ik kreun inwendig bij de gedachte aan Amy die over een massagetafel gebogen staat. Ik weet gewoon dat bepaalde delen van haar lichaam het lichaam van de andere persoon zullen raken. Het kan niet anders of haar gewicht zal haar in de weg zitten. En zoals ik het me herinner zijn haar handen klein en fijn.

'Komt hij bij je thuis?'

'Een keer per maand. Hij brengt zijn eigen tafel mee en geeft me een langdurige, heerlijke massage. Afgelopen week heb ik hem eindelijk zo ver gekregen dat hij me kuste.'

'Heeft je masseur je gekust? Is dat niet tegen de regels?'

'Het vergde wel wat overredingskracht, maar ja. En het was lekker ook.'

'Oké.'

Ik schaam me tegenover haar als ik me voorstel hoe het gegaan is.

'Het betaalt goed, je maakt er mensen blij mee en het is leuk. De lessen beginnen volgende maand.'

'Wauw. Geweldig.'

Ik weet niet wat ik anders moet zeggen. Als zij dit wil doen, wens ik haar alle succes. Toch kan ik me niet voorstellen dat zij een grote tafel in en uit de auto sjort of bij iemand de trap naar de voordeur op sleept. Ik kan me niet voorstellen dat ze daar sterk genoeg voor is. Ze zou wel goed zijn in het mentale gedeelte. Ze kan sereen en vrijgevig, kalm en geconcentreerd zijn.

Ze nodigt ons uit voor de diploma-uitreiking.

'Dragen jullie een toga en baret, of lopen jullie gewoon naakt het podium op?'

'Heel grappig,' zegt ze. 'Kom je?'

'Natuurlijk kom ik. Ik zou het niet willen missen.'

We vliegen naar Atlanta en rijden naar de school, waar Amy met zeven of acht andere geslaagden op een podium staat in een vertrek zo groot als de congresruimte in een hotel. Familie en vrienden zitten verspreid op de klapstoelen voor het podium. Bij elke naam die wordt genoemd, houdt de directeur een kort toespraakje over de kracht en bijzondere eigenschappen van die persoon. De mensen applaudisseren beleefd.

Dan noemt hij Amy's naam. We staan op van onze stoelen, één grote juichende menigte. Ze komt lachend naar de microfoon. 'Dat,' zegt ze stralend, 'is nou mijn familie.'

Een jaar later pas ik weer bikini's. Ik heb daar een hekel aan. Ik ken geen enkele vrouw die er geen hekel aan heeft om badkleding te passen. Zoals gewoonlijk komt het licht recht van boven en wordt elke oneffenheid erdoor versterkt. Om nog maar te zwijgen van mijn borst. God, het ziet er afschuwelijk uit. Een volwassen man zou zijn hand er plat tussen kunnen leggen. Het is belachelijk. Als ik zelfs maar met mijn armen beweeg, springen mijn borsten heen en weer en raken ze misvormd, ook al is mijn borstvergroting al zes jaar geleden en doe ik in de sportschool nauwelijks nog borstspieroefeningen. Ik verwacht steeds dat de spieren zullen verzwakken doordat ik ze niet gebruik, maar dat gebeurt niet. Ik vind het vreselijk om kleren te kopen die mijn borst bedekken. Ik vind het vreselijk om kleren te dragen die mijn borst niet bedekken. Ik heb een hekel aan het gevoel dat mensen slechts uit beleefdheid niet naar me staren.

Ik zucht. In de bikini's die Kurt wil dat ik draag zie je dat grote stuk vlakke huid over bot. Er zit geen vet onder en er zitten geen spieren onder. Je ziet het bot zitten. Ik geef de voorkeur aan badkleding die je niet uit je spleet hoeft te trekken of aan de voorkant steeds omhoog hoeft te hijsen. Badkleding die je kunt dragen zonder erbij na te hoeven denken.

Maar mijn bikini is niet voor mezelf. Die is voor Kurt.

'Ik vind dit vreselijk,' zeg ik tegen hem als ik weer het pashokje uit kom.

'Waarom?'

'Ik vind het gewoon afschuwelijk dat mijn borsten er zo nep uitzien.'

Hij zucht. We hebben het hier vaker over gehad.

'Denk je dat er iets aan gedaan kan worden?'

'We kunnen wel informeren.'

Deze keer doe ik research. Ik moet iemand hebben die goed is, die goed staat aangeschreven, maar ik zoek niet binnen een afstand van honderdvijftig kilometer.

Deze keer luistert de chirurg geduldig naar mijn klacht. 'Oké,' zegt hij. 'Laat me eens kijken.'

Ik kan wel huilen als ik het ziekenhuishemd opendoe. Hij en zijn verpleegster kijken kritisch naar mijn borsten, lopen om me heen om ze van alle kanten te bekijken en te beoordelen.

'Oké, laat me nu eens zien wat u bedoelt als u zegt dat ze naar buiten springen.'

Ik kijk naar Kurt, en die knikt.

Ik kan wel janken, maar ik leg mijn handpalmen tegen elkaar en duw ze naar elkaar toe. Mijn borsten doen wat ze altijd doen, ze springen, uitgerekt en puntig als meringues, in de richting van mijn oksels.

De dokter knippert met zijn ogen.

'Wauw,' zegt hij.

Zijn verpleegster draait zich om en rommelt wat aan de balie.

'Oké,' zegt de dokter. 'Jeetje.'

Hij krabt op zijn hoofd.

'Zoiets heb ik nog nooit gezien,' zegt hij. 'Vindt u het erg als we wat foto's maken?'

Met inmiddels de tranen in mijn ogen schud ik mijn hoofd.

De verpleegster geeft hem een polaroidcamera.

'Duw uw handen nog eens tegen elkaar,' zegt hij.

De camera flitst. Het is vernederend, alsof er politiefoto's van me worden gemaakt, maar dan zonder hoofd. Hij maakt diverse foto's en zegt dan dat ik me kan aankleden. We praten wel verder in zijn spreekkamer.

'Ik weet niet hoeveel ik kan bereiken,' zegt de dokter. 'Ik kan een injectie toepassen om de zenuwen te doden die de spieren voeden, en dat zal waarschijnlijk wel helpen, maar dan kunt u die spieren nergens meer voor gebruiken. Uw andere spieren zullen dat waarschijnlijk enigszins compenseren, maar u zult aanmerkelijk zwakker zijn. Of ik kan proberen de borstspieren los te maken van de huid. Ik kan echter niet garanderen dat het lukt, want om de een of andere reden zijn ze niet weer vastgemaakt aan uw borstbeen, en ik zie niet in hoe ik dat nu nog zou kunnen doen. Een andere optie is grotere implantaten plaatsen en kijken of die de ruimte zullen opvullen.'

Ik kijk Kurt aan. Geen van de opties spreekt me aan. Ik heb nu al een c-cup, en dat ziet er belachelijk uit bij mijn tengere postuur.

'Kunt u proberen de spieren los te maken?'

'Dat kan ik inderdaad proberen.'

'Dat heb ik liever dan dat u ze nog groter maakt.'

'Dat begrijp ik.'

Ik knik.

We maken een afspraak voor de operatie over enkele weken in een dagbehandelingscentrum drie uur van huis.

Ik lig op het bed, mijn hoofd omhoog, mijn lichaam in het verbleekt-blauwe ziekenhuishemd, mijn geest ontspannen door datgene wat ze in mijn infuus hebben gespoten om me rustiger te maken. Kurt staat naast me en houdt de hand zonder infuusnaald vast.

'U moet dit even tekenen,' zegt iemand. 'Het is een formulier waarmee u de dokter toestemming geeft voor de operatie.'

De verpleegster houdt een klembord voor me omhoog.

Het formulier is te lang om te lezen. De lettertjes zijn te klein.

'Wat staat erin?'

'Dat u de dokter toestemming geeft om u te opereren,' zegt de verpleegster.

Ik vertrouw de chirurg. Hij is rustig en geruststellend. Hij wil alleen het beste voor mij.

Ik teken.

Wanneer ik bijkom, zit mijn borst in het verband en hangt Kurt weer om me heen.

'Wat is er gebeurd?'

Ik kijk omlaag. Hij houdt mijn hand vast. Mijn borst voelt zwaar aan. Te zwaar om adem te kunnen halen. Alsof mijn longen vol beton zijn gestort.

'Hij heeft een paar van de spieren los kunnen maken,' zegt Kurt.

'Was het daarmee opgelost?'

Ik zak weer weg zonder zijn antwoord te hebben gehoord.

Wanneer ik weer wakker word, zit hij er nog en houdt hij nog steeds mijn hand vast.

Ik ben suf, maar gelukkig niet zo misselijk als na de vorige operatie.

'Heeft hij het probleem opgelost?'

Hij glimlacht. Er verschijnen rimpeltjes rond zijn ogen. Hij is blij dat hij me ziet.

Hij duwt mijn haren van mijn voorhoofd weg.

'De beste oplossing was grotere implantaten laten plaatsen,' zegt hij. 'Om de ruimte op te vullen.'

Ik zak weg.

Wanneer ik mijn ogen weer open doe, is hij er nog.

'Je hebt ze groter laten maken?'

Hij knikt glimlachend.

Ik probeer overeind te komen. Mijn borst is loodzwaar. Het trekt aan mijn huid, mijn ribben, mijn sleutelbeenderen. Mijn borst klopt en brandt en het lijkt wel of er een gewicht op ligt.

Ik moet mijn longen schoonmaken, maar ik durf niet te hoesten. Ik ben bang dat de hechtingen dan los trekken, dat ik zal ontploffen. Ik schraap dus alleen mijn keel, maar zelfs dat doet pijn. Ik glimlach.

'Ik vind dit gedeelte vreselijk,' zeg ik.

Hij woelt door mijn haar.

'Ik weet het,' zegt hij.

Hij kust me. Ik heb een vieze smaak in mijn mond, en wend mijn hoofd af.

'Sorry,' zeg ik.

Weer brengen we de nacht in een hotel door. Weer wil hij kijken. Weer walg ik van de zwelling en van mijn belachelijk grote borsten. Maar deze keer geneest het wel snel.

Binnen enkele weken sta ik weer in de sportschool om aerobics te geven. Ik voel me verlegen voor de spiegel en tegenover mijn leerlingen, verzin een of ander slap excuus voor mijn afwezigheid en hoop maar dat niemand zal vragen waarom ik uit mijn topje puil.

'Je verpest altijd alles. Iedere keer als ik iets leuks voor je doe, dan verknal je het.'

Zijn aderen in zijn nek zijn opgezet. We zitten in zijn kantoortje. Het is de week na mijn verjaardag en Kerstmis nadert. Ik heb een bonnetje van zijn eng nette bureau opgepakt. Het is van Wilson's, het fitnesscentrum.

'Zetten we ons lidmaatschap op de kaart?' vraag ik

Hij regelt onze geldzaken en ik weet niet of we ons abonnementsgeld per jaar betalen of door middel van automatische incasso of met creditcard. Ik was eigenlijk alleen maar nieuwsgierig, maar nu staat hij tegen me te schreeuwen.

'Ik probeer iets leuks voor je te regelen voor Kerstmis en jij verziekt het weer!' schreeuwt hij. Daarna gaat zijn stem weer omlaag. 'Vergeet het maar. Vergeet heel Kerstmis maar.'

'Maar ik heb helemaal niets gezien,' protesteer ik, 'alleen maar een naam, oké?'

Maar het is niet oké. Hij is razend, en ik heb geen idee waarom. Ik weet dat ik iets verpest heb. Ik weet alleen niet wat.

Pas op kerstochtend open ik de doos van Wilson's – niet het fitnescentrum maar een lederwinkel – en pak ik een boterzachte leren jas uit.

'Om dat lelijke bomberjack te vervangen,' zegt hij. Het bomberjack was een cadeautje van mijn broers en zussen voor mijn afstuderen. Het is veel te groot en lekker comfortabel, hoewel ik weet dat ik er kort en dik uitzie als ik het aanheb. Mijn nieuwe jas sluit nauw en volgt mijn taille. Hierin zie ik er welgevormd en dun uit.

Hij fronst naar me terwijl ik het aantrek. 'Jammer dat je de verrassing verpest heb.'

Ik laat mijn hoofd hangen. Hij doet iets bijzonders voor me en ik verziek het weer.

16

'Wat zou je ervan vinden als we een baby kregen?'
De kinderen zijn dertien en elf en zijn inmiddels meer op hun vrienden gericht dan op ons. Kurt strijkt met zijn vingers over de zijkant van mijn gezicht. 'Als ouders zijn we wel altijd heel goed geweest,' zegt hij. De realiteit is dat het niet goed gaat met ons huwelijk. We snauwen. We treiteren. We wenden ons van elkaar af. We raken onze band kwijt. Een baby zou ons weer met elkaar verbinden. We praten er weken over. De ene dag vind ik het een geweldig idee. De volgende benauwt het me dat ik nooit meer een dag voor mezelf zal hebben. Nu hebben we de kinderen maar om de week, dus hebben we tijd genoeg voor onszelf. We reizen. We lezen. We bedrijven 's middags de liefde. Als we een baby hebben, kan dat allemaal niet meer. We zijn echter al ouders zolang we bij elkaar zijn. Dat kenmerkt ons. Dat is wie we zijn, en nu zijn de kinderen bijna groot.

'Laten we het doen,' zeg ik. 'Laten we samen een kindje krijgen.'

Ik bel Amy.
'Ik krijg een baby,' zeg ik.
'Wat?'
'We gaan het proberen, bedoel ik.'
'Wauw,' zegt ze. 'Weet je het zeker?'
'Natuurlijk niet,' zeg ik, 'maar voor wie geldt dat wel?'

We proberen het meer dan een jaar; op eigen houtje en met vruchtbaarheidsbehandelingen. Elke middag om drie uur open ik flesjes en zet ze op een rijtje op het aanrecht. Ik zuig een zoutoplossing in een injectiespuit en spuit die dan in een flesje met poeder. Ik draai me voor de spiegel om zodat ik mijn achterwerk kan zien en steek de naald diep in mijn bilspieren.

Ik zit urenlang in wachtkamers, lig minutenlang in voetbeugels. Ik haast me naar de kliniek met potjes sperma en ga uren later weer terug om het in mijn eileiders te laten inspuiten. Ik wordt geopereerd om vleesbomen weg te halen. Kurt en ik hebben seks; mechanisch en volgens schema. We doen alsof we het leuk vinden.

Ik voel me terneergeslagen, telkens als ik bloed op het toiletpapier zie.

Op een dag belt mijn vriendin Vickie.

'Zouden jullie willen adopteren?'

'Weet ik niet,' zeg ik. 'Even aan Kurt vragen.'

Ik leg mijn hand over de hoorn.

'Schat, zouden we willen adopteren?'

'Natuurlijk,' zegt Kurt.

'Natuurlijk,' zeg ik tegen Vickie.

Ze slaakt een gilletje.

Ze heeft een vriendin die particuliere adopties doet, en er is misschien binnenkort een baby beschikbaar. De daaropvolgende uren verzamel ik foto's en schrijf ik een adoptieportfolio. Dat sturen we naar de biologische ouders. Dan volgen bloedonderzoeken, onderzoek naar een eventueel crimineel verleden, thuisbezoeken.

'Ben je zo'n kreng door de medicijnen,' vraagt Kurt, 'of is dit gewoon hoe je eigenlijk bent?'

'Ik ben geen kreng,' zeg ik. Ik stamp weg en smijt de deur dicht. De volgende dag spreek ik een vriendin die ook vruchtbaarheidsbehandelingen heeft ondergaan.

'Ik was een vreselijk kreng!' zegt ze. 'Het verbaast me dat mijn huwelijk het heeft overleefd.'

Twee maanden later belt de advocate.

'Gefeliciteerd,' zegt ze. 'U bent moeder.'

Ik schreeuw het uit.

Dat jaar, in december, word ik veertig, maar mijn kinderen en mijn echtgenoot zeggen er niets over. De kinderen lijken op hete kolen te zitten, maar brengen me geen ontbijt op bed, zelfgemaakte kaarten of met heel veel plakband ingepakte cadeautjes, zoals bij ons traditie is.

Ik weet echter dat ze iets voor me in petto hebben, want ik hoor gefluister en gegiechel achter zorgvuldig gesloten deuren. Tegen etenstijd stappen we in de auto.

'Waar wil je gaan eten?'

'Hm...' zeg ik.

De kinderen zijn netjes aangekleed, en de kleren die voor mij klaar waren gelegd zijn bedoeld voor bijzondere gelegenheden: een korte rok, een korte legging, een kanten truitje. Kurt opent het portier voor me en streelt mijn dijbeen wanneer ik instap.

'Wat vind je van The Pasta Factory?' zegt Claire.

'Hm...' zeg ik. 'Als jullie Italiaans willen, waarom gaan we dan niet naar Olive Garden? Ik vind hun salades erg lekker.'

Kurt kijkt me lelijk aan. Ik heb het verkeerde antwoord gegeven. 'Waarom niet The Pasta Factory?' zegt hij. 'Je vindt de Pasta Factory altijd geweldig.'

'Maar ik vind de salades van Olive Garden beter, en de kinderen zijn dol op hun gehaktballen.'

De kinderen blijven even stil en beginnen dan om The Pasta Factory te roepen.

Ik kijk Kurt aan. Hij kijkt stuurs. Ik word geacht voor The Pasta Factory te kiezen, al heb ik geen idee waarom.

'Aan de andere kant,' zeg ik, 'hebben ze bij The Pasta Factory weer betere aubergine-parmezano...' Ik zwijg even om de spanning te laten opbouwen. 'Oké,' zeg ik, 'laten we naar The Pasta Factory gaan.'

De kinderen juichen.

We zingen tijdens de rit mee met de kerstmuziek op de radio. Broadway is versierd met gekleurde lampjes, de winkelpuien met witte lampjes, kransen, kerstbomen en maquettes van de speelgoedfabriek van de Kerstman. Ik leun naar achteren en doe mijn ogen dicht.

Het restaurant staat in een wijk die onlangs is opgeknapt na een sterk verval in de jaren 80, toen tijdens het bezoek van president Reagan de Kamer van Koophandel vlaggetjes moest ophangen en paviljoens en tribunes opstellen om de vele borden met 'Gesloten wegens bedrijfsbeëindiging' in de straat te verbergen. Nu hebben de eigenaren het merendeel van de detailhandel naar het winkelcentrum verplaatst en vervangen door koffiebars, buitenlandse restaurantjes en een goede bioscoop. De zaken lopen goed, maar dat houdt in dat er geen parkeerplaats te vinden is in de buurt van het restaurant, dus Kurt zet de kinderen en mij voor de deur af en rijdt door om ergens te parkeren. Ik draag Sarah en Claire loopt vooruit. Ze staat tegen de gastvrouw te fluisteren als ik binnenkom. Ze draaien zich allebei om en proberen hun glimlach te verhullen als ze naar me kijken.

'Hierheen,' zegt de gastvrouw.

Ik zet de baby in een kinderstoel en zet haar vast, ga dan zelf zitten en praat met de kinderen terwijl we op Kurt wachten. De gastvrouw geeft ons de menu's. Mikey opent het zijne en slaat het dan met een schuldige blik weer dicht. Ik doe alsof ik het niet merk. Kurt komt binnen en Mikey opent zijn menu en laat het hem zien.

'Die mevrouw heeft me de verkeerde gegeven,' fluistert hij, zo luid dat ik het kan horen.

'Nou nog mooier!' zegt Kurt. Hij trekt het menu uit Mickeys hand en legt het met een klap voor mij op tafel. 'Hier,' zei hij, 'dit was voor jou bedoeld.'

Mikey zakt onderuit op zijn stoel en Claire begint te huilen.

Ik plak een glimlach op mijn gezicht. Mijn schoonmoeder deed precies hetzelfde, glimlachen wanneer ze eigenlijk zou willen snikken of terugvechten, en ik vond dat vreselijk. Ik heb gezworen dat ik nooit hetzelfde zou doen.

Vroeg in ons huwelijk heb ik eens gezegd: 'Je moeder belazert je. Ze doet alsof alles de hele tijd goed en gezellig is, maar dat is het niet. Hoe kun je nou je eigen observaties leren vertrouwen als iemand constant de waarheid bedekt met leugens?'

Maar nu gedraag ik me net als zij, ik doe alsof ik gelukkig ben, maar vanbinnen ben ik bang.

Ik open de menukaart. Onder het 'menu van de dag' zit een reisbeschrijving. Australië, Fiji. Vertrek over drie dagen.

Ik ben verrast. Ik probeer mijn gezicht in de plooi te brengen. Sarah is acht maanden. Hoe krijg ik voldoende spullen voor haar mee? Hoe krijg ik op tijd alles voorbereid voor de acht mensen die nog geen vierentwintig uur na onze geplande terugkeer arriveren om de feestdagen bij ons door te brengen? Dat krijg ik onmogelijk voor elkaar. Kom op, denk ik dan. Die dingen regelen zichzelf wel. Wees opgetogen. Geniet.

Ik kijk op en glimlach. 'Wauw!' zeg ik. 'Jeetjemina!'

'Je vindt het niks,' zegt hij. 'We kunnen net zo goed niet meer gaan.'

'Nee, het is fantastisch,' zeg ik. 'Ik probeer alleen te bedenken hoe we alles in drie dagen klaar kunnen krijgen voor het vertrek, dat is alles.'

'Denk je daaraan? De meeste vrouwen zouden uit hun dak gaan over een vakantie als deze, en jij maakt je er druk over of je wel op tijd je koffers kunt inpakken? Jij wilt gewoon niet gelukkig zijn.'

De kinderen huilen.

De serveerster komt. Ze doet alsof ze de betraande gezichten van de kinderen niet ziet.

'Wat kan ik voor jullie betekenen?' vraagt ze.

Ik kijk naar het menu. '*Parmigiana di melanzane*, alstublieft,' zeg ik, 'en een klein schaaltje spaghetti voor de baby.'

De rest van het gezin bestelt. Als de serveerster wegloopt, kijken we omlaag naar onze handen, spelen we met ons bestek, zeggen we iets over de antiek uitziende ventilatoren en doen we alles behalve elkaar aankijken.

De kinderen geven me hun cadeautjes en ik reageer heel blij, ook al weet ik dat de kinderen en ik moeite moeten doen om niet te huilen.

Ik zou het liefst mijn hoofd op de tafel leggen en mijn ogen dichtdoen. In plaats daarvan haal ik de kinderen over vrolijk te zijn. We maken grapjes, we lachen, we zien er gelukkig uit. Ik vraag ze wat voor hen het mooiste deel van die dag is geweest. Ik vraag ze niet naar het slechtste, hoewel dat onze traditie is, want ik geloof niet dat we daaraan herinnerd hoeven te worden. Als ze ergere momenten hebben gekend dan die aan deze tafel, wil ik het niet weten.

Mijn man speelt het spelletje mee, maar ik voel dat hij ziedt, ik voel zijn onderliggende woede. Als we elkaar aankijken, kan ik zien dat hij kwaad is.

De serveerster komt onze borden weghalen en Kurt geeft haar een teken. De kinderen zitten vol verwachting te wiebelen op hun stoel. Ze loopt weg en komt even later terug met een verjaardagstaart met brandende kaarsjes erop. De kinderen en Kurt beginnen te zingen: '*Happy birthday to you...*'

Ik kijk Kurt aan met tranen in mijn ogen. Hij heeft de taart gebakken bij een vriend van hem, hem toen hierheen gebracht en de manager zo ver gekregen dat hij hem hier mocht verstoppen. Hij is de hele dag bezig geweest om mij een bijzondere avond te bezorgen, en ik heb het verpest.

Drie dagen later vertrekken we naar Australië, waar Sarah 's nachts klaarwakker, druk en vrolijk is en wil spelen, en overdag zwaar en zwetend in onze armen hangt, terwijl wij tussen de andere vakantiegangers lopen. We zijn kriegel en prikkelbaar omdat ons slaappatroon is verstoord, en we ruziën over wie er wakker moet blijven om met haar te spelen.

Tegen de tijd dat we in Fiji aankomen heeft ze zich aangepast en is ze weer zo opgewekt als altijd. Tijdens het eten tillen de eilandbewoners haar uit haar kinderstoel. Ze steken hibiscusbloemen achter haar oor en dansen met haar op de muziek van de ukelelekwartetten.

Dagen na onze thuiskomst leef ik nog steeds op Fiji-tijd, ploeter ik me door de voorbereidingen voor Kerstmis heen en doe ik nu en dan een dutje in een poging weer te acclimatiseren.

'Wat denk je dat dit is?'

Amy houdt haar hoofd schuin en tikt tegen een bult in haar hals. Ik leg mijn vingers erop. De bult is zo groot als een pingpongbal.

Het is Kerstmis en bijna de hele familie is naar Missouri gekomen om het te vieren.

'Ik weet het niet,' zeg ik. 'Ben je verkouden?'

Ze schudt haar hoofd.

Kurt zet zijn doktersgezicht op en betast de bult.

'Ik zou het laten onderzoeken,' zegt hij. 'Het is waarschijnlijk niets, maar het is de moeite waard om ernaar te laten kijken.'

Tijdens het pokeren zie ik dat ze er met een afwezige blik in haar ogen aan voelt, hoewel ze triomfantelijk lacht en haar kaarten op tafel gooit als ze wint. Zij en Sarah bouwen torens van stapelbekers en lachen als ze die weer omgooien. Ze fluistert en giechelt met Claire en Jenelle, haar tienernichtjes. Ze zingt vrolijk mee met de kerstliedjes en heeft Kurts leunstoel ingepikt, waarin ze zit te glimlachen en aan de bult in haar hals voelt.

Het is voor het eerst in drieëntwintig jaar dat al mams kinderen met Kerstmis bij elkaar zijn, ten dele omdat Jane in Montana woont en zelden terugkomt, en dan nog alleen in de zomer. Maar nu is ze wel gekomen en ze heeft haar twee kinderen meegebracht. Ons cadeau aan mam wordt een familieportret, dus de jongste twee krijgen de opdracht een familie van poppetjes te tekenen: vijf volwassen kinderen, vier echtgenoten en zes kleinkinderen. Ze plakken er kraaltjes op als ogen, stoppen de tekening in een lijstje en pakken hem in.

Het is familietraditie om symbolen te maken voor geschenken die niet kunnen worden ingepakt, een traditie die Kurt en ik nog hebben aangedikt. Ik heb een keer een beeldje van een skiënde kerstman ingepakt, dat een skivakantie symboliseerde. Een ander jaar maakte hij voor mij een miniatuur-passpiegel van ijslollystokjes en aluminiumfolie, en liet hij mij de levensgrote spiegel zelf uitkiezen.

Mam huilt als ze de tekening uitpakt en wij lachen. Mam huilt altijd. Met Kerstmis, bij bruiloften en diploma-uitreikingen en tijdens optochten.

We realiseren ons op dat moment niet dat het ons laatste familieportret zal worden.

Op een avond onderbreek ik het pokerspel om een nieuwe familietraditie voor te stellen.

'Laten we allemaal onze voorspellingen voor het komende jaar opschrijven. Dan kunnen we ze volgend jaar openen om te kijken welke we goed hadden.'

'Mam en Amy vinden dit jaar allebei romantiek,' schrijft Amy. 'Claire en Jenelle blijven goede vriendinnen en vertellen elkaar geheimen!'

Aan het eind van Amy's verblijf omhels ik haar.

'Laat me weten hoe het met die bult zit,' zeg ik.

'Natuurlijk,' zegt ze. Ze glimlacht. 'Het zal wel niets zijn.'

Een paar weken later krijgt ze de resultaten van de biopsie te horen. Het is niet niets. Het is kanker.

'Wat?' zeg ik in de telefoon.

'Kanker,' zegt ze weer.

'Wat voor soort kanker?'

De ziekte van hodgkin,' zegt ze. 'Kanker in het lymfestelsel.'

'Wauw.'

'Het is de beste soort,' zegt ze. 'De genezingskans is 80 procent.'

Ik probeer te bedenken wat ik kan zeggen. Afgelopen voorjaar heeft Amy haar propedeuse gehaald, summa cum laude. Alles in haar leven zit in een stijgende lijn. En nu dit.

'Dat is goed. Neem ik aan.'

'Ik heb meer geluk dan anderen,' zegt ze. Haar stem beeft niet eens.

'Je hoeft niet zo dapper te zijn, hoor.'

Ze lacht.

'Dat ben ik niet,' zegt ze. 'Ik doe alsof.'

Een paar dagen later heeft ze een afspraak met de oncologe, die zegt dat ze onmiddellijk moet beginnen met chemotherapie. 'We doen twee rondes,' zegt ze, 'en daarna als het nodig is bestraling.'

'Zijn er geen andere opties?' vraagt Amy.

'Nee,' zegt de dokter. 'We beginnen over drie dagen en we volgen deze therapie.'

'Ik ben er nog niet klaar voor,' zegt Amy. 'Ik wil een second opinion.'

De dokter reageert geïrriteerd.

'Ze behandelde me als een idioot,' zegt Amy aan de telefoon tegen me. 'Maar het is míjn lichaam.'

Ze vindt een andere arts, die een andere behandelingsmethode voorstelt: zes weken lang vijf dagen per week bestralen.

Daar tekent Amy voor.

Binnen een week staan er kleine blauwe kruisjes op haar hals en schouder getatoeëerd, schatkaartkruisjes die de exacte plaats aangeven voor de celdodende en levensreddende bestralingsstralen. 'Hier graven,' zeggen de tatoeages, 'maar wel een klein gaatje.' Subtiel. Als concentratiekamptatoeages zullen ze haar voor altijd kenmerken als een overlever.

'Ik hou van je,' zegt ze.

Ze belt ons allemaal om het ons nog een keer te vertellen.

'Dat weet ik,' zeg ik. 'Ik hou ook van jou.'

Ik huil als ik de hoorn opleg, ook al weet ik dat het hodgkin is en dat ze het waarschijnlijk zal overleven. Maar dan nog, ze is mijn kleine zusje, en ze heeft kanker.

Ze belt ook pap, na een stilte van zeven jaar.

'Hoi,' zegt ze, 'met Amy. Ik heb kanker.'

Ze ontmoeten elkaar op een kampeerterrein, Amy, pap en zijn nieuwe vrouw. Een weekend om bij te praten, voor het geval dat. 'Het was oké,' zegt ze. 'Ik zou het niet te vaak willen doen, maar ik ben blij dat ik dat allemaal heb losgelaten.'

Ik weet wat ze met 'dat allemaal' bedoelt. Dat denk ik althans.

We gaan om beurten naar haar toe. Mam rijdt telkens weer de vijf uur lange rit van haar huis naar dat van Amy, slaapt 's nachts op een matras op de grond terwijl haar dochter ligt te kreunen en steeds zwakker wordt en haar dikke krullen de afvoer in de badkamer verstoppen. Ook haar broer en zussen staan haar bij.

Als het mijn beurt is, vlieg ik erheen en lees ik oude tijdschriften terwijl ze stralen in haar hals schieten. Daarna neem ik haar mee naar huis, installeer ik haar op de bank en ga ik brood bakken in de broodmachine die ik van plan ben bij haar achter te laten.

De geur van het brood maskeert de stank van het tapijt, dat naar oude hond en lang geleden gemorste melk stinkt.

Ik probeer eten klaar te maken dat verleidelijk genoeg is om voorbij Amy's rauw geworden mond en keel te komen.

'Dit is ook een manier om af te vallen,' zegt ze.

'Ik vond het toch leuker toen je bij de Weight Watchers zat,' zeg ik.

Ze lacht. 'Vertel mij wat!' zegt ze.

Ze trekt een handvol haren van haar achterhoofd.

'Je moet de huisbaas het tapijt laten vervangen en de boel laten schilderen,' zeg ik.

'Ik weet het,' zegt ze, 'maar dan heb je kans dat ik ervoor moet betalen.'

'Kom op, zeg. Je woont hier al vier jaar. Als je verhuisd was, hadden ze het inmiddels al drie keer vervangen. Ik zou even bellen als ik jou was.'

'Dat doe ik ook wel,' zegt ze. 'Maar het gaat niet zo goed met Pete, en ik wil niet dat hij op de nieuwe vloerbedekking piest.'

Ik hou erover op, bak mijn brood, maak spaghetti met gehaktballen. Ze slaagt erin er een paar te eten terwijl we in het donker naar *Love, Valor, Compassion!* zitten te kijken, een film over acht homoseksuele mannen die een week samen op een landgoed zitten. Twee van hen zijn een tweeling, van wie de een heel liefdevol wordt verzorgd door zijn geliefde terwijl hij doodgaat aan aids.

'God, wat een geweldige film,' zegt ze.

'Het is een soort *Big Chill* maar dan met homo's,' zeg ik. 'Ik vind het schitterend dat die ene acteur beide tweelingbroers speelt.'

'Ik vraag me af hoe ze dat hebben gedaan,' zegt ze. 'Ze zaten toch in een aantal scènes samen, of niet?'

Ze pakt de afstandsbediening en spoelt terug. Ze zijn een paar keer samen te zien, maar dan zie je van de ene broer steeds alleen maar zijn achterhoofd.

'Slim gedaan,' zeg ik.

'Ik vind het prachtig dat zijn broer zo van hem houdt,' zegt ze.

Ik pak haar hand vast.

Na drie dagen vlieg ik naar huis, blij dat ik mijn man en kinderen weer zie. Ik zou het niet kunnen verdragen alleen te zijn.

Een week later stuur ik Amy een kaart.

'Gefeliciteerd met je diploma!' staat erop. Aan de binnenkant heb ik geschreven: 'De eerste ronde zit erop. De kanker maakt geen schijn van kans.'

Later die week ben ik in de sportschool, uitgeput en opgepept. In de kleedkamer praat ik nog even met een andere vrouw.

'Ik ga naar de enige plek op aarde waar ik mezelf kan zijn,' zeg ik met een tevreden, ongekunstelde glimlach.

'O, naar huis?' zegt ze.

Haar antwoord verbaast me. Ze is blond en erg knap, haar borsten zijn onnatuurlijk groot en haar man is een plastisch chirurg die twintig jaar ouder is dan zij.

'Nee, mijn schrijfclubje,' zeg ik.

Nu is het haar beurt om verbaasd te kijken.

Ik weet dat ik me thuis zo op mijn gemak zou moeten voelen, maar thuis ben ik op mijn hoede. Alles wat ik zeg kan woede, of erger nog, razernij oproepen. Op z'n minst afkeer. Maar bij mijn schrijfclubje hoef ik niet voorzichtig te zijn. Daar is geen sprake van competitie. Ik lees mijn werk hardop voor en luister naar de reacties van mijn vrienden. Ze lachen of vertellen me dat een bepaald stuk niet helemaal lekker loopt, maar ze vallen me niet aan. Bij hen sta ik nooit terecht.

Thuis wel, dat weet ik. Dat weet ik omdat mijn man en ik anderen bekritiseren. We praten over het gewicht van andere mensen, over een uitpuilende buik of dikke dijen. Ze zijn niet als wij. Ze zijn niet superieur. Ze hebben niet het geld, de opleiding of de stijl die wij hebben. Anderen hebben dat natuurlijk wel, en meer zelfs, maar die deugen ook weer niet, want die zijn te snobistisch, hebben een saai huwelijk of hebben geen charisma. Wij wel. We vallen samen in bed. We pakken elkaar beet in restaurants. We doen het op parkeerplaatsen. In een lift staat hij altijd achter me. Tegen me aan zelfs, zodat zijn voorkant tegen mijn achterwerk drukt terwijl we naar de bovenste verdieping gaan. We denken dat niemand het ziet, de beweging, het contact, de glazige blik in onze ogen.

Veel vaker nog schreeuwen we tegen elkaar. We maken ruzie, we gillen, we beschuldigen. Ik sla hem. Ik smijt met de deuren. Hij balt zijn handen tot vuisten en doet zijn best me niet te slaan. 'Denk je dat je het zo slecht hebt?' zegt hij met zijn kaken op elkaar geklemd en zijn gezicht vlak bij het mijne. 'Ga dan weg. Maar denk niet dat je iets krijgt.'

Hij uit datzelfde dreigement al jaren. We hebben bij relatietherapeuten gezeten om te proberen het op te lossen; hij kil beleefd, ik vol enthousiasme. Hij ziet er rationeel uit, ik zie er krankzinnig uit, wat Kurt 'wanhopig' noemt. Een therapeute zei dat ik mijn wanhoop moest omhelzen. Hem erkennen, accepteren, als een deel van mezelf beschouwen. Ik noem die therapeute dr. Weaver. Mijn man noemt haar Lisa.

Ze vindt dat ik moet accepteren dat ik me niet veilig voel, dat ik een vertekend beeld van het leven heb, dat ik niemand vertrouw, ook mezelf niet. Mijn man is tevreden met haar uitspraken. Als ik zou kalmeren, zou accepteren dat ik wanhopig ben en mezelf ertoe zou kunnen brengen hem te vertrouwen, te worden zoals hij wil dat ik word, dan zouden we gelukkig zijn.

Telkens als we haar kantoor binnenstappen, pak ik de doos Kleenex. Haar gladde manier van praten, haar lange, blonde gestalte, het samenspel tussen haar en mijn man, allebei netjes en knap, allebei kalm en autoritair, maakt me elke keer aan het huilen.

Mijn man gaat naast me zitten en slaat zijn arm om me heen, hoewel we al dagen ruzie lopen te maken.

'Je wilt met Tim naar bed,' zegt hij.

Tim is een vriend die ons gezelschap opzoekt nu zijn eigen huwelijk uiteenvalt. Hij vertelt ons niet precies wat er gaande is; hij laat zich gewoon door ons opbeuren. Hij staat in de keuken terwijl ik sta te koken, luistert naar verhalen over de kinderen, over mijn schrijverijen. We praten over politiek, olijfolie, de voordelen van het persen van knoflook in plaats van fijnhakken. Tim kookt. Een man die kookt is voor mij net zoiets exotisch als een lama. Soms squashen we samen en leunen we tussen onze wedstrijdjes door zwetend en hijgend tegen de muur.

Hij vertelt me niet waarom zijn huwelijk fout loopt. Daarover praat hij met zichzelf, zegt hij, en dat is genoeg. Ik opper dat hij misschien een second opinion moet vragen en daar moet hij om lachen.

Zijn geslotenheid weerhoudt mij ervan veel over mijn eigen leven te vertellen, hoewel ik af en toe wel mijn gal spui over een ruzietje of een schermutseling, of de squashbal ongebruikelijk hard te lijf ga. Hij is echter bevriend met ons beiden en ik wil niet dat hij tussen twee vuren komt te zitten. Hij heeft geen zin om voor een van ons partij te trekken. We zijn allebei goede mensen, zegt hij, en hij wil niet hoeven kiezen.

Ik wil geen seks met Tim. Ik heb er wel eens over nagedacht hoe het zou zijn om met hem getrouwd te zijn. Hoe het zou zijn om met respect te worden behandeld, om samen te koken, om vrienden uit de nodigen en ons bij hun warmte te ontspannen.

In die zin ben ik ontrouw geweest.

Ik weet overigens niet of ik met Tim gelukkiger zou zijn. Ik denk dat ik me zou vervelen bij iemand die altijd alleen maar lief is. Ik hou van scherpte. Ik hou van veel scherpte en ik weet niet of Tim dat heeft. Ik kijk met genegenheid naar hem als hij mijn kind voorleest, en voel me zelfs daar dan schuldig over.

Hij is een van de weinige mensen die bij ons thuis komen. Kurt houdt niet van bezoek. Als we iemand uitnodigen maakt hij zich daar de hele dag druk over en ziet hij ertegenop, zelfs als het familie is.

'Hoe kom je op het idee dat jij over mijn tijd kunt beschikken?' vraagt hij.

'Het is gewoon familie,' zeg ik. 'Dat is gezellig.'

Maar hij vindt het vreselijk. Hij heeft er een hekel aan dat er mensen komen, heeft een hekel aan de uren van tevoren, heeft een hekel aan het idee alleen al dat hij over koetjes en kalfjes moet praten, en van tevoren en naderhand het huis netjes moet maken.

De therapeute laat ons de MMPI-test doen, de Minnesota Multiphasic Personality Inventory, die psychologen gebruiken om de persoonlijkheid van patiënten te bepalen.

Ik ben extravert, wat inhoudt dat ik energiek word met mensen om me heen. Hij is introvert. Hij haalt energie uit rust en alleen-zijn. Mensen putten hem uit.

We nodigen dus zelden mensen uit en als we dat wel doen, loop ik hem de hele dag gerust te stellen.

'Het komt goed,' zeg ik. 'Het wordt gezellig.'

Het heeft me tien jaar huwelijk gekost om erachter te komen dat hij bang is iets fout te doen, bang dat hij niet zal weten wat hij moet zeggen, dat hij de grapjes niet zal snappen, of zichzelf in verlegenheid zal brengen. Hij is ook zo als ik hem laat kennismaken met skiën, als ik voorstel een keer te gaan diepzeeduiken. Hij weet van beide niet hoe het moet en is bang dat hij dom zal lijken.

De therapeute laat me zeggen dat ik het begrijp, maar dat is niet zo. Rationeel begrijp ik het natuurlijk wel. Maar kun je niet beter af en toe dom lijken dan nooit iets nieuws proberen?

Na ruzies – dagelijkse ruzies – ga ik ziedend en vaak bijna huilend naar mijn kantoor. Ik kan niet werken. Ik kan niet lezen. Ik kan alleen maar piekeren. Wat zei hij, wat zei ik, houdt hij nog van me, kan hij nog van me houden, kan er wel iemand van me houden, echt van me houden, als die me kent?

Ik ga niet naar hem toe. Ik ga hem niet roepen. Ik ga hem geen e-mail sturen. Hij mag in zijn eigen kantoor blijven zitten en zich zorgen maken. Zich zorgen maken dat ik niet meer van hem hou. Zich zorgen maken dat we er een punt achter zullen zetten. Zich zorgen maken dat hij me kwijt zal raken.

Ik kijk op de klok. Ik ga niet naar hem toe en ik zoek geen contact met hem. Ik loop door mijn kantoor te ijsberen, een reusachtige kamer met uitzicht op de achtertuin, op de vijver. Ik kijk op de klok. Ik ga geen contact met hem zoeken. Ik ga op de vloer liggen en doe sit-ups, kijk naar de telefoon, controleer mijn e-mail. Er staat geen nieuw envelopje, er staat geen icoontje van een het instant-messageprogramma, niemand schrijft me, niermand zoekt contact met me.

Ik wil ergens op slaan. Ik wil schreeuwen. Ik wil de trap af en de gang door rennen en tegen hem tekeer gaan. Tegen hem roepen dat hij een vuile klootzak is. Het eruit gooien, de knoop doorhakken, zeggen dat hij moet vertrekken, of zelf vertrekken; in mijn auto stappen en wegrijden, naar een vriendin gaan, of naar de sport-school.

In plaats daarvan staar ik naar mijn computerscherm. Ik moet eigenlijk werken. Ik heb een deadline, ik moet interviews doen. Ik kijk naar mijn motto, dat aan mijn monitor hangt: je hoeft alleen maar IETS te doen.

Ik doe niets. Ik zit maar naar het scherm of uit het raam te staren en te zieden van boosheid.

Ik hou het een uur vol, dan ga ik naar beneden, naar de keuken. Ik kijk in de voorraadkamer. Hij heeft vorige week zijn tweejaar-lijkse voorjaarsschoonmaak gehouden, waarbij hij elke kamer hele-maal leeghaalt en hem dan van het plafond tot de vloer schoon-maakt, met perslucht kruimeltjes uit ladegeleiders blaast, op handen en knieën gaat zitten en met een tandenborstel de naad tussen de vloer en de plint schoonmaakt. Jarenlang heb ik dat samen met hem gedaan, maar dit jaar heb ik geweigerd met als reden dat ik het huis de andere vijftig weken van het jaar schoonhoud.

De blikken staan op alfabet, in kaarsrechte rijen; kleine blikken vooraan, grote achteraan, pasta en rijst in een nieuwe schoenendoos waar nog geen kruimeltjes, stukjes karton of afgescheurde etiketjes in liggen. Ik wil alles terugzetten zoals het hoort – de wafelmix naast de siroop, de tomaten bij de paddenstoelen, de peren in blik naast de macaroni en de kaas. 'Ik ben degene die kookt,' zei ik eerst altijd, 'hoort de voorraadkast dan niet te zijn ingericht zoals ik dat wil?'

'Zoals jij het wilt, dat slaat nergens op,' zei hij dan. 'Dat is rom-melig en ongeorganiseerd. Mijn manier is beter.'

'Ik heb seks gehad,' zegt Amy.

Ik lach. Ze had in geen jaren meer seks gehad, deels omdat ze zo dik was en deels omdat ze steeds achter mannen aangaat die of getrouwd of te jong of om een andere reden niet beschikbaar zijn.

'Wie was de gelukkige?'

'Het kleine broertje van mijn huisgenote. Hij is op bezoek.'

'Kleine broertje? Hoe klein?'

'Helemaal niet klein,' zegt ze, en ze lacht veelbetekenend.

'Fijn voor jou,' zeg ik, ook lachend. 'Maar ik bedoelde hoe oud.'

'Oud genoeg,' zegt ze. 'Ik zal je een foto sturen.'

Ze mailt me een foto van hem in klimuitrusting. Hij draagt geen shirt. Het klimharnas tekent zijn kruis scherp af. Hij is hooguit begin twintig. Ik bel haar terug.

'Oké, kom op,' zeg ik. 'Ik wil het hele verhaal horen.'

'Er valt eigenlijk niets te vertellen,' zegt ze. 'We hadden een paar biertjes gedronken, begonnen wat te rommelen en vandaag ben ik een tevreden vrouw.'

Ik krimp ineen, omdat het klinkt alsof ze misbruik heeft gemaakt van een jonge knul en omdat ik er vrij zeker van ben dat ze gekwetst zal worden.

'Gefeliciteerd,' zeg ik. 'Denk je dat je hem nog vaker zult zien?'

'Ik hoop het wel, want hij blijft hier nog een paar weken.'

Om geld te besparen heeft Amy een kamer onderverhuurd aan een stel van achter in de twintig dat voor hun bruiloft spaart. Ze vindt hen allebei erg aardig, al klaagt ze soms wel over het gebonk van hun bed tegen de tussenmuur. De broer van haar huisgenote slaapt kennelijk op de bank, waar Amy hem had gevonden nadat iedereen naar bed was gegaan.

'Ik ga klimmen met de hele familie,' zegt ze. 'Dat doet hij namelijk.'

Ik ben onder de indruk. Amy is het afgelopen jaar zo'n vijfentwintig kilo afgevallen, haar kankerscans zijn schoon en ze wordt avontuurlijk.

De weken daarna belt ze een paar keer en elke keer wordt ze stiller. Uiteindelijk trek ik het uit haar.

'En, heeft zich nog een herhaling voorgedaan?'

'Nee,' zegt ze. 'Niet dat ik het niet geprobeerd heb.'

Auw. 'Alles goed?'

'O ja, hoor. Ik had alleen wel meer gewild.'

Ik zwijg even.

'Hij was natuurlijk nogal jong.'

Ik wil niet afkeurend klinken. Ten eerste heb ik zelf meer dan genoeg stommiteiten uitgehaald, en dat weet Amy. Maar ik wil ook niet dat ze ophoudt me dingen te vertellen, en ik vrees dat ze dat zal doen als ze het idee krijgt dat ik haar veroordeel.

'Wie wil mij nou nog hebben?' vraagt ze.

'Mannen genoeg,' zeg ik. 'Intelligente mannen.'

'Even serieus,' zegt ze. 'Je hebt geen idee hoe het is.'

'Er zijn genoeg mannen die blij zouden zijn als ze je konden krijgen,' zeg ik. 'Hoe zit het met al die hockeyfans? Waarom ga je niet uit met een van hen?'

Ze snuift.

Amy is oud-voorzitter van de fanclub van de Atlanta Knights. Ze gaat naar al hun wedstrijden. Ze schreeuwt, juicht, regelt ontmoetingen met de spelers. Ze is dol op haar team.

'Die zijn dik,' zegt ze.

Ik weet niet wat ik moet zeggen.

'Ik wil een reportage maken voor de nationale radio,' zeg ik.

'Je maakt geen schijn van kans.'

Ik ben verbaasd. Dit is de allereerste keer dat hij ooit tegen me heeft gezegd dat hij niet gelooft dat ik kan bereiken wat ik wil bereiken. Het maakt me net kwaad genoeg om een e-mail naar de presentator van het programma te sturen, die ik heb ontmoet tijdens een lunch met zakenlui. Hij en ik waren de enige schrijvers, dus we leunden naar elkaar toe en praatten over het vak en het werk en de uitdaging om de kost te verdienen met woorden.

'Stuur me maar een script,' schrijft hij terug. 'Dan laat ik het je wel weten.'

Ik stuur het op.

'Heel goed,' zegt hij. 'Waar kun je de opnames laten maken?'

Glunderend vertel ik het Kurt.

'Hij wil je alleen maar neuken,' zegt hij.

17

Na tweeëntwintig jaar in Atlanta verhuist Amy naar Knoxville. Ze schrijft zich in op de Universiteit van Tennessee, waar ze vergelijkende theologie gaat studeren en de invloed probeert te doorgronden van georganiseerde religie op de maatschappij en culturen overal op aarde. Ze wil haar spirituele centrum vinden.

'Ze hebben een hockeyteam,' zegt ze.

Ik lach.

'En je baan?'

'Die verplaatsen ze naar Knoxville,' zegt ze. 'Zo goed ben ik.' Amy is prijsanaliste bij Kimberly-Clark. Ze werkt daar al vijftien jaar en is opgeklommen van een tijdelijk baantje naar een positie die zo belangrijk is dat ze die elders willen vestigen om haar te kunnen houden.

'Ik ben echt blij voor je,' zeg ik.

Een paar dagen later belt ze weer.

'Ik ga een flat kopen,' zegt ze. 'Willen jullie borg staan?'

'Natuurlijk doen we dat,' zeg ik. Amy heeft wel eens geld van ons geleend, en betaalde altijd alles precies volgens schema terug. Elke cheque ging bovendien vergezeld van een opgewekt briefje over haar leven.

'Bedankt,' zegt ze. 'Ik hou van je.'

De volgende dag belt ze weer.

'Ik kon hem zelf krijgen,' zegt ze.

'Wat kon je krijgen?'

'De hypotheek. Ik heb in m'n eentje een hypotheek gekregen.'

Ik dans met haar van blijdschap, via de telefoon.

Ze is uitgelaten. Ze is zesendertig en koopt een woning op haar eigen kredietwaardigheid en inkomsten en bewezen betrouwbaarheid.

'Ik ben zó trots op je,' zeg ik. 'Ik heb nog nooit op eigen houtje een lening gekregen.'

Ze giechelt.

Ze koopt een appartement in een buurt vol appartementen,die allemaal de helft van een maisonnette zijn. Die van haar heeft twee slaapkamers en twee badkamers, een keuken, een woonkamer en een kleine patio aan de achterkant met een hek voor de privacy. Pat stuurt haar zaadjes van de haagwinde in haar eigen tuin en Amy plant ze zo dat ze tegen het hek op kunnen groeien.

'Dit is allemaal zó spannend,' zegt ze.

We spreken elkaar bijna elke dag. Op een dag kletsen we zomaar wat over van alles en nog wat.

'Dus ik vertelde Scott over mijn schimmelinfectie,' zegt ze.

Scott is haar voormalige baas, een getrouwde man die haar vertrouweling is geworden.

'Heb je hem over je schimmelinfectie verteld? Wat smerig.'

'Ja hoor,' zegt ze. 'Ik vertel hem alles.'

Ik lach. Ik ben blij dat ze hem heeft. Ze heeft een vriend nodig.

Ze vertelt verder over haar colleges, en dat ze het heerlijk vindt daaraan deel te nemen, te leren en te argumenteren. Ze geniet ervan om deel uit te maken van een gemeenschap van mensen die vastberaden zijn om meer te weten te komen.

'Het is niet te geloven,' zegt ze, 'hoe gedreven die mensen zijn.'

'Ik weet zeker dat jij net zo hard meedoet.'

'Natuurlijk. Het is fantastisch. Alsof ik eindelijk echt mijn verstand gebruik.'

'Hé,' zeg ik een paar maanden later. 'Kurt en ik gaan naar Charlotte voor een congres. Zullen we iets afspreken?'

Ik vertel haar niet dat deze reis naar een andere staat weer een uiterste poging is om ons huwelijk te redden. We ruziën al jaren over de vraag of we in Missouri zullen blijven. Ik heb bergen nodig, meren, oceanen, een goed vliegveld. Ik hoor niet in centraal-Missouri thuis. Hij wil er niet weg. Nooit. Zelfs niet als de kinderen het huis uit zijn om te studeren. De reis naar Charlotte is een compromis van zijn kant; hij doet het om mij gelukkig te maken, om ruimdenkend te lijken.

Op de kaart lijken Charlotte, in North Carolina, en Knoxville vlak bij elkaar te liggen. In werkelijkheid liggen ze vier uur uit elkaar. Amy en ik ontmoeten elkaar halverwege in de buurt van Asheville, in Nationaal Park Chimney Rock.

'Tawanda!' zegt Amy als ze me voorgaat het steile pad op. Tawanda is haar nieuwe schermnaam. Ze heeft hem van de film *Fried Green Tomatoes*, waarin Kathy Bates een vrouw speelt die op middelbare leeftijd haar kracht ontdekt.

Amy's ogen sprankelen en ze lacht veel. Ze heeft er nog nooit zo gezond uitgezien.

'Ik ben ruim veertig kilo afgevallen,' zegt ze.

'Wauw. Je ziet er fantastisch uit.'

We beklimmen een pad naar de top van de rots, waar een Amerikaanse vlag in de wind wappert. Amy steekt haar armen triomfantelijk in de lucht en ik maak een foto. Het is een paar maanden na de aanvallen van 11 september en we voelen ons vaderlandslievend.

Terug op de hotelkamer maak ik nog een foto. Daarop zit ze op de bank in een blauw fluwelen topje dat bij haar ogen past. Ze kijk me recht aan, haar kin trots geheven. Het is de foto die we zullen gebruiken voor de Vermist-poster.

Een paar maanden later ontmoet Amy een man. In een chatroom op internet, geloof ik, al is ze er wat vaag over. Ze zegt iets over webcams en verleidelijke praat.

'Hij heet Ron,' zegt ze met sprankelende stem. Hij is huisschilder en woont in een goedkope motelkamer in Tuscaloosa. Hij heeft geen huis.'

'Waarom niet?'

Ze zegt iets over dat hij zijn laatste baan is kwijtgeraakt, over een vriendin, over twee kinderen in Florida die hij zelden te zien krijgt. Ik let niet erg goed op.

Amy is opgetogen en ik ben blij voor haar.

Binnen enkele weken nodigt ze hem uit bij haar te komen wonen en haar bed te delen. Het is lang geleden dat iemand haar bed heeft gedeeld.

'We proberen het samen,' zegt ze.

'Hij laat liefdesbriefjes voor me achter,' zegt ze.

'We zetten de wekker een half uur eerder zodat we nog in bed kunnen knuffelen,' zegt ze.

'Hij respecteert me te zeer om seks met me te hebben,' zegt ze. 'Ik heb hem overgehaald me hem een... je-weet-wel te laten geven.'

Ze giechelt.

'Je hebt hem overgehaald?' vraag ik, en ik trek onwillekeurig mijn wenkbrauwen op, ook al kan ze me door de telefoon niet zien. 'Dat zal wel moeilijk zijn geweest. Doet hij hetzelfde bij jou?'

Het blijft even stil.

'Nog niet,' zegt ze, 'maar daar werken we nog aan.'

Ik schud mijn hoofd. Waarom accepteert ze dat? Maar ik besef ook dat ik niet alles van hen weet. Ik weet dat hij haar vasthoudt als ze een film zitten te kijken. Ik weet dat hij soms kookt en dat hij dan rekening houdt met haar Weight Watchers-porties, dat hij de hoeveelheid olie afmeet en haar aanmoedigt naar de bijeenkomsten te gaan. Al die dingen maken dat ze zich bemind voelt, en daar ben ik blij om.

Ze neemt hem mee naar het kerstfeest van de zaak. De volgende dag bel ik haar.

'Hoe was het?'

'Goed,' zegt ze 'We hadden onze cowboyhoeden op.'

Ik lach. Ron is een rodeocowboy, en Amy heeft voor zichzelf ook een cowboyhoed gekocht. Binnen enkele weken zal ze als vrijwilliger op een therapeutische rijschool gaan werken, zodat ze zich meer op haar gemak gaat voelen met paarden.

'En hoe ging het tussen hem en je collega's?'

'Oké,' zegt ze. 'Hoewel we eigenlijk een diner verwachtten, dus hij werd een beetje dronken. Hij heeft gezegd dat het nooit meer zal gebeuren.'

'Dat hoop ik dan maar,' zeg ik. 'Daar heb je wel genoeg van gehad in je leven.'

'Je meent het.'

Een paar weken later vertelt ze me dat hij ooit veroordeeld is.

'Veroordeeld?'

'Ja,' zegt ze. 'Ik had niet gedacht dat dat ooit deel zou uitmaken van mijn woordenschat.'

'Je meent het,' zeg ik.

'Niets heel ernstigs,' zegt ze. 'Iets met geld.'

Ik ga ervan uit dat dat betekent dat er geen sprake is van geweld. Geen verkrachting, geen moord, geen gewapende overval. Ik probeer onbevooroordeeld te zijn, hem er niet op aan te kijken. Later hoor ik dat hij gezeten heeft. Tweeënhalf jaar hier, een paar jaar daar. Autodiefstal, inbraak, verspreiden van valse cheques.

'Hij ging een proefrit maken met een truck en bracht hem niet meer terug,' zegt ze.

'Serieus?'

'Serieus.'

'Waarom?'

Ze zwijgt en ik dring niet verder aan, ik ga ervan uit dat ze het me wel zou vertellen als ze dat wilde, en dat ze zich waarschijnlijk schaamt.

Dit is echt niet goed.

Een paar weken later liggen Kurt en ik in bed wat te praten voor we in slaap vallen.

'Weet je wat ik voor Kerstmis wil?' vraag ik.

'Geen idee,' zegt hij, en hij streelt met zijn vingers over mijn arm.

'Ik wil een survivalweek gaan doen.'

Zijn vingers verstijven.

'Hoezo dat?'

Ik hoor de spanning in zijn stem en rol op mijn zij om hem gerust te stellen.

'Ik wil mijn angsten overwinnen,' zeg ik. 'Vooral mijn hoogtevrees. Ik heb over eentje in North Carolina gelezen. Wild water, rotsklimmen, solonachten. Dat wil ik doen.'

Hij zwijgt. Hij weet hoe erg mijn hoogtevrees is, en hoe bang ik ben om alleen te zijn.

'Ik zal er eens naar kijken,' zegt hij even later.

'Ik stuur je de link wel,' zeg ik.

Ik heb de website van het programma goed gelezen en mijn hart bonkt van angst en opwinding. Ik krijg het al warm als ik eraan denk. Ik ben bang dat ik halverwege een beklimming zal verstarren en niet meer omhoog of omlaag kan, of dat ik de hele nacht wakker zal liggen, alleen op de berg met de huilende wolven. Natuurlijk ben ik bang voor de wolven. Of de coyotes of bergleeuwen of wat ze ook mogen hebben in North Carolina, maar ik ben vooral bang voor de man die mijn tent binnen zal komen. De man die binnen zal komen om me te verleiden of erger.

Mijn angst is irrationeel en ik wil die onder ogen zien en uit mijn leven bannen.

Mijn familie komt bij ons bijeen voor de feestdagen. Amy komt ook, al zal ze daardoor haar nieuwe liefde missen.

'Je weet dat je hem mee mag brengen, hè?'

'Misschien doe ik dat wel,' zegt ze.

Een paar dagen later belt ze terug.

'Ik denk dat hij nog niet klaar is voor de Latus-bende,' zegt ze.

'Slimme jongen,' zeg ik. 'We kunnen nogal overweldigend zijn.'

'Je ontmoet hem wel een andere keer.'

'Nou, hij is altijd welkom, als hij van gedachte mocht veranderen.'

Amy arriveert een paar dagen voor Kerstmis. Ron is niet bij haar, maar haar ogen stralen en ze glimlacht volop. Ze is van Knoxville naar St. Louis gevlogen en vandaar verder met mam meegereden. Ik loop snel naar de deur als ik hun huurauto hoor.

'Hallo! O, heerlijk, jullie zijn er!' Ik omhels mam en neem dan Amy in mijn armen, kus haar en trek haar het huis binnen.

'Je ziet er fantastisch uit!' zeg ik.

'Dank je,' zegt ze, en ze màakt een pirouette. 'Weer vijf kilo eraf.'

'Wauw. Ik ben onder de indruk.'

Ik omhels haar weer.

De kerstboom is vijfenhalve meter hoog en reikt van de verzonken woonkamer tot aan de nok van het dak. De engel op de top staat nauwelijks recht. Er brandt een vuur in de open haard, er klinken kerstliedjes en mijn huis ziet er prachtig uit. Over de haardmantel ligt wit satijn gedrapeerd, het kersttafereel staat opgesteld in prachtig porselein, het schilderij boven de haard is vervangen door een schitterende krans. In de ficus twinkelen kleine witte lampjes, een tegenwicht voor de grote gekleurde lampen in de boom.

Het huis, de familie, de wereld... alles sprankelt.

Jij hebt de kamer beneden aan de achterkant,' zeg ik tegen Amy. 'Daar heb je privacy. En internet.'

We lachen allebei.

Ze heeft Ron Ball pas een maand geleden ontmoet. Het is moeilijk om een nieuwe liefde een week te moeten missen, dat weet ik. Toch loopt ze met verende tred, en ook al zit ze uren in haar kamer om haar e-mail te controleren, ze lacht voluit en van harte en haar omhelzingen zijn innig.

'Alles goed?' vraag ik vaak.

'Ja hoor, prima,' zegt ze.

's Avonds spelen we poker met de familie.

'Kom maar op,' zegt Amy, en lacht dan haar luide, schaterende lach met een blik op haar kaart.

'Nog een?' vraagt Steve.

'Nee, ik ga mee,' zegt ze.

Mijn schoonzus zit in de huiskamer een boek te lezen. Kurt zit in zijn kantoor, waar het rustig is. De rest zit rond de tafel, waar een tafelkleed op ligt om te voorkomen dat de munten wegrollen, en de kinderen zitten over hun spiekbriefjes gebogen om te kijken of three of a kind meer is dan twee paar.

Tijdens een onderbreking in het spel gaat Amy naar beneden en logt ze in op de computer. Ze komt gelaten terug naar boven.

'Alles goed?' vraag ik.

'Ja hoor,' zegt ze. 'Alles in orde.'

Later loop ik naar beneden. Ze zit in de fitnessruimte, met de spiegelwand.

'Alles goed?'

'Hij is niet online,' zegt ze fronsend. 'Hij neemt ook de telefoon niet op.'

'Maak je je zorgen?'

'Niet echt. Een beetje.'

'Waar denk je dat hij heen is?'

'Dat weet ik niet. Daar maak ik me juist zorgen over.'

Ik blijf stilletjes bij haar zitten. Ik weet niet hoe ik het moet vragen, maar vind wel dat ik dat moet doen.

'Denk je dat hij weg is?'

'Ik weet het niet.' Ze wrijft over haar neusrug omhoog, tussen haar wenkbrauwen. 'Ik denk het niet.'

Dan glimlacht ze.

'Hij is waarschijnlijk gewoon naar de winkel of zo.'

'Heb je nog iets gehoord?' vraag ik zacht tijdens het ontbijt. Ze schudt haar hoofd.

'Wat vervelend, lieverd.'

Ik ben bang dat hij haar heeft kaalgeplukt, dat hij heeft gestolen wat ze aan waardevolle spullen heeft, haar computer en haar sieraden. Ik kijk naar Amy's hand. Na haar scheiding en de dood van haar ex-man en de langdurige problemen met de schuld die hij had achtergelaten, heeft ze het merendeel van haar gouden sieraden laten omsmelten en er samen met de grote diamant van haar verlovingsring een sieraad van laten maken, zo groot dat het als wapen zou kunnen dienen. Ze draagt de ring nu aan haar vinger, dus die heeft hij in elk geval niet meegenomen.

Amy handhaaft haar pokerface, speelt met haar neefjes en nichtjes, zit vaak dicht bij haar zussen en broer. Ze praat niet veel over haar vriend en dat vind ik vreemd. Als ik verliefd ben, praat ik constant, opgewekt en giechelig. Zij is echter stil en ik maak me zorgen. Dit is niets voor haar.

Om middernacht leggen we de laatste kerstcadeautjes onder de boom. De stapel reikt tot aan mijn middel en ligt tot in de woonkamer. Hij is overvloedig, bijna obsceen. We gaan tevreden naar bed, ervan overtuigd dat de kinderen zich bemind zullen voelen.

De volgende ochtend pakken we de cadeautjes een voor een uit, terwijl iedereen toekijkt en oh en ah roept. We drinken in de tussentijd twee potten koffie leeg en lassen een pauze in voor cornflakes en gebakken eieren – alles om een tegenwicht te bieden tegen de zuurstokken en chocolade die de kinderen uit de tenen van hun kousen opdiepen.

We maken om beurten iets open, eerst de kinderen en tussendoor de volwassenen. Mijn moeder glimlacht enthousiast terwijl ronde na ronde aan haar voorbijgaat. Ze weet dat we iets groots voor haar hebben, maar ze weet niet wat.

De kinderen vinden een cadeautje voor mij. Het is een klein smal

doosje. Een sieradendoosje. De familie kijkt toe. Kurt heeft de gewoonte extravagante cadeaus te kopen, dus alle ogen zijn op het
doosje gericht, ook al draag ik meestal alleen een kleine halsketting
met een opaal en gouden oorringen.

Ik maak het met een verwachtingsvolle glimlach open.

Er zit een zwarte string in.

Ik frommel hem in mijn hand op en bloos, terwijl de familie lacht.
Ik richt snel de aandacht op een van de kinderen en kijk dan Kurt
aan. Hij glimlacht trots.

Als ik weer aan de beurt ben, loopt Kurt naar de slaapkamer en
komt terug met een bultige vuilniszak. Het is een log en onhandel-
baar cadeau en de familie maakt midden in de woonkamer plaats.
Ik steek mijn handen in de zak. Het is een meer dan mansgrote
schapenvacht, zo een die je in films ziet met een vrouw erop in een
sexy onderjurkje die haar gelakte teennagels in met veertjes gesier-
de muiltjes gestoken heeft. Weer kijk ik Kurt niet meteen aan.

Van mijn familie heb ik onder andere een katoenen trui, boeken
en een collectie cd's van de Beatles.

Er worden over en weer pannen, kleren, gameboys en kunst cadeau gedaan. Tientallen en tientallen cadeaus.

Eindelijk is de vloer rondom de boom leeg. De kinderen verspreiden zich met hun speelgoed en de volwassenen leunen achterover,
wachten op het moment dat we onze moeder haar cadeau zullen
geven. Ik kijk heimelijk nog steeds in het rond in de verwachting
dat Kurt me zal verrassen met mijn survival week. Eindelijk haalt hij
een laatste pakje tevoorschijn. Het heeft het formaat van een schoenendoos, onhandig ingepakt in rood en groen.

Ik grijns en open het pakje langzaam, terwijl hij met de camera
dichterbij komt. Dit is mijn grote cadeau.

Ik herinner me het jaar dat hij een laptop uit piepschuim had gesneden, compleet met toetsenbord en met een groot hart als beeldscherm. Ik vraag me af hoe hij mijn survivalweek heeft uitgebeeld.

In de schoenendoos zit een veel kleinere doos. Ik pel lachend het
papier eraf. Zou het een klein klimtouw zijn? Een miniatuurred-
dingsvest? Een puptentje van tandenstokers en tissues?

Ik maak het doosje open.

Er zitten oorbellen en een hanger met saffieren en diamanten in, gezet in platina, zo zwaar dat het gewicht ervan in mijn handpalm me verbaast.

Weer wil ik hem niet aankijken, maar deze keer niet omdat ik me schaam, maar omdat ik kwaad ben. Ik had om onafhankelijkheid gevraagd. In plaats daarvan geeft hij me een symbool van rijkdom en prestige. Een symbool dat ik waarschijnlijk niet zal dragen, betaald met geld waarmee hij mij kracht had kunnen schenken.

Ik trek mijn gezicht in de plooi, geef de sieraden door en luister naar de uitroepen van mijn familie. Het maakt me nog kwader dat sommigen van hen zich ongemakkelijk voelen bij dit vertoon van overvloed. Ik voel me er zelf ook ongemakkelijk bij. We hadden net zo goed een verlicht uithangbord buiten kunnen hangen: 'Rijk! Rijk! Rijk!'

Ik zou het liefst met de sieraden gooien, maar ik glimlach alsof ik er dolblij mee ben en buig mijn hoofd voorover wanneer Kurt me de halsketting omhangt.

'Ze passen bij je ogen,' zegt hij.

Ik heb niets te zeggen.

De familie blijft een week en Kurt en ik zijn opgelucht wanneer ze vertrekken. Het was natuurlijk heerlijk dat ze er waren, maar we hebben onze ruimte nodig. Vooral Kurt. Hij kroop bijna elke avond in zijn kantoor weg, en ging 's morgens met iets te veerkrachtige stap naar zijn werk. Ik kan het hem niet kwalijk nemen. Was het niet Benjamin Franklin die zei: 'gasten en vis blijven maar drie dagen fris'?

Bovendien hebben we telkens weer ruzie over de sieraden.

'Je waardeert niets wat ik doe,' zegt hij.

'Jij geeft niets om wat ik wil,' zeg ik. 'Alleen om hoe ik eruitzie.' Het is een woordenstrijd zonder einde en zonder winnaars.

Amy vertrekt op zaterdag.

'Laat me weten wat je ontdekt, oké?'

'Dat doe ik,' zegt ze. 'Ik weet zeker dat alles in orde is.'

Ze kijkt bezorgd.

18

'

Mijn telefoon gaat.
'Hij was er niet,' zegt Amy.
Ze huilt.
'Ik had hem alleen maar gevraagd me van het vliegveld af te halen en hij was er niet. Hij was er niet. Waarom was hij er niet?'
'O, Amy,' zeg ik. 'Ik vind het zo erg voor je. Wat een klootzak. Weet je waar hij is?'
'Ik heb geen idee. Ik weet niet of hij ergens dood langs de weg ligt, of in een ziekenhuis, of dat hij ervandoor is met een andere vrouw. Ik weet het gewoon niet.'
'Bel me als je thuis bent.'

Amy vraagt de taxichauffeur even te wachten terwijl ze naar binnen gaat, voor het geval ze hulp nodig heeft. Vanbuiten ziet het huis er normaal uit. Binnen is de elektrische haard aan en is het vreselijk warm. Er liggen ook overal pizzadozen en bierflesjes. De vuilnisbak zit boordevol.
'En je computer?' vraag ik als ze me belt.
'Die staat er nog.'
'Je sieraden?'
'Janine, hij heeft me niet bestolen,' zegt ze, enigszins vinnig.
'Sorry, schat, zo bedoelde ik het niet.'
Maar ik bedoelde het wel zo, en dat weten we allebei.
'Ik spreek je later wel,' zegt ze.
'Ik hou van je,' zeg ik.
'Ik ook van jou.'

Ik bel haar de volgende dag.
'Weet je al iets?'

Ze zwijgt even.

'Ben je daar nog?'

'Ik ben er,' zegt ze. Ik hoor haar diep inademen. 'Hij zit in de gevangenis.'

'Wáár zit hij?'

Stilte.

'De gevangenis.'

'Waarvoor?'

Dit is niet te geloven. Waar is ze mee bezig? Wat moet ze met een man die eerder veroordeeld is, die in de gevangenis zit, die haar openlijk in verlegenheid heeft gebracht door mensen opzij te duwen om bij de bar te komen tijdens het kerstfeest van het bedrijf waar ze werkt?

'Rijden onder invloed. Hij was zo verdrietig en eenzaam toen ik weg was, dat hij begon te drinken. Toen het bier op was, stapte hij in zijn truck om meer te gaan halen, maar hij reed ergens tegenaan en toen hebben ze hem opgepakt.'

'Wauw. Is er iemand gewond geraakt?'

'Nee, maar de truck is total loss.'

'Wauw.'

Weer is het stil.

'En wat nog meer?'

Ik weet dat er nog meer is, anders zou ze doorgaan met praten.

'Het is al zijn derde keer,' zegt ze.

'Jeetjemina.'

'Ik weet het.'

Amy vertelt me niet dat Ron is uitgeleverd aan Alabama om daar zijn straf uit te zitten, een bepaling uit zijn twee eerdere veroordelingen voor rijden onder invloed, en ook niet dat ze naar Tuscaloosa rijdt om zijn borgtocht te betalen.

Ze schrijft een cheque van 1765 dollar uit voor de borg, en een van 2500 dollar voor een advocaat.

Haar vriendinnen vragen haar waar Ron is; ze zegt dat hij thuis in Tuscaloosa is, om zijn vader te helpen op de boerderij. Later vragen ze waarom hij in haar auto rijdt, haar 's ochtends afzet en 's avonds ophaalt wanneer ze naar de sportschool is geweest, wat ze doet sinds Ron haar heeft verteld dat hij haar niet graag zo dik ziet.

Ze vertelt hun dat het is omdat zijn vader de truck nodig heeft op de boerderij.

Ze vertelt niet – en mij ook niet – dat ze heeft besloten hem van haar e-mailaccount te gooien, omdat hij het gebruikt om naar andere vrouwen te hengelen. Daarbij bekijkt ze ook zijn verzonden berichten om te zien of ze niets waardevols weggooit. Ze vindt twee e-mails aan andere vrouwen. Beide bevatten naaktfoto's. Van Ron.

'Hij houdt van me,' vertelt ze me. 'Hij laat liefdesbriefjes voor me achter.'

Dat is waar. We vinden die inderdaad, geschreven op vodjes papier, op uitgescheurde agendablaadjes, op servetten. Maar pas later, als we wel moeten gaan kijken.

Ze vertelt me niet dat ze een nieuwe truck voor hem heeft gekocht, en ook niet dat hij haar heeft overgehaald een grotere te kopen. Dus gaat ze terug en haalt ze een Ford F350 met dubbele wielen achter, een truck die zo groot is dat ze niet zonder hulp in de cabine kan klimmen; Ron is niet geneigd haar te helpen. De wagen kost 36.000 dollar.

'Hij staat op mijn naam,' zegt ze tegen haar vriendinnen. 'Dus als er een eind aan onze relatie komt en hij ermee wegrijdt, kan ik hem als gestolen opgeven.'

Ze koopt ook een aanhanger voor hem, en alles wat hij nodig heeft om zijn eigen schildersbedrijf te beginnen. Een verfspuit. Zeven ladders, luchtfilters, een decoupeerzaag, een cirkelzaag, waterpassen en liters en liters verf.

Hij is in het voorjaar jarig en wil naar een stripclub, dus zij is zo sportief om mee te gaan. Hij wil nog steeds geen seks.

Ze koopt mobiele telefoons voor hen allebei. Zo nu en dan gaat hij na zijn werk uit met vrienden en dan belt hij haar om hem op te komen halen. De volgende ochtend halen ze dan zijn truck.

Op een vrijdagavond gaat zij met haar vriendinnen naar het happy hour.

'Vanavond drink ik,' zegt ze. 'Dit keer ben ik degene die gaat bellen om te worden opgehaald.'

Ze belt. Hij komt niet.

Een vriendin zegt dat ze hem moet dumpen. Ze praat niet meer met die vriendin. Een zus spreekt haar bezorgdheid uit. Ze beperkt het contact met die zus.

Intussen ben ik bijna een kluizenaar geworden. Ik ga naar de winkel, naar Little League-wedstrijden, naar de sportschool, maar verder kom ik nergens. Geen etentjes, niet met vriendinnen koffie drinken, niets. Ik verontschuldig me bij de paar vriendinnen die me nog mee proberen te krijgen. 'Ik heb het druk,' zeg ik. 'Ik wou dat ik kon, maar mijn gezin heeft me nodig.' De waarheid is dat het te veel moeite is om uit te gaan. Te veel moeite om de hele nacht op te blijven en te rechtvaardigen met wie ik heb gepraat en wanneer.

Ik neem echter wel een uitnodiging aan om in een panel over mijn vak te praten. Het is op de plaatselijke universiteit en het panel bestaat uit vijf personen. Ik ga geheel gekleed in zwart, afgezien van een wijd uitlopend jasje bedekt met olifanten en hiëroglyfen. Ik zie eruit als een stereotiepe schrijver, kleurrijk en excentriek. De studenten zijn geboeid. Ze steken hun handen op als om te zeggen: 'Kies mij! Kies mij!' en vragen naar mijn artikelen, mijn avonturen, de beroemde mensen die ik heb geïnterviewd.

Ik vertel hun niet over de uren die ik naar een blanco computerscherm zit te staren, of de vreselijke spanning van deadlines. Ik vertel hun over de eerste keer dat mijn naam onder een artikel in een groot tijdschrift stond en dat mijn echtgenoot in de vroege ochtendkilte op de vrachtwagen stond te wachten die het eerste exemplaar in de stad zou afleveren. Ik vertel hun dat hij het voor me mee naar huis nam en het samen met ontbijt en koffie op bed naar me toe bracht.

Ik vertel hun dat ik genoeg afwijzingsbrieven heb om de badkamer mee te behangen. Ze denken dat dat een grapje is.

Ik vertel niet dat ik als ik thuiskom van een reis word doorgezaagd over wie ik heb ontmoet, met wie ik heb gepraat en of ik iemand heb geneukt of erover heb gedacht met iemand te neuken of iemand heb ontmoet met wie ik dat misschien had gewild als ik niet getrouwd was geweest, omdat zelfs eraan denken volgens onze normen overspel is.

De bel gaat voor het einde van het college en de studenten zwermen om ons heen, opperen ideeën, stellen nog meer vragen, geprikkeld door de mogelijkheden. Denkt u dat ik...? Welk tijdschrift denkt u dat...?

Ik ben buiten zinnen van blijdschap als ik eindelijk thuiskom.

'Ze willen later net zo worden als ik,' zeg ik.

Ik ratel door, opgetogen over hun vragen en mijn antwoorden, in een roes omdat ik het middelpunt van hun belangstelling was.

Mijn man kijkt me aan.

'Je hebt een man ontmoet,' zegt hij.

Ik zwijg.

Ik heb inderdaad een man ontmoet. O, mijn god! Er zat een nieuwe man in het panel, een gastprofessor. Hij was van een geschikte leeftijd, zag er goed uit en droeg geen trouwring. Bovendien is het me opgevallen dat hij er goed uitzag en geen trouwring droeg, wat vast betekent dat ik iets met hem wilde. Ik kijk op, mijn gezicht wordt rood.

'Wauw,' zegt hij. 'Het is waar.'

Hij stormt weg en ik weersta met moeite de verleiding hem achterna te gaan.

Ik ben uitgenodigd om op mijn alma mater te spreken omdat wat ik doe fascinerend is en omdat ik er goed in ben. Ik ben erheen gegaan en heb goed gesproken. De studenten vonden me aardig. Waarom hebben we het daar niet over?

Ik wil naar beneden lopen, naar zijn kantoor, en tegen hem tekeergaan.

Maar ik doe het niet. Ik weet dat ik iets verkeerds moet hebben gedaan, omdat ik me onprettig voel, zoals ik me als kind voelde wanneer ik had overdreven of een leugentje had verteld, of iets had verzonnen om aan de priester op te biechten, beide omdat ik niet wist wat ik anders moest zeggen en omdat ik niet wilde dat de priester wist dat ik 's nachts wakker lag en me afvroeg hoe mijn lichaam er van onderen uitzag, waar ik het niet mocht aanraken en waar ik niet naar mocht kijken.

Ik klamp me aan het aanrechtblad vast om mezelf tegen te houden. Als ik nu naar beneden ga weet ik niet of ik zal spugen van boosheid of om vergiffenis zal smeken.

In plaats daarvan stamp ik door de keuken rond en pak ik de mixer, de pannen en schalen om brood te bakken. Deeg kneden werkt therapeutisch.

'We gaan naar de Bahama's,' zegt Amy.

'Wauw. Dat wordt vast dolle pret.'

'Ik weet het. Mijn cowboy en ik. Ik ben zó opgetogen.'

Haar stem klinkt een halve octaaf hoger en ze praat snel. Ze zijn nu een half jaar samen.

'Het is een cadeau voor hem,' zegt ze. 'Hij is nog nooit het land uit geweest.'

Na hun terugkomst belt ze weer. Ze klinkt wat moedeloos. Hij was de eerste avond dronken geworden en was de rest van de vakantie ziek of bewusteloos.

'Hoe gaat het met jou?'

Ze is even stil.

'Ik ben gewoon teleurgesteld,' zegt ze.

Maar er verandert iets. Er verandert iets in de manier waarop ze over hem praat, tegen mij en tegen haar vriendinnen. Ze heeft het bijna niet meer over hem. En als ze dat wel doet, is ze op haar hoede.

'Het gaat goed met hem,' zegt ze als ik naar hem vraag, maar ze weidt niet uit. Normaal zou ze me de intieme details geven.

'Het gaat goed met ons,' zegt ze. Ik ben te veel bezig met mijn eigen leventje om dieper te graven. Ik stel niet genoeg vragen.

Later deel ik met vrienden, collega's en familie wat we weten, maar dat is niet veel.

'Er is iets gebeurd,' zeggen we. Het moet iets ergs zijn geweest, erger dan dat hij zich bewusteloos drinkt. Dat is natuurlijk al erg genoeg, maar we hebben allemaal het gevoel dat het meer geweest moet zijn.

Een paar weken later liggen Kurt en ik op een lenteochtend in bed met de ramen open.

'Schat,' zeg ik, 'er is iets wat ik wil doen.'

Ik haal een brochure tevoorschijn en laat hem een pagina zien die een dag beschrijft waarbij je elkaar zekert terwijl je een uitdagende wand beklimt. Het is geen survivalweek, maar wel een kleine kans om mijn hoogtevrees te overwinnen.

'Het zal onze relatie versterken,' lees ik uit de brochure voor, 'en ons helpen samen nieuwe hoogtes te bereiken. Ik denk dat het goed voor ons zal zijn,' zeg ik. 'Het is lang geleden dat we samen iets nieuws hebben gedaan.'

Hij bekijkt de beschrijving.

'Dat is een hele dag,' zegt hij.

'Dat weet ik,' zeg ik. 'Maar het is hartstikke leuk.'

'Ik weet niet of ik moet werken.'

'Dat hoef je niet,' zeg ik. 'Ik heb al gekeken.'

'Waarom moet jij altijd mijn tijd indelen?' vraagt hij.

'Alsjeblieft,' zeg ik, 'ik wil dit heel graag.'

Hij wendt zich van me af.

'Prima,' zegt hij.

Ik weet dat 'prima' niet per se 'prima' hoeft te betekenen en dat ik op de ochtend van de bewuste dag misschien in mijn eentje naar de parencursus zal moeten, maar ik schrijf ons toch in.

Als de ochtend aanbreekt, moppert hij dat hij niet weet waarom hij zijn tijd verspilt aan zoiets stoms, dat hij niet snapt waarom hij een volmaakte zaterdag zou moeten opgeven om zoiets achterlijks en onzinnigs te doen als hij ook zou kunnen basketballen of de graskanten afsteken. Ik streel hem, met woorden en met mijn handen, en haal hem over het te doen. Voor mij.

'Het is lente en ik denk dat het heel leuk is,' zeg ik.

In werkelijkheid lijkt het me helemaal niet leuk. Als je aan hoogtevrees lijdt, kan zelfs de gedachte aan klimmen je al verlammen.

De dag wordt geleid door een robuuste survivalinstructeur die erop staat dat onze groep een band met elkaar moet krijgen voor we naar boven gaan. We moeten leren elkaar te vertrouwen.

Dus creëren we een band. We creëren een band met elkaar, met de andere stellen, met de instructeurs en met ons klimuitrusting. We besteden bijna twee uur aan het creëren van banden terwijl de wind toeneemt en onze instructeur om regen vraagt.

'Daar krijg je karakter van,' zegt hij.

'U hebt zeker niet veel vrienden, of wel?' zeg ik.

De anderen lachen, maar ik ben me er scherp en pijnlijk van bewust dat mijn man me heeft gehoord. Ik geef een kneepje in zijn hand en kijk hem glimlachend aan in een poging hem duidelijk te maken dat ik er niets mee bedoelde. Dat ik niet flirtte.

We beslissen dat Kurt eerst naar boven zal gaan, en dat doet hij met gemak. Voor hem is het gemakkelijker om naar boven te gaan dan beneden te blijven en met de anderen te praten. Hij kijkt vanaf de top stralend op me neer.

Ik laat hem langzaam zakken.

'Als jij het doet, ziet het er zo gemakkelijk uit,' zeg ik.

'Dat komt omdat ik wist dat jij me omhoog hield.' Hij kust me.

Ik glimlach. Ik ben blij dat hij het naar zijn zin heeft.

Als het mijn beurt is om te klimmen zet ik de ene voet voor de andere en klim ik heel langzaam ongeveer drie meter voordat ik me aan het touw vastklamp en mijn lunch naar boven voel komen.

'Kijk naar je voeten,' zegt de instructeur.

Naar mijn voeten? Ik dacht dat je altijd naar boven moest kijken als je hoogtevrees had, dat je er niet eens bij stil moet staan hoe het zou zijn om na een vrije val neer te komen. Ik kijk naar mijn voeten.

'Oké,' zegt hij, 'vertrouw op je tenen. Breng je billen boven je voet en strek je been.'

Ik kijk naar hem. Ik kijk naar mijn voet. De punt van mijn versleten Nike steunt op een kiezel.

Ik kijk naar boven. De dichtstbijzijnde greep zit net buiten mijn bereik. Uiteraard.

'Strek je been,' zegt de instructeur geduldig. 'Neem die stap en kijk wat voor mogelijkheden zich voordoen.'

Ik neem de stap. Er verschijnt een greep. Ik neem nog een stap en er verschijnt weer een handgreep. Ik klim steeds hoger. Dit is toch niet zo moeilijk, denk ik terwijl de wind door mijn helm fluit. Ik kan dit best. Mensen die veel minder atletisch zijn dan ik hebben het gedaan. Mijn nichtje heeft het gedaan. Mijn half verlamde buurman heeft het gedaan. Ik hoef alleen maar op het touw te vertrouwen. Ik kan niet vallen. Dit is geen zaak van leven of dood. Dit is niet zoals het echte leven. Er is alleen nep-risico. Als je valt, vangt het touw je op.

Het krijgt iets van een mantra – stap, zoek naar de volgende mogelijkheid, grijp hem – tot ik het hol van de leeuw bereik, het deel van de klim waar ik over de rand van het platform heen moet. De opties spreken me niet aan.

Er is geen gemakkelijke manier om dit te doen. Ik wil dolgraag naar beneden. Ik maak deel uit van een warme, vriendelijke, met elkaar verbonden groep. Ik kan nu naar beneden gaan en in het frisse groene gras gaan liggen om naar de andere klimmers te kijken. Dat is wat ik wil. Dat wil ik veel liever dan de gal die nu naar boven komt, de gal die voortkomt uit dezelfde angst die ook mijn benen vloeibaar lijkt te maken, niet langer in staat me overeind te houden. In plaats daarvan neem ik echter nog een stap, gewoon om te zien wat zich zal voordoen.

Het vergt een halfuur coachen, inspannend zekeren en engelengeduld van de instructeurs, maar ik haal het. Ik hijs me over de overhangende rand heen in de wind die inmiddels stormachtig aanvoelt. Ik ga niet rechtop staan, ik laat niet los, ik roep geen overwinningskreet. Ik durf nauwelijks adem te halen. Maar ik kijk wel, zij het heel kort, naar het uitzicht, dat absoluut niet beter is dan wat al op honderden foto's te zien is. Ik vraag me af of het de moeite waard is om mijn hoogtevrees voor te overwinnen. Misschien volstaat het wel om op de grond te blijven, het bij het bekende te houden, mezelf nooit meer te dwingen iets zo angstaanjagends te doen.

'Ik kan niet op America Online,' zeg ik.

Het is twee maanden later en we zijn in zijn kantoor, op de onderste verdieping van het huis, waar het ochtendlicht door de openslaande deuren naar binnen schijnt.

'Sorry,' zegt hij, 'dat is mijn schuld. Ik probeerde onze account aan te passen, maar het wachtwoord werkte niet.'

'O,' zeg ik, en mijn hart begint te bonken. 'Ik heb het veranderd.'

'Waarom?'

'Zomaar,' zeg ik, tijd rekkend. 'Ik had gelezen dat je het af en toe moest veranderen.'

Hij kijkt me wachtend aan.

'Wat is het dan nu?'

Ik zoek naar een mogelijkheid om tijd te rekken. Als ik het hem geef, kan hij mijn e-mail lezen. Als hij mijn e-mail leest, weet hij straks over Mark.

Mark is een oude vriend, een collega, een man met wie ik voor mijn werk wel eens samen reis. Tijdens onze laatste reis zijn we echter gaan dineren, hebben we iets te veel gedronken en elkaar toen gekust, Mark en ik. Het was een bevrijding, een zuivering, een ontsnapping aan de eeuwige beschuldigingen. Naderhand voel ik me schuldig, maar ook opgetogen, alsof ik bevrijd was uit mijn knevels.

We mailden elkaar af en toe na mijn terugkeer, en dat ging niet altijd over het werk. Soms ging het over mijn liefde voor de stad, of hoeveel we zouden kunnen hebben als we samen naar een willekeurig tropisch eiland vlogen, gekozen met het besef dat we allebei gek zouden worden van isolement en stilte.

'Wil je uit de tredmolen stappen?' schreef ik bijvoorbeeld. 'Ga dan met me naar Tahiti. Dan kunnen we hele dagen op het strand liggen en drankjes met parapluutjes erin drinken.'

We waren helemaal niet van plan echt iets te doen, maar toch mag Kurt het niet te weten komen. Nooit. En nu kijkt hij me aan en staat hij te wachten tot ik hem het nieuwe wachtwoord geef.

Ik aarzel, maar geef het hem dan toch.

'Even naar het toilet,' zeg ik tegen hem, en ik haast me met twee treden tegelijk naar mijn kantoor.

In het begin van ons huwelijk deelden we een kantoor – ik met het raam open, hij met een kacheltje bij zijn voeten, vlekken tegen het plafond van de nacho's van Taco Bell waar hij me ooit op het hoogtepunt van een ruzie mee bekogeld heeft. Sindsdien hebben we onze kantoren echter zo ver bij elkaar vandaan als in ons grote huis mogelijk is, zo ver zelfs dat de draadloze intercom de afstand niet kan overbruggen, al pikt hij soms wel de babyfoon van de buren op. Dus nu ren ik twee trappen op, van de oostkant van het huis naar de westkant.

Ik laat me in mijn stoel vallen, open mijn e-mailaccount en wis Marks e-mails zo snel ik kan.

Ik heb mezelf echter verraden, want even later komt Kurt ook de trap op. Ik zweet, mijn middelvinger trommelt op de delete-toets.

'Wat ben je aan het doen?' vraagt hij.

'Niets,' zeg ik, en ik open snel een e-mail van een vriendin.

'Waarom doe je dan zo vreemd?'

Hij komt achter me staan en kijkt naar mijn monitor.

'Ik doe niet vreemd,' zeg ik.

Ik draai me om en sla mijn armen om hem heen, wetend dat hij staat te lezen. Ik sta op en kus hem, stel hem gerust met mijn mond en mijn lichaam en hoop dat het bericht dat ik heb geopend onschuldig is.

Even later slaat hij zijn armen om me heen en voel ik zijn ademhaling vertragen. Uiteindelijk gaat hij weg en keer ik terug naar mijn beeldscherm en scroll door mijn e-mails heen om me ervan te verzekeren dat ik ze allemaal heb gewist.

Hij heeft me echter verteld dat iets niet echt verdwijnt door het te wissen of in de prullenbak te gooien. Ik weet dat hij het terug kan vinden, dat ik nog iets meer moet doen, iets moet downloaden, mijn instellingen moet veranderen, mijn instellingen moet veranderen, opnieuw opstarten, op de een of andere manier iets moet doen om het bewijs van mijn ontrouw te laten verdwijnen.

Ik druk op alle knoppen, riskeer het verlies van data, probeer alles. Ik maak de prullenbak leeg, ik maak de inbox leeg, ik wis mijn geschiedenis. Ik leun achterover en adem in. Ik zweet nog steeds.

Die nacht draai ik me om in bed. Ik steek mijn hand uit naar Kurt, maar die is er niet. Ik til mijn hoofd op en kijk om me heen. De kamer is stil en de klok geeft drie uur aan. Ik sta op en ga naar het toilet, trek dan een badjas aan en loop naar beneden, naar zijn kantoor. De maan schijnt door de grote ramen naar binnen, dus ik kan gemakkelijk mijn weg vinden. Plotseling gaat het licht in de gang naar zijn kantoor aan en ik knijp mijn ogen dicht en sla mijn handen ervoor. Als ik weer kan zien, sluip ik verder. Het heeft echter geen zin te proberen hem te verrassen, want het licht zit op een bewegingssensor en hij moet het gezien hebben.

Hij is niet in zijn kantoor.

Ik loop terug naar boven, open de deur naar de garage en zie zijn auto staan. Hij zou er dus moeten zijn. Ik sta stil en luister, maar hoor alleen het tikken van de klok op de haardmantel.

Ik loop verder de gang door en kijk de trap op naar mijn kantoor. Er schijnt een zwakke streep licht onder de deur door.

Ik loop de trap op en doe zachtjes de deur open. Het licht is uit, maar bij de gloed van het beeldscherm kan ik zien dat hij naakt aan mijn computer zit en al mijn e-mails opent. Hij hoort me niet.

Ik wacht tot ik pal achter hem sta.

'Wat ben je aan het doen?' vraag ik.

Hij schrikt op, leunt dan triomfantelijk achterover en klikt een paar keer verder tot hij het bericht vindt dat hij zoekt. Het is gericht aan mijn vriendin Deb, een lange, schertsende *monologue intérieur* over mij en Mark en hoe aantrekkelijk, uitgelaten en verfrist ik me voel. Hoeveel plezier ik heb.

Ik lees over zijn schouder mee. Shit. Shit, shit, shit. Mijn maag verkrampt. Ik heb dit verdiend. Ik verdien het om te worden betrapt. Ik verdien het dat hij boos op me is en met me doet wat hij juist acht. Ik verdien het dat hij me slaat. Of bij me weggaat. Ik had nooit naar Mark moeten kijken, had nooit iets met hem moeten gaan drinken, had nooit moeten toestaan dat al die jaren van kleine intimiteiten – berichtjes over collega's in de marge van onze teksten, een jasje over de schouders op een koude avond, een hand om me een taxi in te helpen – uitdraaiden op een avond van aangeschoten gezoen. Ik heb hem bedrogen en nu zal hij bij me weggaan. Hij moet wel bij me weggaan en dan ben ik alleen en ik wil niet alleen zijn. Ik wil niet zonder hem leven. Ik kan niet zonder hem leven. Ik wil hem wanhopig graag bij me houden, hem voor altijd in mijn leven houden. Hij is mijn andere helft. Ik ben niet compleet zonder hem. Dat overleef ik niet.

Dan word ik kwaad. Hij heeft het recht niet mijn e-mails te lezen. Hij heeft het recht niet om te lezen wat ik in vertrouwen aan een vriendin heb geschreven. Ja, ik heb iets verkeerds gedaan. Ik heb een leven zonder hem overwogen. Maar het was toch ook verkeerd om mijn e-mails door te lezen? Heb ik geen recht op een autonoom leven?

Natuurlijk had ik dat niet, heb ik dat niet. Wat haalde ik in mijn hoofd. Het is niet onschuldig dat er een klein vonkje oversprong met iemand anders. Dat is ontrouw, een tekortkoming. Ik ben een slet.

Ik huil. Hij huilt. Ik bied mijn verontschuldigingen aan. Ik vertel hem dat het niets voorstelde, dat het er niet toe deed, dat ik nooit meer contact op zal nemen met Mark.

Maar onze geloften zijn verbroken. Ik heb ze verbroken. Ik heb naar een andere man gekeken. Erger nog, ik heb die man een paar van mijn kostbare kussen gegeven.

Ik msn Deb over wat er is gebeurd. Dat is veiliger dan e-mailen, denk ik. Het verdwijnt immers. Via de telefoon en msn kan ik alles met haar bespreken, het vanuit haar perspectief bekijken. 'Is het afschuwelijk wat ik gedaan heb? Heb ik hem bedrogen?'

Ze stelt me gerust.

'Kom op, zeg,' schrijft ze. 'Iedereen voelt zich tot anderen aangetrokken, ook al zijn ze getrouwd. Dat is alleen maar menselijk.'

'Dat weet ik, maar zo zal Kurt het niet zien.'

'Je hebt die man gekust, in hemelsnaam,' schrijft ze. 'Je bent niet met hem naar bed geweest.'

'Kussen is al erg genoeg.'

'Even serieus,' schrijft ze. 'Zet het van je af. Je hoeft jezelf niet te blijven kwellen om zo'n kleine stommiteit.'

Maar dat moet ik wel. Ik moet hem terugverdienen. Zijn vertrouwen terugwinnen. Dus verleid ik hem in de keuken, in het zwembad, onder de douche. Ik draag de kleren waarvan ik weet dat ze hem blij maken. Ik vlei hem in het openbaar. Ik bak brood en ben uren bezig met uitgebreide diners. Ik kijk met hem naar basketbal en naar actiefilms. Ik geef hem massages, draag naaldhakken en korsetten en pikante lingerie.

Het kost me weken van kruiperige verontschuldigingen voor we het achter ons kunnen laten. Weken van smeken, terugdeinzen, de torenhoge schuld aanvaarden... tot alles eindelijk weer normaal wordt. Ik durf weer dieper adem te halen, af en toe eens te zeggen: 'Nee, ik ben te moe.'

Ik neem geen contact meer op met Mark. Dan niet, in elk geval.

Een paar weken later realiseer ik me dat er iets mis is met mijn computer. Hij is traag, slaat gegevens erg langzaam op en ik kan een tekst die ik heb geschreven niet meer vinden. Ik druk op de toets waardoor ik mijn tien laatst geopende bestanden te zien krijg en zie iets vreemds. Hij geeft dingen aan die ik al in weken niet heb geopend. Een bestand heet 'huwelijk'. Een ander 'vroege herinneringen'. Eentje heet 'mentale multivitamines', waarin ik de goede dingen noteerde die Kurt over me zei, om me aan op te trekken op momenten dat het niet zo goed ging. Ik herinner me nog dat ik erom heb gevraagd.

'Noem drie dingen waarom je van me houdt,' zei ik. 'Elke dag van deze week. Ik wil dat weten.'

Op goede dagen noemde hij belangrijke dingen, zoals dat ik intelligent was en hem wist over te halen nieuwe dingen te proberen. Hij zei dat ik grappig was en gevoel voor humor had. Maar meestal waren het oppervlakkige dingen, over bepaalde lichaamsdelen, of dat ik goed was in bed. Op een dag zei hij dat ik zo goed was in het weer goedmaken na een ruzie. Ik moest lachen toen ik die laatste las, al zou ik ergens willen dat we niet zo vaak ruzie hadden dat goed-maak-seks tot ons standaardrepertoire behoorde.

Ik bekijk de lijst met documenten. De computer begint zeker te haperen, want wat ik zou moeten zien zijn bestanden met de verhalen waar ik voor diverse tijdschriften aan werk. Er zou er een moeten zijn over hoe je geld overhoudt voor je oude dag en eentje over tandjes krijgen. Aantekeningen, conceptartikelen, facturen. Dat had er moeten staan, maar dit zijn oude, persoonlijke dingen.

Er staat ook een onbekend document bij, iets wat naamloos is opgeslagen. Ik klik erop.

Is het afschuwelijk wat ik gedaan heb? Heb ik hem bedrogen? staat er.

Dat weet ik, maar zo zal Kurt het niet zien. Kussen is al erg genoeg.

Mijn msn-wachtwoord staat erin. Mijn e-mailwachtwoord. De websites die ik heb bezocht. De inhoud van elke e-mail die ik die dag heb geschreven.

Het slaat alles op.

Ik ben woedend. Ik ben bang. Ik voel me onteerd.

Kurt heeft een keylogger op mijn computer gezet en nu kan hij alles lezen wat ik schrijf. Mijn geklaag over hem, mijn getier over klusjes, over familie, vrienden en politiek. Alles wat ik heb geschreven kan hij lezen.

Hij kan het en hij doet het, want dit zijn duidelijk maar mijn ontboezemingen van één dag. Hij moet elke nacht naar boven zijn gekomen om dit document leeg te maken.

Ik raak in paniek. Wat heeft hij gelezen? Heeft hij mijn rechtvaardigingen gelezen? Heeft hij mijn schrijverijen gelezen over hoe kwaad ik ben dat hij mijn e-mail leest? Heeft hij mijn overpeinzingen gelezen, mijn zorgen dat dit huwelijk het niet waard is, dat ik te veel opgeef om hem te kunnen houden? Heeft hij gelezen dat ik geloof dat ik de compromissen voorbij ben en me alleen nog maar opoffer, dat ik mezelf heb ingeruild voor hem? Wat heeft hij gelezen?

Ik bel Deb.

'Jezusmina,' zegt ze.

Ik bel Amy.

'Heb je ooit van keylogger-software gehoord?' vraag ik haar.

'Nee,' zegt ze. 'Waarom?'

Ik vertel het haar.

'Waarom accepteer je die onzin?' vraagt ze.

'Omdat hij van me houdt. Omdat ik hem heb bedrogen en hij het volste recht heeft me te wantrouwen. Omdat ik het verdiend heb. Omdat hij het niet zou doen als hij niet zo bang was om me kwijt te raken, en die angst is toch ook een stukje liefde, niet?'

'Niet in mijn ervaring,' zegt ze.

Haar ervaring is echter beperkt. Ik weet wel beter. Zij en Ron zitten thuis op de bank en kijken films. Ze knuffelen. Ze hebben niet eens seks, voorzover ik weet. Ware liefde is opzwepend en kwetsbaar en behoeft voortdurend verstelwerk, reparatie, gesmeek en goed-maak-seks. Ze is dramatisch als een tango en leeft op spanning.

Ik begrijp waarom hij het gedaan heeft, waarom hij inbreuk heeft gemaakt op mijn privacy. Ik begrijp dat er tussen ons geen geheimen zouden moeten zijn, geen privéleven, geen ervaringen of pleziertjes waar de ander geen deel van uitmaakt. Ik begrijp het, maar er moet evengoed een eind aan komen.

'Hoe lang zit dat programma al op mijn computer?' vraag ik hem.

'Hoe lang ga je al vreemd?' pareert hij.

Hij heeft me te pakken. Ik zal voor altijd de schuldige zijn.

Ik dwing hem het van mijn computer te verwijderen, maar blijf schichtig. Ik controleer het elke keer als ik aanlog. Staan mijn documenten in de juiste volgorde? Is alles nog zoals ik het heb achtergelaten? Zweven er naamloze documenten rond? Is mijn e-mailwachtwoord goed beveiligd?

'Wat probeer je te verbergen?' vraagt hij.

'Niets,' zeg ik. 'Ik heb gewoon recht op privacy.'

'Waarom?' vraagt hij. 'Ik dacht dat je van me hield. Waarom wil je dan dingen voor me geheim houden?'

Het is een goede vraag, maar ik hou toch voet bij stuk.

'Lieve hemel,' zegt Amy, 'mag je niet met je vriendinnen praten zonder dat hij meeluistert? Dat is idioot. Praat hij niet met zijn vrienden?'

'Hij heeft geen vrienden,' zeg ik. 'Ik ben zijn enige vriendin.'

'Ja, vast,' zegt ze.

Het is even stil, dan denk ik eraan het te vragen. 'Hoe is het met Ron?'

'Prima,' zegt ze. 'Alles prima.'

Ze gaat weer naar de sportschool en naar de Weight Watchers en praat opgetogen over haar colleges. Haar stem klinkt diep en levendig en stijgt wanneer ze giechelt. Ik denk dat het is omdat ze verliefd is, al heeft het een enigszins gespannen klank.

Het duurt weken voor ik me kan ontspannen, voor ik ophou met controleren of mijn bestanden in orde zijn en mijn e-mail ongelezen is. Alles wordt weer normaal tussen Kurt en mij; we kibbelen, bedrijven de liefde en bewonderen elkaars werk. Dan vind ik op een dag een briefje half onder de aantekeningen en papieren op mijn bureau. Het is een lijstje in zijn handschrift van de laatste tien documenten die ik de dag ervoor heb geopend. De keylogger is eraf, maar hij leest nog steeds alles wat ik heb geschreven.

Ik heb zin om te krijsen.

Een paar dagen later staat er een kaartje tegen mijn monitor aan. Op het scherm staat het interne telefoonboek van het bedrijf waar Mark werkt. Het is een halfjaar na 11 september en ik had het opgezocht omdat ik benieuwd was of alles goed met hem was, maar ik had niet gebeld.

Ik bel Amy. 'Ik weet niet of ik hem ermee moet confronteren of het maar moet laten zitten,' zeg ik. 'Ik doe vast iets verkeerd dat hij zo'n behoefte heeft aan bevestiging, dus misschien moet ik hem maar gewoon alles laten lezen tot hij ervan overtuigd is dat ik niets doe dat ons huwelijk in gevaar kan brengen. Wat denk jij?' vraag ik aan Amy.

'Volgens mij is hij mesjogge,' zegt ze.

Ik besluit te proberen haar een poosje niet te bellen. Dan lijkt het alsof het niet veel voorstelt.

19

'Wauw, de herten hebben bijna niets overgelaten van mijn hosta's,' zeg ik tegen de buurman.

Het is mei en hij zit op zijn knieën te wieden.

Ken is lang en knap. Hij is geweldig, net als zijn vrouw Jean en hun drie kinderen.

'Ik denk erover een bord neer te zetten met "Saladebar". Maar ik betwijfel of de herten kunnen lezen.'

Hij lacht.

'Ik hoorde dat Cathy van verderop in de straat urine gebruikt om ze bij haar planten weg te houden. Ze plast in een kopje, giet het in een plantenspuit en besproeit de planten ermee.'

'En werkt dat?' vraagt Ken.

'Kennelijk. Haar tuin ziet er fantastisch uit.'

'Natuurlijk zou ík geen plantenspuit hoeven te gebruiken,' zegt hij. 'Ik zou gewoon van plant naar plant kunnen lopen.'

Ik lach. 'Doe dat dan maar niet aan onze kant van het huis,' zeg ik. 'Want dan zouden de lampen van de bewegingsmelders wel eens aan kunnen springen.'

We lachen allebei.

Later lach ik weer als ik het aan Kurt vertel.

Het blijft even stil.

'Dus je had het er met Ken over dat hij zijn broek omlaag zou trekken.'

Later bel ik Amy. Ron Ball neemt de telefoon op. Het is de eerste keer dat ik zijn stem hoor en ik probeer die te combineren met de foto die ze me eerder heeft gemaild.

'Hoi,' zeg ik, 'je spreekt met Amy's zus Janine. Is ze daar?'

'Nee, ik heb haar in stukken gehakt en in de achtertuin begraven.'

Ik zwijg. Wat een klootzak.

'Juist. Waar is ze echt?'

'Ze is boodschappen doen. Moet ik vragen of ze je terugbelt?'

'Graag.'

Ik hang op. Ik mag Ron Ball niet, en ik heb hem nog niet eens ontmoet. Wat bezielt Amy?

Het restaurant heeft een glimmende marmeren vloer. Ik loop voorzichtig op de schoenen die Kurt voor me heeft uitgekozen bij de outfit die hij op het bed voor me klaar had gelegd. Aan de andere kant van de eetzaal zie ik een man die ik ken van de sportschool. Ik glimlach en knik.

'Wie is dat?' vraagt Kurt.

'Een man van de sportschool.'

'Hoe heet hij?'

'Greg.'

'Greg hoe?'

'Dat weet ik niet.' Ik hoor nu al aan zijn toon dat dit lang gaat duren.

'Waar ken je hem dan van?'

'Dat zeg ik net, van de sportschool. Hij traint op dezelfde tijd als ik.'

'Is hij goed in vorm?'

'Best wel,' zeg ik, maar ik zeg niet dat Greg één bonk spieren is. Hij is bovendien grappig, maar dat zeg ik ook niet tegen Kurt.

'Dus dat is je wel opgevallen.'

'Ja, het is nou eenmaal een sportschool en hij is er vaak.'

'Dus je wilt iets met hem.'

'Nee,' zeg ik geduldig, 'ik wil niets met hem.'

'Je wilt hem.'

'Ik wil hem niet. Ik wil jou. Maar als we het hier de hele avond over gaan hebben, zou dat wel eens kunnen veranderen.'

Kurt is kwaad. Ons eten wordt gebracht en ik verander van onderwerp. Over zijn schouder zie ik Greg opstaan. Kom alsjeblieft niet met me praten, denk ik. Hij komt naar ons toe.

'Eet je dat op?' vraagt hij.

'Helemaal,' zeg ik lachend. 'En dan nog kan ik je morgen de baas.' Zo praten we op de sportschool ook tegen elkaar. Ik daag hem uit meer te tillen, plaag hem dat zijn armen dunner zijn dan de mijne, ook al zijn die van hem net zo dik als mijn bovenbenen. Het is onschuldige sportschoolpraat en ik vind het heerlijk.

Ik stel hen aan elkaar voor. 'Kurt, dit is Greg. Greg, dit is mijn man Kurt.'

Ze zijn beleefd, praten even en dan wendt Greg zich weer van ons af.

'Tot op de sportschool!' zeg ik.

Dat is een vergissing.

'Je wilt hem neuken,' zegt Kurt terwijl Greg wegloopt.

Ik kijk hem aan en schud mijn hoofd.

'Je wilt hem neuken,' herhaalt hij.

'Nee,' zeg ik, 'dat wil ik niet. Hij is een vriend, dat is alles.'

'Tot op de sportschool,' praat hij me met hoge stem na. 'Je wilt hem neuken.'

Ik verontschuldig me en ga naar het toilet. Op weg daarheen schuift mijn hak onder me vandaan. Ik struikel en voel een hete blos van schaamte, al weet ik me te herstellen voordat Kurt het merkt.

In het toilet ga ik op de wc zitten met mijn hoofd in mijn handen. Ik adem diep in. Ik wil dat hij gewoon van me houdt. Ik wil dat hij me vertrouwt, me accepteert, me toestaat me te ontspannen. Maar als ik dat doe zal hij niet meer van me houden. Hij zal niet van me houden als ik dik word. Hij zal niet van me houden als ik iets stoms zeg. Hij zal niet van me houden als ik naar een andere man kijk. Hou nou alsjeblieft gewoon van me, denk ik. Alsjeblieft.

Ik ga terug naar de tafel. Kurt heeft de rekening betaald en staat naast de tafel. Hij pakt me bij mijn arm als we naar buiten lopen. In de auto buigt hij naar me toe en kust me vol overgave. 'Het spijt me,' zegt hij. 'Ik hou gewoon zoveel van je dat ik de gedachte je te verliezen niet kan verdragen.'

Ik bezwijk. Ik begrijp het. Ik kan ook niet zonder hem leven.

We vrijen in de auto. We rijden naar huis en staan nauwelijks in de garage of we trekken elkaar de kleren van het lijf.

Uren later word ik in bed wakker. Hij staat over me heen gebogen, zijn gebalde vuist bevend boven mijn gezicht.

'Je wilt hem neuken,' zegt hij. 'Waarschijnlijk neuk je al met hem.'

Ik bescherm mijn hoofd met mijn handen, maar Kurt slaat me

tegenwoordig niet meer. Hij houdt zich in. Weerstaat de aandrang. Weerhoudt zich er met grote moeite van zijn vuist of elleboog in mijn gezicht te rammen. Maar ik weet altijd dat hij het zou kunnen.

Deels ben ik dankbaar dat hij zoveel zelfbeheersing heeft dat hij me niet in elkaar slaat.

En dat is wat er ook nu gebeurt. Ik lig op mijn rug, de dekens over mijn borst opgetrokken, zijn gebalde vuist een paar decimeter van mijn gezicht vandaan, bevend. Ik geloof niet dat hij me zal slaan, maar ik weet het niet helemaal zeker. Hij schudt zijn hoofd en laat zijn vuist zakken.

'Je bent het niet waard,' zegt hij.

In het begin van ons huwelijk zou ik zijn opgesprongen en hem hebben geconfronteerd, hem hebben uitgedaagd, hebben geslagen of ergens mee hebben gegooid. In het begin zou ik voor mezelf zijn opgekomen, het gevoel hebben gehad dat ik de lont uit het kruitvat haalde, dat ik minstens zoveel controle over de situatie had als hij en zou ik genoten hebben van de spanning van het drama.

Hij prikt zijn vinger in mijn borst.

'Je gaat hem morgen neuken. Ik heb het je horen zeggen.'

Ik ben in de war.

'Wie ga ik morgen neuken?' vraag ik nog half slapend.

'Greg,' zegt hij op langgerekte zangerige toon, treiterend.

'*En dan nog kan ik je morgen de baas,*' zegt hij met hoge, flirterige stem.

Ik schud mijn hoofd en begin te zweten van boosheid en angst.

'Je bent niet goed wijs,' zeg ik.

Het duurt uren voor hij ophoudt me te beschuldigen, zijn vinger in mijn borst te prikken en vol te houden dat ik met een andere man naar bed ga.

Weer dreigt hij te vertrekken. Met hem zullen de kinderen verdwijnen, het leven dat we hebben opgebouwd, onze geschiedenis, onze toekomst en onze dromen. Ik wil hem niet kwijtraken. Ik moet doen wat nodig is om te zorgen dat hij blijft.

Uiteindelijk stormt hij de kamer uit. Ik laat hem gaan, te uitgeput om nog te blijven smeken.

's Ochtends sta ik op om voor de kinderen te zorgen terwijl hij doorslaapt. Ik sleep mezelf de dag door, schuldig, verdrietig en gedeprimeerd, niet in staat te vergeten wat er is gebeurd.

Als hij wakker wordt, komt hij me omhelzen, maar ik duw hem weg.

'Wat mankeert jou?' vraagt hij.

Ik kijk hem aan.

'Ben je vergeten wat er vannacht is gebeurd?'

Hij doet een stap achteruit.

'Loop je daar nou nog steeds over te zeiken?' vraagt hij. 'Zet het van je af.'

'Hij zei dat hij me zou vermoorden,' vertelt Amy me een week later, 'maar ik zei dat dat niet grappig was.'

'Wat zei hij? Je houdt me voor de gek, of niet?'

'Nou, hij zegt zoiets beslist niet meer,' zegt ze. 'Ik werd behoorlijk fel.'

'Toch was het bizar om zoiets te zeggen.'

'Het was ook bizar. Maar hij maakte maar een grapje.'

'Ik neem aan dat het een grapje was. Anders hadden we nu een heel ander gesprek gevoerd.'

'Je meent het.'

'Amy,' zeg ik.' Ben je zeker van die kerel?'

'Hij maakte maar een grapje,' zegt ze.

Het is middag en Kurt vertrekt voor een late dienst in het ziekenhuis. We kussen elkaar gedag – een langdurige, verleidelijke, ik-kan-je-niet-zo-lang-missen-kus – en hij vertrekt door de garage. Ik kijk door het voorraam toe terwijl hij de straat op rijdt in zijn glimmende rode sportwagen. Hij draagt zich om om te zwaaien. Dan stopt hij, zet zijn auto in de achteruit en komt piepend terug de oprit op, slingerend zoals wanneer hij gespannen of kwaad is. Ik hoor zijn portier dichtslaan en de garagedeur opengaan. Ik krimp ineen tegen de tijd dat hij binnen komt stormen.

'Wie heeft ze gestuurd?' vraagt hij terwijl hij de voordeur openrukt zodat ik kan zien wat hij bedoelt.

Op het stoepje staan een dozijn gele rozen in een oranje glazen vaas. Ik verzamel gekleurd glaswerk – schalen en vazen in verschillende schakeringen geel – en de asymmetrische vaas is het soort cadeau dat iemand die om me geeft voor me zou uitkiezen.

Ik pak de vaas op en duw mijn neus in de bloemen.

'Wie heeft ze gestuurd?' vraagt hij weer. Hij graait ze uit mijn armen en zoekt naar een kaartje. Er zit geen kaartje bij.

Ik doorzoek mijn geheugen. Heb ik op de sportschool iemand ontmoet? Heb ik me tijdens mijn werk laten ontvallen dat ik van zoiets hield? Welke man is er zo van me onder de indruk geraakt dat hij het risico heeft genomen me bloemen te sturen? Ik kan niemand bedenken. Al wekenlang ga ik alleen naar de supermarkt, de sportschool en de wedstrijden van de Little League.

'Ik weet het niet,' zeg ik, al terugdeinzend voor zijn priemende vinger. 'Ik kan niemand bedenken.'

Mijn gezicht kleurt echter rood. Het kan natuurlijk zijn dat ik ergens tegen iemand heb geglimlacht, dat iemand op de sportschool mijn vriendschappelijke plagerijtjes verkeerd heeft opgevat.

Hij komt voor me staan met zijn brede schouders, zijn gezicht boven het mijne, op me neerkijkend.

'Wie is het?' bijt hij me zacht toe, zijn stem daardoor des te angstaanjagender. 'Wie heeft ze gestuurd?'

Mijn ontkenningen worden zwakker en huilerig.

De inquisitie duurt een kwartier, tot ik in tranen ben en hij te laat is. Hij stormt naar buiten, verzekert me dat hij me zal dwingen het gesprek af te maken als hij terugkomt en eist dat ik naar zijn werk bel om de schuld op me te nemen voor het feit dat hij te laat is. Ik zeg tegen zijn collega's dat ik zonder benzine ben komen staan en dat hij me moest komen helpen. Ik lieg voor hem.

Mam belt. Ze had naar Amy's huis gebeld en Ron had opgenomen.

'Hij zei dat hij haar eruit had geschopt,' zegt mam.

'Maar het is haar huis.'

'Dat weet ik,' zegt mam. 'Het was een grapje. Hij heeft een heel verknipt gevoel voor humor.'

'Vertel mij wat.'

Een paar dagen later kom ik onze oude vriend Tim tegen, die onlangs is hertrouwd met een heel lieve vrouw.

'Heb je de bloemen gekregen?' vraagt hij. 'We hadden die vaas en wisten dat jij hem prachtig zou vinden, dus wilden we hem aan jou geven.'

Er wellen tranen in mijn ogen op en – met zeldzame eerlijkheid – vertel ik hem wat er is gebeurd. Hij kijkt me vol medeleven aan, dus ik corrigeer mezelf. 'Hij was gestrest door zijn werk. Hij houdt van me.'

Ik weet niet of ik tegen Tim sta te liegen of tegen mezelf.

'Geef me nog een kans,' zegt Kurt.

Ik kijk hem aan. De ruzie was erg, zelfs naar mijn maatstaven. Dagenlang, afmattend en pijnlijk. Slapeloze nachten en toenemende angst. Ik liep rond met rauwe zenuwen, trillend, wachtend tot hij iets zou zeggen of doen dat het roer zou doen omslaan. Naar ons huwelijk toe of er vanaf.

Hij slaat me niet, hij snauwt en schreeuwt alleen en keert me zijn rug toe, straft me op de manieren die hij het beste kent. Hij weet beter dan wie ook dat ik hem niet wil verliezen. Wat zou ik zonder hem zijn? Een mislukkeling, natuurlijk. Een slappeling. Een loser die een slechte keus heeft gemaakt. Of misschien een vrouw die de hobbels van het huwelijk niet kan nemen. Iedereen heeft ruzie. Elke relatie kent irritaties. Elke vrouw heeft momenten dat haar echtgenoot zich tegen haar keert en een gezicht trekt alsof hij haar wil vermoorden.

We maken door wat ik eufemistisch een "moeilijke periode" noem, en zoals gewoonlijk is ons seksleven intens. Hartstochtelijk en wanhopig, een uiterste poging om een band te scheppen. Om hoe dan ook een band te scheppen. Om de woorden, de daden en de dingen die me zo'n angst aanjagen weer goed te maken.

Ik bel mijn vriendin Vickie.

'Hoe vaak hebben jij en je man ruzie?'

Ze is verbaasd.

'We maken nooit ruzie,' zegt ze. 'Waarom zouden we ruzie maken? Ik bedoel, we zijn het wel eens niet met elkaar eens, maar daar kunnen we over praten. Hoezo?'

Ik bel Amy.

'Ik moet ermee kappen,' zeg ik.

'Als je dat moet doen, doe het dan,' zegt ze. 'Vertrouw op jezelf. Volgens mij vertrouwen vrouwen niet genoeg op zichzelf. Als je het gevoel hebt dat je ermee moet stoppen, dan is dat niet zomaar.'

Ik zeg dat ik haar nog wel terugbel.

'Weet je wat,' zegt hij. 'Laten we nog eens naar Florida gaan. We kunnen de verjaardag van Sarah daar vieren.'

'Het zal niet bepaald romantisch zijn met haar erbij,' zeg ik.

'We kunnen Jane vragen mee te gaan om op haar te passen. Dat zal ze toch wel doen, denk je niet?'

Mijn zuster Jane schildert aquarellen en woont in het koude Montana. Ze zou genieten van de zon en het zand, en de kans om met haar nichtje samen te zijn. Ik schrik er echter voor terug haar aan onze echte dynamiek bloot te stellen, vooral onze slechte dynamiek. Ik aarzel, maar ik vraag het haar toch.

'Dat lijkt me leuk,' zegt ze.

Dus regelen we de vluchten, hotelkamers, een huurauto, een kinderzitje voor in de huurauto, de reisbox en kleren voor de kleine en minder kleren voor onszelf, en gaan we terug naar Lauderdale, maar niet naar the Little Inn by the Sea. In plaats daarvan besluiten we, omdat dat financieel ook beter uitkomt, een keer iets minder luxueus te proberen.

'Zolang het maar schoon en veilig is,' zeg ik, 'maakt het mij niet uit.'

'Ik weet een volmaakt motel,' zegt Kurt.

Het motel heet the Castle by the Sea. We arriveren er op het heetst van de middag, moe van het reizen en wanhopig verlangend naar een koele kamer, kibbelend over de juiste weg omdat de straat voor ons motel is opengebroken en opnieuw wordt aangelegd door reusachtige machines.

'O, dit is geweldig,' zeg ik, met tranende ogen door de damp van het hete asfalt.

'Wat?' roept Kurt. Onze stemmen gaan verloren in de het krijsen en trillen van de schrapers, kneuzers, schavers en de teersmelter, en van de dreunende bas uit de radio van de wegwerkers.

Het motel zelf is L-vormig en verlaten, twee verdiepingen hoog. Er is een zwembad aan de achterkant en overal staan planten. Een kleine televisie is overdag verborgen onder een stuk beschimmeld tapijt en wordt 's avonds aangesloten. Aan een ficus hangt een fluorescerend skelet dat een hand mist. Hoewel het april is staan er een verlicht rendier en een engel op het dak van de veranda waar namaakijspegels aan hangen. Op het aluminium onderstel van een tuinstoel zonder zitting staat een gasbarbecue – zonder poten en gasaansluiting.

We zitten meer dan een uur in roestende ligstoelen bij het zwembad te wachten tot het kantoor opengaat. Ik moet in slaap gevallen zijn, want ik word wakker terwijl een man met slechts enkele tanden in zijn mond naar me staat te staren.

'Ik ben de eigenaar,' zegt hij. 'Ik verwachtte u al. Het is een prachtige, prachtige dag, maak het uzelf gemakkelijk.'

Zo ratelt hij door terwijl hij ons in de lobby laat, waar de E op het bordje met 'Entree' in feite een W op z'n kant is, alsof de eigenaars geen plakletters meer hadden, of de E kwijt waren geraakt. 'Alle transacties zijn contant,' zegt hij. Kurt pakt zijn portemonnee terwijl ik de gekreukte en vergeelde toeristische foldertjes bekijk van bedrijven in Miami en Dade County, een uur of twee verderop.

Hij brengt ons naar onze kamers, een aan het korte eind van de L voor Kurt, Sarah en mij en een aan het lange eind voor Jane. Ik ben opgelucht dat ze niet naast elkaar liggen.

De kamers zijn goedkoop ingericht, het bestek in de keuken een mengeling van metaal en plastic. De douche, zo ontdekken we, heeft net zoveel druk als een autowasserette. Het linnengoed is buiten gedroogd en opgeslagen en ruikt naar vocht en zout, en de airconditioner-units in het raam draaien constant en grotendeels tevergeefs. Ze jammeren boven het lawaai van de asfaltkneuzer uit.

Ik pak onze koffers uit en gaan dan naar beneden om een kleed te vragen voor op de vloer van de box, maar de eigenaar is weer vervangen door het bordje 'lunchpauze'.

Een verveelde vrouw laat haar beagle uit rond het zwembad. Ze zijn allebei te zwaar. Ik ga terug naar de kamer.

'Niet bepaald het Ritz,' zeg ik. Dat lijkt me nog zacht uitgedrukt.

'Jij kunt gewoon niet gelukkig zijn,' zegt Kurt. 'Jij moet gewoon in alles het negatieve zien.'

Ik kijk de kamer rond.

'Het valt ook echt niet mee om hier het negatieve te zien.'

Hij doet een stap naar voren.

'Je bent een kreng.'

Ik kijk hem aan.

'En jij bent een lul.'

'Je kunt nooit iets waarderen.'

'O nee? Ik kan niets waarderen? Komt dat misschien doordat ik moe ben omdat ik alles heb moeten inpakken voor jou, mij en Sarah? En het vliegtuig heb moeten reserveren? En voor haar heb gezorgd in het vliegtuig terwijl jij zo nodig moest slapen? Wat heb jij voor deze reis gedaan, behalve dit fantastische hotel uitzoeken?'

Hij doet nog een stap dichterbij. Hij staat nu vlak voor me en ik moet omhoog kijken.

'Ik heb het geld verdiend.'

Hij kijkt me lelijk aan, met opgetrokken lip. Sarah maakt een geluidje. Ze kijkt vanuit haar box toe.

'Ik breng Sarah naar Jane,' zeg ik. 'Ik wil niet dat ze dit ziet.'

'Prima,' zegt hij. 'Ga maar. Ik wil toch even slapen.'

Ik bel naar Janes kamer en waarschuw haar dat ik eraan kom. Ik vertel haar niet dat we ruzie hebben, maar suggereer dat we wat tijd voor onszelf willen. Ik breng het als iets positiefs, alsof we behoefte hebben aan intimiteit.

Ze wil haar nichtje graag bij zich hebben.

'Breng haar badpak mee,' zegt ze. 'En zonnebrand. Dan ga ik met haar naar het strand.'

Als ik terugkom in de kamer ligt Kurt op het bed, zijn ogen open.

'Je doet je best niet, hè?' zegt hij.

Ik kijk hem een hele tijd aan. 'Denk je me hiermee weer voor je terug te winnen?'

'Kom hier,' zegt hij. Hij spreidt zijn armen, nodigt me uit naast hem te komen liggen.

'Nee,' zeg ik. 'Ik wil het niet op die manier goedmaken.'

'Kom hier,' zegt hij glimlachend.

Hij is knap, gespierd en vertrouwd. Ik geef toe. Ik ga naast hem liggen en vind mijn plekje in zijn armen. We blijven een paar minuten stilliggen.

'Hou je van me?' vraag ik.

'Dat weet je toch,' zegt hij, en hij streelt door mijn haren.

Ik druk me dichter tegen hem aan.

'Ik ga even wandelen,' zeg ik na een poosje.

'Prima,' zegt hij.

Ik sta op en trek mijn sandalen aan. Ik weet dat het niet prima is, dat hij kwaad is omdat ik wegga, maar het kan me niet schelen. Ik ben doodmoe van het raden naar wat hij wil en nodig heeft, van het op mijn tenen lopen en me afvragen wat ik nu weer fout zal doen. We hebben ervoor gekozen naar Florida te gaan, onze liefde nieuw leven in te blazen, om ons te ontspannen, maar ik weet dat als ik een bikini aantrek er kritiek op me zal worden uitgeoefend, ofwel vanwege mijn cellulitis of omdat ik die niet heb, omdat ik te veel train op het strand of omdat ik te veel eet, omdat andere mannen naar me kijken of omdat ik me zo kleed dat er niemand naar me kijkt, omdat ik mezelf vergelijk met jongere vrouwen, omdat ik niet opmerk hoe geweldig Kurt eruit ziet of omdat ik hem een onbehaaglijk gevoel bezorg als ik daar te veel op let. Deze hele vakantie is voor mij één groot mijnenveld dat gegarandeerd een keer tot ontploffing zal komen.

'Ik ga meteen boodschappen doen,' zeg ik.

Het is in orde als ik dingen doe die gedaan moeten worden, als ik boodschappen ga doen. Het is niet in orde als ik gewoon een paar minuten voor mezelf wil, want dat zou kunnen betekenen dat ik plezier heb of dat ik iets nieuws, iets leuks, meemaak zonder hem.

Ik doe de deur zachtjes dicht en klop even later net zo zachtjes bij Jane aan. Ze doet open en we fluisteren tegen elkaar, hoewel het absoluut niet stil is met op de achtergrond de straat die opnieuw wordt aangelegd.

'Hoe is het met haar?' vraag ik.

'Ze slaapt bijna,' zegt ze, en ik kijk haar spijtig aan. Mijn komst heeft het proces waarschijnlijk met een halfuur vertraagd.

'Sorry,' zeg ik. 'En bedankt. Ik ga naar de supermarkt. Wat kan ik voor je meebrengen?'

'Ik ga straks zelf nog wel,' zegt ze.

Ik weet dat ze naar haar rol zoekt, ergens tussen gast en oppas.

'Ik breng wel mee wat je wilt, hoor,' zeg ik. 'Echt waar.'

Ze geeft me een kort lijstje. Appels, bananen en sinaasappelsap, misschien wat vanillewafels.

Ik vertrek stilletjes en loop door de asfaltdampen de straat af.

Als ik terugkom is Kurt weg. Hij heeft geen briefje achtergelaten, maar ik neem aan dat hij naar het basketbalveld is en ik heb geen zin om te gaan kijken. Ik loop naar het achterterras en ga liggen lezen. Als Jane en Sarah naar buiten komen, gaan we het zwembad in, dat verbazingwekkend schoon en koud is, en waar Sarah zich telkens weer in laat vallen, zodat Jane en ik om beurten in het ijskoude water moeten blijven staan.

'Vang me op!' roept mijn kleine meisje voor ze vol vertrouwen in het water springt.

Tegen de tijd dat Kurt terugkomt, zijn wij helemaal gerimpeld en rillerig en is hij ontspannen en tevreden door het basketballen. We gaan gevieren dineren en daarna gaan Kurt en Jane bij het zwembad zitten terwijl ik Sarah naar bed breng.

Wanneer ze slaapt, ga ik bij hen zitten. Het stinkt nog steeds naar asfalt, maar het lawaai is gestopt voor de nacht en heeft plaatsgemaakt voor het geluid van de meeuwen, de wind en zo nu en dan de sirene van de brandweerkazerne om de hoek.

Kurt pakt mijn hand vast en ik leun achterover in mijn stoel. De avond is warm en zijn aanraking is liefdevol. Ik ben samen met mijn man en mijn zus en voel me op mijn gemak. Ik sluit mijn ogen, al blijft onder de oppervlakte de bezorgdheid knagen. Is dit veilig? Zal ik de avond doorkomen zonder dat zich weer problemen voordoen? Ontspan je, denk ik. Geniet. Vraag er niet om. Maak het niet tot een zichzelf vervullende profetie. Kurt houdt van je. Jij houdt van Kurt. Alles komt in orde. Ik zucht.

Niet veel later wenst Jane ons welterusten en gaan Kurt en ik naar onze kamer. Ik kus hem en begin me in het donker uit te kleden.

'Waarom ben je niet komen kijken toen ik aan het spelen was?' vraagt hij.

Ik pak een T-shirt.

'Ik wist niet waar je was,' zeg ik terwijl ik het over mijn hoofd trek. Ik kan beter niet naakt zijn tijdens zulke gesprekken, denk ik.

'Je wist heel goed waar ik was.'

'Je had geen briefje achtergelaten,' zeg ik.

Hij doet het licht aan en ik sla mijn handen voor mijn ogen.

'Doe uit!' fluister ik dringend. 'Sarah slaapt.'

'Ik was waar ik 's middags altijd ben als we hier zijn,' zegt hij, terwijl hij naar me toe komt. 'Je wist dat ik was gaan basketballen.'

'Ik wilde me gewoon ontspannen en wat lezen,' zeg ik, en ik loop naar de lichtknop en doe het licht uit. Sarah jammert zacht in haar slaap, moe van de reis.

'Dus je loog,' zegt hij terwijl hij aan zijn kant in bed stapt. 'Je wist wel waar ik was.'

'Ik vermoedde dat je daar waarschijnlijk wel was,' zeg ik, 'maar ik wilde even lezen.'

'Hoe moet ik je kunnen vertrouwen als je liegt?'

'Het was niet gelogen. Ik wist het niet zeker.'

'Het kon je niet schelen.'

'Wel.'

'Maar niet genoeg om naar me te komen kijken,' zegt hij. 'Of had je soms iets belangrijkers te doen?'

Daar komt het, denk ik, en ik probeer die gedachte meteen te verdringen.

'Ik heb geen idee waar je het over hebt,' zeg ik, en ik ga op mijn zij liggen en trek de deken over mijn schouders op, maar dat blijkt een vergissing te zijn.

Hij springt uit het bed en komt naast me staan.

'Waar ben je heen geweest?' vraagt hij, een vinger in mijn borst priemend.

'Stil,' zeg ik. 'Sarah slaapt.'

'Niet te geloven dat je nu zelfs maar aan slapen kunt denken,' zegt hij. 'We moeten hier over praten.'

Ik doe mijn ogen weer open.

'Jezus, kunnen we niet gewoon gaan slapen?' vraag ik. 'We komen hier vanavond toch niet uit. Ik heb even rust nodig.'

Hij buigt over me heen.

'Zeg dat je van me houdt.'

'Ik hou van je,' mompel ik, en ik trek de deken wat hoger op.

Hij pakt me bij mijn schouder en draait me op mijn rug, zijn gezicht is vlak boven het mijne.

'Zeg het alsof je het meent.'

Ik kijk naar hem op. Ik ben uitgeput. Ik wil niets liever dan slapen.

'Ik hou van je,' zeg ik. 'Oké?'

Hij glimlacht.

'Oké,' zegt hij, 'dat is alles wat ik wilde horen.'

Hij laat me los, loopt naar zijn kant van het bed, kruipt erin en gaat dan tegen mijn rug aan liggen. De airconditioning ruist, hij ademt in mijn nek en ik kan niet slapen, hoe moe ik ook ben. Ik probeer hem weg te duwen, maar hij nestelt zich nog dichter tegen me aan. Ik zucht.

'Kun je opschuiven?' vraag ik. 'Ik heb het warm.'

Het blijft even stil en ik houd mijn adem in.

'Prima,' zegt hij. Hij pakt zijn kussen op, draait zich om en schuift op naar de andere kant van het bed. Ik adem uit.

We houden ons allebei aan onze eigen rand van het bed vast. De detente duurt maar een minuut, dan draait hij zich weer naar mij om, waardoor het hele bed beweegt.

'Je bent de hele dag al een kreng, weet je dat,' zegt hij.

Ik antwoord niet.

'Het is waar,' vervolgt hij. 'Je bent de hele dag al een kreng.'

Ik probeer me niet te laten verleiden tot een antwoord, maar geef toch toe. 'Dat is niet waar.'

'Wel waar.'

Ik denk erover na. Ik heb de hele dag gevlogen met een peuter, in een auto met open dak in de laaiende hitte naar een waardeloos motel gereden aan een weg die opnieuw wordt geasfalteerd, en alles voor de kleine geregeld. Was ik krengerig? Dat zou best kunnen.

Uiteindelijk vallen we allebei in slaap, ons ieder vasthoudend aan onze eigen kant om niet naar elkaar toe te rollen in het doorgezakte bed.

Een paar uur later wordt Sarah alweer opgewekt wakker.

'Mammie,' roept ze. 'Mammie, mammie, mammie.'

Ik ben dol op haar, maar ik zou het liefst mijn oren dichthouden.

Ik sta echter op, haal haar uit bed, kleed haar aan en neem haar mee naar buiten om tussen de palmbomen rond te rennen, zodat Kurt niet wakker wordt.

Jane opent haar deur en ik draag Sarah aan haar over, sluip dan terug naar onze kamer om een doos ontbijtgranen en de fles melk te halen. Kurt slaapt nog steeds.

'Alles goed?' vraagt Jane.

Ik kijk haar aan. 'Het was een zware nacht,' zeg ik.

'Wat vervelend voor je.'

'Dank je.'

Ik ga even op haar bed liggen en doe mijn ogen dicht. Sarah roept me weer, maar Jane leidt haar af met Cheerio's en een liedje over drie kleine visjes in een heel klein vijvertje. Sarah vindt het prachtig.

'Is er iets waar je over wilt praten?' vraagt Jane.

Ik kijk haar aan. Zal ik haar de waarheid vertellen? Zal ik haar vertellen dat ik door een mijnenveld loop, dat hij vandaag zal ontploffen en dat ik niets kan doen om dat te voorkomen?

Ik laat me weer achterover vallen.

'Nee,' zeg ik. 'Alles is in orde.'

Jane blijft liedjes zingen tegen Sarah.

'Oké,' zegt ze. 'Maar als je behoefte hebt om te praten...'

'Alles is in orde,' herhaal ik. 'Ik ga even bij Kurt kijken.'

Kurt slaapt nog steeds, zijn zo vertrouwde gezicht diep in het kussen gedrukt. Ik trek mijn kleren uit en ga naast hem liggen.

'Goedemorgen,' zeg ik wanneer hij zijn ogen opendoet.

Hij slaat zijn armen om me heen en trekt me naar zich toe.

'Het spijt me van gisteravond,' zeg ik.

Hij gromt en trekt me nog dichter tegen zich aan.

'Hoeveel spijt heb je?' vraagt hij.

We bedrijven de liefde voor het ontbijt, voor de koffie en voor de wegwerkers hun dagelijkse gedreun hervatten.

20

Later klop ik bij Jane aan.
'Zou je op haar willen passen terwijl wij naar het strand gaan?' vraag ik.

'Geen probleem,' zegt Jane. 'We gaan wel spelen.'

Kurt en ik pakken onze spullen en lopen naar de zee, waar we onze handdoeken naast elkaar op het strand leggen. We slaan onze boeken open en gaan liggen lezen, naast elkaar. Na een poosje zegt Kurt: 'Ik ga het water in. Ga je mee?'

'Ik blijf hier liggen,' zeg ik, mijn hand boven mijn ogen terwijl ik naar hem opkijk. 'Als ik in slaap val, wil je me dan over twintig minuten wakker maken?' vraag ik.

'Natuurlijk,' zegt hij, en hij loopt naar het water.

Ik kijk weer in mijn boek.

'Dit is een goeie,' hoor ik een mannenstem zeggen. 'Zes manieren waaraan je kunt merken dat ze doet alsof.'

Ik til mijn hoofd op en hou mijn hand boven mijn ogen. Een meter of drie van me vandaan zit een groepje twintigers op handdoeken. De meisjes zijn lang en slank en de jongens hebben tatoeages en het begin van een bierbuik. Een van hen leest *Maxim* hardop voor.

'Nummer zes,' zegt hij, zwijgt dan even en kijkt naar de anderen. 'Ze klinkt als in een pornofilm.'

De groep lacht.

'Die ken ik,' zegt een van hen. Hij gooit zijn hoofd in zijn nek en kreunt: 'O, god, ja! Ja! Kom dan, schat! Ja!'

De groep lacht weer.

Ik sta op, pak mijn spullen bij elkaar en loop ver genoeg bij hen vandaan om hun onzin niet meer te hoeven horen.

Ik maak een bergje zand om als kussen te gebruiken, ga op mijn rug liggen en laat mijn ogen dichtvallen. Even later valt er een schaduw over me heen.

'Waar ben je verdomme mee bezig?' vraagt Kurt.

Ik kijk naar hem op, knijp mijn ogen dicht tegen het zonlicht rondom zijn hoofd.

'Wat bedoel je?' vraag ik.

'Ik bedoel,' zegt hij, langzaam sprekend, 'waar... ben... je... mee... bezig?'

Ik kijk hem even aan.

'Ik ben ergens anders gaan liggen omdat die eikel daarginds *Maxim* aan het voorlezen was,' zeg ik. 'Dat was irritant.'

'Het zal wel,' zegt hij.

Ik ben te slaperig om me te verdedigen, dus ik laat mijn ogen weer dichtvallen.

'Maak me over twintig minuten wakker, wil je?'

Ik dut in zonder zijn antwoord te hebben gehoord.

Wanneer ik wakker word, zijn mijn lippen droog en gebarsten. Ik kan niet genoeg speeksel produceren om mijn tong over mijn tanden te halen, en mijn ogen zijn geïrriteerd en gevoelig door de zon. Ik pak mijn zonnebril en kijk om me heen.

Kurt is weg. Shit, hij is echt weg. Ik sta op, maar buk dan snel weer, omdat mijn oren tuiten en mijn hoofd tolt. Ik moet een hele tijd geslapen hebben., want ik ben uitgedroogd. Hoe laat is het? Ik druk de vingers van mijn rechterhand in mijn linkerarm. Als ik ze weghaal verschijnen vier witte deukjes, die snel roze kleuren. Hij had gezegd dat hij me na twintig minuten wakker zou maken, en nu ben ik verbrand.

Klootzak, denk ik.

Hij is 'm gesmeerd, dat weet ik zeker. Weer ergens kwaad over, al heb ik geen idee waarover. Tot voor kort zou ik als een hondje achter hem aan gelopen zijn, smekend, bedelend, me verontschuldigend. Nu vertik ik dat.

Ik wrijf over de plek tussen mijn ogen en probeer mijn hoofd helder te krijgen.

Een minuut later zie ik hem naar me toe komen, zijn schouders naar achteren, zijn kaken op elkaar geklemd en zijn handen tot vuisten gebald.

'Waar is hij?' roept hij naar me, zijn woorden half weggevoerd door de wind. 'Waar is je vriendje?'

'Wat?' vraag ik. Ik pak een handdoek om voor me te houden terwijl ik opsta. 'Waar heb je het over?'

'Je vriendje, die kerel met wie je zat te praten. Waar is hij gebleven?'

Ik doe een stap naar achteren. 'Ik weet niet waar je het over hebt,' zeg ik, niet tartend, maar op kalmerende toon. 'Ik lag te slapen.'

'Je zat met iemand te praten. Ik heb het zelf gezien. Ik zat op de muur daarginds, bij die boom. Hij wijst naar een plek verderop aan het strand. En jij zat heel geanimeerd met een of andere kerel te praten.'

Hij zet zijn handen op zijn heupen en kijkt omhoog in een imitatie van een flirtende vrouw. Ik ben nog steeds niet helemaal wakker, maar ik weet wel dat ik met niemand zat te praten.

Dan knapt er echter iets bij me en ik richt me in mijn volle een meter zestig op. 'Je bent gek, weet je dat? Je bent je verstand kwijt.'

Ik loop over het strand bij hem vandaan, maar hij haalt me in.

'Ja, laten we gaan wandelen,' zegt hij ademloos. 'Laten we gezellig langs het strand gaan wandelen. Laten we daar lekker samen van genieten.'

Ik loop zwijgend door, met hem naast me in het zachte zand. Bijna een kilometer verder pakt hij me bij mijn arm en houdt me tegen.

'Zeg tegen me dat je met niemand zat te praten,' zegt hij, 'en ik zal je geloven.'

Ik kijk hem in zijn ogen. De mijne zijn verborgen achter donkere brillenglazen, maar de zijne niet en hij heeft diepe rimpels rondom zijn ogen.

'Ik zat met niemand te praten,' zeg ik. 'Ik lag te slapen.'

Ik schud zijn hand van mijn arm en loop weer door. Weer komt hij naast me lopen.

'Oké, dan,' zegt hij. 'Dan heb ik vast naar iemand anders zitten kijken en heb ik me vergist.'

Ik sta stil, draai me langzaam naar hem om en kijk hem over mijn zonnebril heen aan. Mijn lavendelkleurige bikini glimt in de zon.

'Wijs me, als je wilt,' zeg ik, 'nog eens iemand op dit hele verdraaide strand aan in een paarse bikini.'

Hij kijkt verontschuldigend omlaag naar zijn handen, belooft me het nooit meer te doen.

Ik neem hem terug.

Die avond trek ik het strakke roze truitje, de minirok en de naaldhakken aan die hij zo mooi vindt. We laten Sarah achter bij Jane en rijden in de cabrio naar een Italiaans restaurant. Het is een prachtige avond, we flirten. Gedragen ons luchtig en zijn gelukkig.

We houden elkaars hand vast, lachen om elkaars grappen, eten van elkaars bord. Ik vind het heerlijk als hij zo is; attent en gelukkig, ontspannen, opgetogen dat hij bij me is. Ik probeer niet argwanend te zijn. Zijn hand vindt onder de tafel mijn dijbeen en glijdt onder mijn rok.

Wanneer we klaar zijn met eten, gaat hij naar het toilet en ga ik buiten op het bankje op hem zitten wachten. Er staan twee mannen tegen het gebouw aan geleund. Ik probeer ze telepathisch te beïnvloeden. Zeg niets tegen me, zeg-niets-tegen-me, zeg-niets-tegen-me, denk ik. Ze zeggen wel iets tegen me.

'Neem me niet kwalijk,' zegt de een, 'maar komt u uit Canada?'

Ik lach. 'Nee, maar wel uit Michigan, dat is er dicht bij.'

'Aha,' zegt hij, en hij stompt zijn vriend tegen diens arm. 'Dan is hij me vijf dollar schuldig. We hadden gewed dat alleen iemand die uit Canada komt zo ernstig kon verbranden.'

Ik lach wanneer Kurt naar buiten stap, een blik op me werpt en over de parkeerplaats naar onze auto beent. Ik ga achter hem aan.

Ik stap in de auto en hij scheurt de parkeerplaats af voor ik helemaal zit en het portier heb gesloten. Ik pak mijn gordel beet, maar vanbinnen schreeuw ik. Wat heb ik me nu weer op de hals gehaald? Wat is er gebeurd dat we vijf minuten geleden nog af leken te stevenen op een nacht vol liefde, een leven vol liefde en verbondenheid, en hij nu met piepende remmen door de bochten gaat en met zijn hand op het stuur slaat? Hoe kan de haan opeens zo strak gespannen staan? Hoe kan hij zo snel omslaan van liefdevolle blikken naar deze blik van verachting, en er plotseling uitzien alsof hij zijn handen om mijn keel zou willen slaan en me door elkaar zou willen schudden?

Bij het motel aangekomen, stormen we de trap op naar onze kamer.

'Het is voorbij tussen ons,' zeg ik.

Het moet voorbij zijn. Ik kan niet meer tegen de ups en downs. Ik kan er niet meer tegen dat hij elk moment kan ontploffen. Ik kan het gewoon niet meer.

Ik zeg dat het voorbij is, maar in mijn hoofd ratelen de vragen. Meen ik het? Is het zo erg dat ik liever blut en alleen ben? Is het het waard om mijn gezin daarvoor uiteen te rukken, om mijn dochter tot het onderwerp van eindeloos juridisch getouwtrek te maken? Ik wil dat niet voor haar, die instabiliteit, die onrust, de strijd om haar loyaliteit, het gevoel dat ze nergens veilig is.

Maar ze heeft nu ook geen stabiliteit, geen rust. Ik wil niet dat ze haar vader en moeder ruzie ziet maken, elkaar ziet afkatten. Ik wil niet dat ze haar leven vormt naar het mijne, met alle drama, het gebrek aan respect, het slaan met deuren, het geschreeuw en gescheld, de beledigingen en kleinerende opmerkingen. Ik wil dat niet voor haar, zelfs nog minder dan ik het voor mezelf wil.

Maar toch.

'Prima,' zegt hij. 'Dan ga ik nu meteen weg.'

Onze vakantie zou nog twee dagen duren, maar ik wil die tijd niet meer samen met hem doorbrengen.

'Prima,' zeg ik, 'maar Sarah en ik blijven hier.'

Hij gooit zijn koffer op het bed, graait zijn kleren uit de laden en stopt ze erin.

'Ik bel alleen nog even een taxi, en dan ben ik weg,' zegt hij.

'Prima,' zeg ik weer.

Hij stormt de badkamer in en pakt zijn spullen, sluit dan zijn koffer en sleept hem naar de deur, waar hij zich naar me omdraait.

'Denk maar niet dat het een gemakkelijke echtscheiding wordt,' zegt hij. 'Je zult de sheriff erbij moeten halen om me weg te krijgen.'

Ik reageer niet. Het kan me niet schelen. Ik bel de sheriff wel als het moet, maar ik geloof niet dat hij zichzelf zo zal laten vernederen. Volgens mij bluft hij, dus ik kijk hem alleen maar aan.

'Ik bel de sheriff wel als dat nodig is,' zeg ik, 'maar je gaat nu weg.'

Ik steek mijn kin naar voren en klem mijn kaken op elkaar om niet te bibberen. Gaat hij echt? Ik ben doodsbang, maar diep vanbinnen ook heel sereen.

Hij kijkt me vuil aan en ik ga rechtop staan. Uiteindelijk zegt hij tussen opeengeklemde tanden door: 'Prima, dan ga ik.'

Hij wacht nog een tel langer, schudt dan zijn hoofd en loopt de deur uit. Ik laat de deur achter hem dichtvallen en kijk door een spleetje tussen de gordijnen toe terwijl hij zijn koffer tree voor tree van de trap af laat bonken. Als hij uit het zicht is, schuif ik de gordijnen weer dicht en ga ik op het bed zitten. Het is één uur 's nachts.

Ik kan niet goed zeggen hoe ik me voel. Opgelucht en licht, vooral. Bevrijd, vooral. Alsof ik van een klif ben gesprongen en nu vlieg, en probeer ervan te genieten, maar ook bang ben voor de landing. Bovenal heb ik het gevoel dat ik eindelijk iets heb gedaan wat jaren geleden al gedaan had moeten worden, en ik vraag me af waarom het zo lang heeft geduurd.

Ik overtuig me ervan dat ik de kamersleutel bij me heb en loop dan buiten over het balkon en klop bij Jane aan.

'He,' zeg ik als ze de deur opendoet.

Haar pyjama zit verdraaid en haar haar zit aan de ene kant plat.

'Sorry dat ik je wakker heb gemaakt,' zeg ik. 'Hoe is het met Sarah?'

Jane opent de deur en stapt achteruit. Sarah ligt uitgestrekt op Janes bed.

'Het spijt me dat het zo laat is geworden,' zeg ik.

Ze kijkt me scheef aan.

'Alles goed met je?'

'Ja,' zeg ik. 'Hij is weg.'

Ze sluit haar ogen en opent ze dan weer.

'Hij is weg?'

Ik knik. 'Ik heb hem weggestuurd. Ik kan niet meer tegen het geruzie.'

'Gaat het?'

'Ja,' zeg ik. 'Het is goed. Ik neem haar maar mee naar mijn kamer. Wil jij even helpen met de deuren?'

Jane is anders dan Kurt. Ze ziet wat er gedaan moet worden en doet het gewoon. Ik ben gewend alles zelf te moeten doen, dus het duurt even voor ik gewend ben aan het soort hulp dat zij me biedt.

Ik pak Sarahs armen en benen bij elkaar, til haar steeds langer wordende lijfje op en pak meteen haar lievelingsolifant. Ze is nog wel zo klein dat ik haar gemakkelijk kan dragen, maar ik moet wel dwars door de deuropening.

'Bedankt, Jane,' zeg ik als we bij mijn kamer zijn.

Ik duw met mijn voet de deur dicht, leg Sarah in het kinderbedje en ga dan op mijn eigen bed naar haar liggen kijken. Ze is een prachtig kind en ze ligt er vredig bij. Ik zal alles doen en opgeven om te zorgen dat haar leventje zo vredig blijft. Mijn ogen lopen vol bij die gedachte. Ik zie er tegenop weer mijn eigen rekeningen te betalen, alleen te zijn, alleen te slapen en de enige te zijn die in mijn dochters niet-aflatende behoeftes moet voorzien, maar ik voel me toch ook vredig.

Dan gaat de deur open.

Het is Kurt.

'De taxi is niet komen opdagen,' zegt hij. 'Ik kwam de eigenaar tegen en hij zei dat hij een taxi zou bellen, maar ik sta daar maar buiten en er komt geen taxi.'

'Waarom bel je er zelf geen?' vraag ik.

'Ik dacht dat hij dat had gedaan.'

'Bel er nu dan een.'

Ik weet dat hij wacht tot ik hem zal smeken te blijven, tot ik zeg dat ik niet zonder hem kan leven, maar ik wil gewoon dat hij weggaat.

Hij haalt zijn mobiele telefoon tevoorschijn en belt.

'Ik wil niet dat je hier blijft wachten,' zeg ik.

Hij verroert zich niet.

'Ik meen het,' zeg ik. 'Ik wil dat je weggaat.'

Hij kijkt me lelijk aan, draait zich dan om en loopt de kamer uit. Zodra de deur dicht is, schuif ik de veiligheidsketting ervoor. Dat hoort hij waarschijnlijk en het zal hem wel pijn doen en boos maken, maar het kan me niets schelen. Ik wil niet dat hij weer binnenkomt..

Ik ga op het bed zitten, pak mijn notitieblok en begin te schrijven.

'Sarah wordt vandaag drie. Kurt en ik gaan scheiden. Voor haar verjaardag geef ik haar een spanningsvrij thuis, een thuis waarin haar ouders niet boos en op hun hoede en altijd voorzichtig zijn.'

Een uur later belt hij. Hij zit in het luxe Sheraton-hotel. Hij is eenzaam. Hij wil terugkomen.

'Nee,' zeg ik.

Hij zegt dat hij van me houdt, dat hij zal veranderen, dat hij alles zal doen om me te houden. Hij maakt grapjes, vertelt verhalen over ons huwelijk, praat over onze dochter.

Ik bezwijk en laat hem terugkomen. De volgende twee dagen is hij de lieve Kurt. Hij is charmant, liefdevol, grappig. Geen van ons beiden stormt weg, stampvoet of mokt.

De rest van de vakantie gaat het goed.

Een week later bel ik Amy. 'Hij is nu lief,' zeg ik. Ze hoort dagelijks mijn twijfels aan. 'Ik denk dat ik hem misschien moet laten blijven. Het is niet echt zijn schuld. Ik weet dat hij jaloers is en ik doe waarschijnlijk iets waardoor mannen op me af komen. Misschien moet ik me anders gedragen, anders met mensen omgaan.'

'Ja, vast,' zegt ze.

'Maar ik weet het niet,' zeg ik. 'Ik weet niet of ik wel geloof dat hij op de lange duur zo zal blijven.'

'Hoe lang is het geleden dat hij tegen je tekeerging?'

'Negen dagen,' zeg ik trots.

'Ja, ja,' zegt ze.

Hij houdt het nog drie dagen vol. Dan snauwt hij me af en biedt daarna zijn verontschuldigingen aan. 'Het was een kleinigheid,' zeg ik tegen Amy, 'en deze keer bood hij in elk geval zijn excuus aan.'

'Ja,' zegt ze, 'ik herinner me dat van toen ik nog met Jim getrouwd was. Hij was een paar maanden nuchter gebleven. Op een avond dronk hij samen met een vriend een biertje. Ik dacht: het is maar één biertje. Een week later nam hij er twee. Wie ben ik om hem een paar biertjes te onthouden? Hij werkt hard. Hij is een volwassen man, hij kan best af en toe een biertje drinken. Toen begon hij weer elke avond te drinken en voor ik het wist vond ik weer flessen onder de bank.'

Ik begrijp het, al wil ik het eigenlijk niet begrijpen.

'Je weet wat je moet doen,' zegt ze, 'doe het dan ook.'

De volgende dag valt Kurt tegen me uit en zeg ik hem dat het nu echt afgelopen is. Hij stormt naar buiten. Een uur later komt hij terug en geeft hij me een brief.

'Geef me een maand de tijd om te zorgen dat je weer verliefd op me wordt,' staat erin.

Ik ben emotioneel koud. Het kan me niets schelen.

'Je doet je best maar,' zeg ik.

De week daarna zitten we weer bij de relatietherapeute.

'Het spijt me,' zeg ik tegen haar en Kurt, 'maar ik zie geen hoop meer. Niet omdat ik niet geloof dat het fantastisch zou zijn om bij deze knappe, intelligente man te blijven – als hij zijn boosheid onder controle zou kunnen houden, als hij aan zijn eigen problemen zou werken, als hij socialer werd, als hij zou leren om af en toe eens risico's te nemen...'

Kurt kijkt me met een trieste blik aan.

'Dat kan ik allemaal,' zegt hij.

Ik loop verward naar buiten, diep in mezelf zoekend naar een sprankje hoop. Ik ben in tweestrijd, ook al weet ik het voor 98 procent zeker. Nee, ik weet voor 100 procent zeker dat ik niet bij de man kan blijven met wie ik getrouwd ben. Maar zou ik getrouwd kunnen blijven met de man die hij zweert – met de hand op het hart – te kunnen zijn?

Ik vertel Amy dat ik hem nog een kans wil geven.

'Waarom?'

'Ik weet het niet,' zeg ik. 'Omdat ik moe ben. Omdat ik het misschien mis heb.'

Ze blijft een hele tijd stil.

'Ben je daar nog?'

'Ja, ik ben er nog,' zegt ze.

'Je vindt dat ik het niet zou moeten doen.'

'Dat heb ik niet gezegd,' zegt ze.

'Ja, ja.'

'Amy heeft weer afgebeld,' zegt mam.. 'Zij en Ron zouden hierheen komen, maar Ron moet bij zijn ouders gaan schilderen.'

'Was dat een paar weken geleden ook al niet het geval?'

'Ja, en toen ik aanbood naar haar toe te komen, zei ze dat haar appartement veel te rommelig was. Heb jij hem al ooit gezien?'

'Nee.'

We zijn allebei even stil.

'Heeft iemand hem al gezien?'

Een paar dagen later laten Kurt en ik Sarah bij de oppas achter en rijden we naar Tan Tara om te gaan dansen, ons te laten masseren en plezier te maken. Op de heenweg lees ik hem voor, en we praten over carrières, doelstellingen en onze kinderen. We zijn gelukkig, zij het aarzelend, zoals lopen nadat je een tijd met krukken hebt gelopen.

'Weet je al waar je aan het eind van de maand heen gaat?' vraag ik. 'Ik wil niet dat je pas aan het eind van die dertig dagen begint te zoeken.'

Hij zwijgt even.

'Je bent dus niet eens van plan het te proberen,' zegt hij.

Ik dacht dat hij wist dat we zouden gaan scheiden. In zijn brief stond dat hij wist dat die maand niet alles zou veranderen, maar dat het misschien goed genoeg zou gaan om mij over te halen hem nog dertig dagen te laten blijven, en dan nog dertig.

'Je bent niet eens van plan het te proberen.'

'Dat is het niet,' zeg ik. 'Ik wil gewoon zeker weten dat je op tijd iets geregeld hebt, zodat we de situatie niet eindeloos hoeven te rekken.'

Hij dreigt de voogdij over Sarah te zullen opeisen, al belooft hij me later dat hij dat niet zal doen. Het is een lange, trieste rit, al zijn we niet meer kwaad. Ik denk dat we gewoon allebei uitgeput zijn.

Wanneer we arriveren, spreken we af het los te laten en gewoon plezier te maken. We bestellen een pizza, bedrijven de liefde, kijken een film. De volgende morgen zit ik op het balkon over het meer uit te kijken en mijn koffie te drinken.

Ik vraag me af of we zouden kunnen scheiden, samen uitgaan, Sarah vrijelijk van mijn huis naar het zijne laten gaan terwijl ik er probeer achter te komen of ik kan vergeven en vergeten en weer van hem kan houden en door hem aangeraakt wil worden. Misschien kunnen we door uit elkaar te gaan weer nader tot elkaar komen en een balans vinden die werkt. Ik weet niet hoe we onze verschillen moeten overwinnen, maar ik denk dat een scheiding heel goed zou zijn voor ons allebei.

Ik kijk naar de boten en de vogels. Ik voel me nu vredig. Dadelijk ga ik trainen, daarna gaan we samen ontbijten, cadeautjes kopen voor de familiedag en daarna naar huis. Morgen vieren we familiedag. Dat is voor mij misschien wel de laatste keer en dat vind ik een triest idee.

Tijdens de rit terug naar huis geeft hij het op.

'Die dertig dagen worden niets,' zegt hij. 'Het gaat bij jou niet van harte.'

Thuis aangekomen pakt hij opnieuw zijn koffer.

'Je krijgt niets,' zegt hij. 'Helemaal niets.'

Het kan me niets schelen. Ik wil alleen maar dat hij vertrekt.

'Wat doen we met de familiedag morgen?' vraag ik hem.

'Bel jij ze maar op,' zegt hij. 'Ik kan het niet.'

Hij rijdt weg.

Ik kijk om mee heen, probeer te ontdekken wat ik voel. Het is geen vreugde. Het is geen angst. Het is voornamelijk opluchting. Alsof ik eindelijk kan ademhalen.

Ik doe alle deuren op slot, maar ik maak me geen zorgen. Hij komt niet terug.

Ik bel mijn schoonouders en leg hun uit dat Kurt is weggegaan, dat we gaan scheiden en dat ze best nog mogen komen voor de familiedag als ze willen, maar dat Kurt er niet zal zijn. Ze weigeren beleefd.

Ik weet dat het leven van mijn dochter ontwricht zal raken. Ik weet dat ik arm zal zijn. Ik zal een ziektekostenverzekering moeten afsluiten. Ik zal alleen, blut en eenzaam zijn. Onze vrienden zullen moeten kiezen tussen hem en mij en sommige mensen zullen me dwaas of idioot vinden of denken dat er een andere man in het spel is. Ik weet dat ze zullen denken dat er een andere man is, omdat iedereen dat altijd denkt. Ze zullen denken dat een van ons tweeën wel vreemd moet gaan, anders zou er geen reden zijn voor een echtscheiding, niet bij een stel als wij met een relatie waar andere mensen van dromen.

Er bestaan wel andere mannen. Dat begin ik op te merken. Er zijn mannen in de koffiezaak en op de sportschool. Er zijn mannen aanwezig bij mijn zakelijke besprekingen en in vliegtuigen. En vroeg of laat zal ik met andere mannen uitgaan. En dan zal ik een man moeten vertellen over de borstimplantaten en de littekens van operaties en het gevoelsverlies, en hij zal ervan walgen. Hij zal me niet willen aanraken.

Ik bel Amy.

'Kurt is weg,' zeg ik.

'Echt weg?'

'Echt weg.'

'Wauw.'

Stilte.

'Hoe voel je je daarbij?'

'Alsof de strijd eindelijk gestreden is. Alsof ik door kan gaan met mijn leven.'

Ze zwijgt weer.

'Ben je bang?'

'Nog niet. Ik denk dat ik nog in shock ben.'

Ik kijk op mijn kalender. Het is 4 mei. Mijn onafhankelijkheidsdag.

'Denk je dat je hem nog terug laat komen?'

'Geen sprake van.'

'Goed zo.'

Kurt is tien dagen verdwenen. Gewoon verdwenen. Zonder met mij of Sarah te praten, zonder zijn familie te bellen om hun te vertellen waar hij heen gaat. Eindelijk krijgt zijn vader hem te pakken via zijn mobiele telefoon. Hij heeft door Florida rondgereden om na te denken. Tien dagen lang.

Wanneer hij terugkomt, huurt hij een huis. Zijn vrienden komen zijn spullen ophalen.

'Het is oké,' zeg ik tegen hen. 'Ik ben blij dat jullie er zijn om hem te helpen. Ik ben niet kwaad op jullie.'

Sommigen omhelzen me. Uit weemoed, misschien, of uit dankbaarheid omdat ik niet boos ben.

Een paar weken later regent het. Het is maanden heet en droog geweest en de grond rondom het huis is gescheurd en van het huis losgeraakt, dus nu er een wolkbreuk komt, loopt het water via de fundering naar binnen. De stank van rottend tapijt lokt me naar de fitnessruimte, waar het water tot boven mijn tenen komt. Shit.

Ik loop naar de werkplaats en pak een stanleymes. Ik snijd het tapijt in repen van een meter breed. Ik gebruik een combinatietang om het los te trekken van de nietjes, ga dan op mijn knieën zitten en rol elke reep tapijt op, van de ene kant van het vertrek naar de andere. Ik zet een kruiwagen bij de achterdeur en laad hem vol, telkens drie repen tapijt. Het kost me alle kracht in mijn bovenbenen en rug om de kruiwagen weer de helling op te duwen, waar ik touw om elke rol heen bind en ze op de stoep zet zodat de vuilniswagen ze mee kan nemen.

Als ik klaar ben met het tapijt, begin ik aan het ondertapijt. Dat is zwaarder en natter. Het heeft meer water opgezogen en geeft niet mee. Ik ben woest.

Ik bel iemand om de fundering te repareren. Hij begint aan de buitenkant te graven, hakt binnen droge stukken muur weg en maakt de muur van binnen en van buiten waterdicht.

Een week later loopt het weer onder water, deze keer via een andere plek in de fundering. Het water kruipt naar Kurts biljarttafel toe. Als ik het niet tegenhou bereikt het de poten en zal het het hout verpesten. Ik denk even: barst maar, maar ik probeer het huis te verkopen. Het mag niet gaan stinken. Dus weer trek ik tapijt los. Dit keer bel ik een tapijtreiniger, die het water opzuigt, iets op de vloer spuit om schimmel te voorkomen en ventilators plaatst die evenveel lawaai maken als vliegtuigmotoren.

Ik kom ook tot de ontdekking dat de vlotter in de beerput niet werkt, dus ik koop een nieuwe en installeer hem zelf, tot aan mijn oksels in het gat, ploeterend met Engelse sleutels en warteltangen. Het werkt, maar lost het probleem niet op. Het enige wat het probleem zal oplossen is dat de aarde zoveel water absorbeert dat de grond weer tegen het huis aansluit.

Ik bel een vriend. Zijn vrouw en hij hebben drie dochters, die allemaal babysitten, en ik heb iemand nodig voor die zaterdag. Ik ken de meisjes al sinds ze klein waren, eentje sinds ik haar op haar vijfde coachte bij kinderhonkbal. Of misschien was het korfbal aan het eind van de lagere school. Het is moeilijk bij te houden welke kinderen ik wanneer heb gecoacht, of welke me hebben geholpen tijdens welk uitstapje of met de spelletjes tijdens de klassenfeesten in de vakantie.

De vader neemt op en om de een of andere reden gooi ik het eruit.

'Ik ben zo kwaad! Het is smerig. Ik ben doodop. Het klinkt hier als in een vliegtuighangar, mijn armen doen pijn en het huis stinkt.'

Ik vertel hem het hele verhaal, over het water en het tapijt en de mannen die de fundering kwamen behandelen en de biljarttafel en de vlotter.

'Is je telefoon ook kapot?' vraagt hij.

Ik onderbreek mijn tirade.

'Nee. Waarom?'

'Je had ons kunnen bellen, dan waren we je komen helpen.'

21

'Hoi, lieverd, wat ben je aan het doen?'
Het is vierde juli en ik bel Amy vanaf de hangmat op mijn veranda. Kurt is vandaag twee maanden weg en ik voel me rustig.

'Ik ben in de tuin bezig,' zegt ze giechelend. 'Ik ben vlijtige liesjes aan het planten.'

'God, wat ben ik trots op je,' zeg ik.

'En ik gebruik de broodbakmachine ook,' zegt ze.

Ze bedoelt de broodbakmachine die ik haar heb gegeven tijdens de kankerbehandelingen, toen haar mond zo'n pijn deed door de bestraling dat ik haar alleen maar kon overhalen met versgebakken brood.

'Ik ga straks eten klaarmaken voor mijn cowboy,' zegt ze. 'We gaan een film huren en lekker samen op de bank zitten.'

Ze knuffelen nog steeds. Ze zetten 's ochtends de wekker een half uur vroeger zodat ze elkaar een poosje vast kunnen houden voor zij gaat werken. Ze laten liefdesbriefjes voor elkaar achter op de schoorsteenmantel, op kussens, in haar aktetas en zijn broekzakken. 's Avonds slaat hij zijn lange arm om haar heen en kijken ze films op de breedbeeld-tv die ze heeft gekocht nadat hij bij haar is ingetrokken. Het geluid klinkt uit alle hoeken van de kamer en de kabels van de luidsprekers liggen langs de plinten.

'Geen vuurwerk?' vraag ik.

'Alleen het vuurwerk dat we zelf maken,' zegt ze lachend.

Ik krimp ineen, niet omdat ik niet wil dat Amy seks heeft, maar omdat ik niet geloof dat ze dat al gedaan hebben, en ik weet dat ze dat wel heel graag zou willen.

Vertelde ze me een paar weken geleden niet dat hij haar te veel respecteerde om seks met haar te hebben? Misschien is er iets veranderd, maar ik betwijfel het.

'Ja, ja,' zeg ik

Hij woont daar al zeven maanden.

'Echt waar,' zegt ze, 'we hebben geen behoefte aan die drukte, Of het lawaai. En jij?'

'Ik ben vanavond alleen,' zeg ik, 'of misschien ga ik wel met wat vriendinnen iets doen. Het is allebei goed.'

We praten nog een poosje zonder belangrijke dingen te zeggen. Ik klaag wat over mijn ex.

'Hij is een klootzak,' zegt ze loyaal.

In feite geloof ik dat ze Kurt wel mag. Hij is charmant en knap en gul met leningen. Bovendien heb ik mijn best gedaan de akelige dingen voor haar te verbergen. Ze heeft vooral de mooie, glimmende buitenkant gezien, hoewel ik soms – als ik te boos of te moe ben of het gewoon niet meer kan uithouden en bijna gek van hem word – wel een tipje van de sluier voor haar oplicht en haar een glimp laat zien van de emotionele hindernisbaan die mijn leven is.

Een jaar eerder heb ik haar in een moment van zwakte de waarheid verteld. 'Het is alsof je door een huis dwaalt,' zei ik, 'en twee dagen per week komt er ineens iemand tevoorschijn die je in je buik trapt. Je weet nooit wanneer het gaat gebeuren, maar nou ja... je hebt vijf goede dagen gehad, niet dan?'

Zodra ik de woorden had gezegd, wou ik dat ik ze terug kon nemen. Ik wilde niet dat ze hem op die manier zag.

'Waar is Ron dan nu?' vraag ik.

Hij is schilderen,' zegt ze. 'Hij komt straks thuis.'

Ze lachte om wat ze voor hem klaar gaat maken, en omdat ze bloemen aan het planten is bij haar eigen huis. Ze is een trotse huiseigenaar. Ze is verliefd en het is een prachtige dag. Ze is gelukkig en daar ben ik blij om.

'Amuseer je,' zeg ik. 'Ik hou van je.'

'Ik ook van jou,' zegt ze.

Hierna zal ik haar nooit meer spreken.

22

Die avond ga ik picknicken en met vrienden naar het vuurwerk kijken. De volgende dag, een vrijdag, is Pat jarig. Amy belt Pat niet op, en dat is vreemd. Ze verschijnt ook niet op haar werk.

Het weekend gaat voorbij en nog altijd hoort niemand iets van Amy.

Het wordt maandag, een verplichte vrije dag. Niemand hoort iets van Amy.

Op dinsdag vlieg ik naar de oostkust voor een opdracht voor een tijdschrift. Weer verschijnt Amy niet op haar werk.

Haar collega's beginnen zich zorgen te maken. Ze hangen bij haar bureau rond en bellen elkaar. 'Heb jij haar gesproken? Heeft ze er iets van gezegd dat ze weg gingen? Misschien heeft ze een snipperdag genomen en het niet tegen ons gezegd. Heeft ze jou iets verteld? Ze zal toch niet ziek thuis zijn? Weet iemand waar ze woont?'

Abby weet waar ze woont. Ze heeft haar een keer een lift naar huis gegeven.

'Abby, kun jij naar haar huis rijden om te gaan kijken of ze niet ziek is of iets dergelijks?'

Zij en twee anderen – allebei mannen, de een met het postuur van een uitsmijter – stappen in de auto. Iemand anders doorzoekt Amy's bureau. En dan vinden ze het. Een envelop tegen de binnenkant van haar la geplakt. Op de voorkant staan vier woorden in Amy's handschrift. 'Knox County Sheriff,' staat erop. 'Persoonlijk.'

'De envelop is verzegeld en er staat "persoonlijk" op.'

'Moeten we hem openmaken?'

Ze kijken elkaar aan.

'Misschien worden we er iets wijzer van,' zegt iemand.

22 april 2002

Aan wie dit leest: in geval van mijn verdwijning of overlijden wil ik dat bekend is dat ik Ronald Lee Ball een aanzienlijk geldbedrag heb voorgeschoten via diverse creditcards, vanaf 15 januari 2002 tot heden. Het huidige bedrag is ongeveer $ 25.000, een som waarbij niet de bijna $ 30.000 is inbegrepen die ik hem heb geleend voor de Ford F150 truck waar hij in rijdt.

Ronald is op 21 december 2001 in Knox County Tennessee gearresteerd wegens rijden onder invloed. De sheriff heeft zijn foto en andere gegevens.

Om een idee te geven van zijn schulden, die zijn als volgt opgebouwd:

15-1-02	borgsom aan Bob's Bail Bonds (Tuscaloosa, AL)	1765, -
18-1-02	contant voorschot voor advocaat	150, -
	James Standover (Tuscaloosa, AL)	2500,-
15-2-02	Knox County beambte (wegslepen truck)	1780,-
16-2-02	Townsend Ford (reparatie truck) (Tuscaloosa, AL)	3110, -
21-2-02	laatste betaling James Standover	2500, -
21-2-02	rechtbank Tuscaloosa County boetes voor oude ongedekte cheques	5500, -
2-3-02	Lowes – aanhanger	3000, -
2-3-02	Home Depot (hogedrukreiniger)	2000, -

Er zijn nog wat andere kleine bedragen, maar de bovenstaande lopen al op tot $ 22.300!

Ron Ball en ik hebben nu een romantische relatie, maar ik vrees dat ik mezelf op verschillende manieren in gevaar heb gebracht. Gezien zijn criminele verleden, lijkt me het verstandig om dit op te schrijven. Als ik vermist of dood ben, heeft me duidelijk niet kunnen beschermen. Ik hoop echter dat het u dan voldoende handgrepen geeft om Ron in elk geval te ondervragen en ervoor te zorgen dat hij – als hij erachter zit – er niet mee wegkomt. We hebben momenteel wat problemen in onze relatie en het leven zou een stuk gemakkelijker zijn (voor hem) als de financiële kwesties gewoon verdwenen. Ik geloof niet echt dat dit document ooit nodig zal zijn. Maar voor het geval dat...

Amy Lynne Latus

23

De collega's op kantoor bellen de collega's die onderweg zijn naar Amy's huis. 'Luister hier eens naar,' zeggen ze, en ze lezen de brief voor.

'Bel de politie en zeg dat ze ons daar ontmoeten.'

De collega's op kantoor bellen het bureau van de sheriff. Rechercheur Mike Freels komt naar kantoor. Hij leest de brief. Hij kijkt Amy's bureau door. Hij kijkt haar rolodex door. Hij beluistert haar voicemail.

'Hoi, Amy, met Jane,' zo luidt een van de berichten. 'Ik bel niet voor iets bijzonders, gewoon zomaar. Ik hoop dat je een goed feestweekend hebt gehad. Bel me als je wilt.'

Aan het eind heeft Jane, in een reflex of uit ingebakken welgemanierdheid, haar eigen nummer ingesproken. De rechercheur belt haar.

'U spreekt met Mike Freels van het bureau van de sheriff in Knox County. Kent u een zekere Amy Latus?'

Zodra Jane ophangt, begint ze weer te bellen. Mam? Pat? Kris?

De rechercheurs arriveren bij Amy's huis, maar er is niemand. Ze hebben het mobiele nummer van Ron Ball op haar bureau gevonden. Ze bellen hem en vragen hem te komen om de deur open te maken. Dat doet hij.

Ik sta in mijn hotelkamer met een vriend te praten die me komt halen voor de lunch als mijn mobiele telefoon gaat.

'Janine?' vraagt mijn zus Jane. 'Heb jij iets van Amy gehoord?'

'Nee,' zeg ik en mijn huid begint meteen te tintelen van de adrenaline. 'Wat is er?'

'Ik ben gebeld door Kimberly-Clark. Amy is al drie dagen niet op haar werk verschenen.'

Mijn ogen schieten naar de man die naast me staat.

'Wat is er aan de hand?' vraagt hij.

'Hij heeft haar vermoord,' zeg ik in de telefoon. 'Die klootzak heeft haar vermoord.'

Mijn vriend kijkt geschrokken en schudt dan zijn hoofd.

'Ik weet het,' zegt Jane zacht. 'Maar we denken het niet.'

Ik kijk de kamer rond. Mijn hart bonkt.

We mogen dat nog niet denken. Ik begrijp het. Als we het toestaan de vorm aan te nemen van een gedachte is het misschien wel waar. En dat zou ik niet kunnen verdragen.

'De rechercheur denkt dat ze misschien gewoon ruzie heeft met haar vriend,' zegt Jane. Hij zegt dat het voortdurend gebeurt; mensen maken ruzie met hun vriend, vriendin of huwelijkspartner en gaan gewoon een paar dagen niet werken.'

We willen ons daaraan vastklampen, maar kunnen het niet, want Amy blijft niet weg van haar werk. Jane en ik weten dat. Tijdens de kankerbehandelingen had ze open zweren in haar mond en keel. Haar haren vielen uit. Ze kon nauwelijks van haar auto naar de bank lopen. Aan het eind van de dag kon ze zich alleen nog maar opkrullen met de afstandsbediening in haar hand, en haar oude, incontinente cocker spaniël hijgend aan haar voeten. Toch verzuimde ze haar werk alleen voor de behandelingen. De rest van de tijd sleepte ze zich erheen, maakte ze grapjes met collega's en legde ze stilletjes haar hoofd op haar bureau als ze echt niet meer kon.

'Ik ga de anderen bellen,' zegt Jane. 'Ik hou van je.'

'Ik ook van jou.'

Ik hang op en wend me naar de man naast me.

'Nou, nou,' zegt hij. 'Denk nou niet het ergste. Het kan van alles zijn.'

Ik staar hem aan.

'Het is niet van alles, en dat weet je,' zeg ik. 'Het is iets ergs.'

Hij slaat zijn armen om me heen.

'Ze maakt het prima,' zegt hij. 'Alles komt in orde. Trek niet meteen de meest dramatische conclusie.'

Ik duw hem weg en kijk naar hem op. Mijn ex noemde me wel eens een stekelvarken, stekelig en pijnlijk.

'Ik heb gelijk,' zeg ik.

Hij doet hulpeloos een stap achteruit. Hij kent mijn familie weliswaar niet van gezicht, maar wel van naam en van mijn verhalen, dus hij weet van Amy en Ron Ball.

'Ze is er waarschijnlijk gewoon even tussenuit,' zegt hij.

Ik draai me woedend naar hem om, ook al is het redelijk wat hij zegt. Het dringt al tot me door dat het waar zou kunnen zijn, dat er echt iets met haar mis zou kunnen zijn, en ik wil niet dat ik gelijk heb.

'Amy gaat er niet tussenuit,' zeg ik. 'Snap je het niet? Ze is een Latus. Ze blijft niet zomaar weg.'

Ik begin te ijsberen.

'Verdomme, die klootzak heeft haar vermoord. Ik weet het zeker.'

Hij probeert me te kalmeren, me te laten stoppen met ijsberen.

'Je weet niets zeker,' zegt hij. 'Het komt vast wel goed.'

Ik kijk hem lelijk aan.

Ik bel de rechercheurs in Knoxville, maar krijg ze niet te pakken, dus ik laat een boodschap achter. Een uur later belt mijn moeder me, boos. De rechercheurs hebben gehoord dat er een Janine Latus heeft gebeld. Of dat Amy zou kunnen zijn, die onder een pseudoniem belt? Mam kreeg weer hoop, maar het slaat nergens op. Ze belt me en geeft me op mijn donder omdat ik haar heel even die valse hoop heb gegeven.

Het is irrationeel, maar ik begrijp het wel. Ik probeer het althans te begrijpen. Amy is mijn zus en ik ben dol op haar, maar ze is mijn moeders kind. Mijn angst valt in het niet bij die van een moeder.

Ik pak mijn spullen bij elkaar, verlaat het hotel en vlieg naar huis, ook al is thuis zijn niet beter dan weg zijn.

24

Mam belt Ron Ball op zijn mobiele telefoon.
'We hebben ruzie gehad,' zegt hij. 'Ze heeft me eruit gezet.'
'Weet je waar ze is?'

'Ze belde me zaterdag,' zegt hij. 'Ze ging naar Atlanta. Ze was kwaad op me en zei dat ik moest vertrekken. Ik heb haar creditcard gebruikt om verf te kopen, maar heb hem op de kast gelegd.'

'Er zijn tekenen van een worsteling,' zeggen de rechercheurs. 'Het huis is een puinhoop.'

'Nee,' zegt mam, 'dat hoeft niet per se iets te betekenen. Amy's huis was altijd al rommelig.'

Niemand kan Amy's auto vinden. Hij staat niet bij haar huis. Hij staat niet bij haar werk. Mam belt Amy's beste vriendin in Californië. Ze belt een vriendin in Florida. We bellen allemaal iedereen die we kunnen bedenken, behalve oma. Oma bellen we niet. Misschien is Amy naar oma gegaan, en in dat geval zullen we dat snel genoeg weten, maar we willen oma niet van streek maken door haar dit te vertellen.

Ik blijf hopen dat Amy is weggereden zonder iemand in te lichten, ook al is ze nog nooit op reis gegaan zonder iemand te vertellen wanneer ze weg zou gaan en wanneer ze zou terugkomen. Misschien probeerde ze te vluchten. Misschien heeft ze een vreselijk ongeluk gehad en lijdt ze aan geheugenverlies. Misschien ligt ze in een sloot en hoeven we haar alleen maar te vinden en op te knappen en dan zal ze weer bij ons zijn. Het komt helemaal goed met haar.

De volgende dag kammen agenten de buurt uit. 'Hebt u de vrouw gezien die op 7313 woont?'

Een man herinnert zich dat hij haar de vierde met Ron Ball voor de garage heeft gezien. Een vrouw zegt dat Amy in het weekend was langsgekomen om gist te lenen om brood te maken. Iemand anders heeft Amy en Ron in zijn truck gezien.

'Wacht,' zegt ze. 'Ik heb hem een paar maanden geleden ook een keer met een andere vrouw in Amy's huis gezien. Met Moederdag. Maar Amy was er toen niet.'

De volgende dag gaan de rechercheurs terug naar het huis. Ze vragen toestemming aan Ron Ball en bellen een slotenmaker om hen binnen te laten. Ze vragen ook de telefoongegevens op van de mobiele telefoons van Ron en Amy. Het telefoontje op zaterdag waar Ron Ball mam over vertelde staat ook op de lijst, maar daaruit blijkt dat het is gepleegd via de mast naast haar huis. Amy's telefoon was twee dagen nadat ze voor het laatst werd gezien nog thuis.

De sheriff stuurt helikopters de lucht in om naar haar auto te zoeken.

Op vrijdag vliegen mam, Kris en Pat naar Knoxville. Ze worden opgehaald door Claire Reid, een vrouw die op de afdeling personeelszaken van Kimberly-Clark werkt. Zij zal het menselijke gezicht van het bedrijf worden.

Ze brengt hen naar een hotel, waar ze urenlang met de rechercheurs praten, die hen meenemen naar het huis van Amy.

De vloerkleden zijn pas schoongemaakt. Mam belt Ron Ball.

'Toen ik haar zaterdag sprak zei ze dat ik de vloerkleden moest laten schoonmaken. De hond had erop gepiest.'

Amy's koffers staan er nog, dus ze heeft niets ingepakt om te vertrekken.

De sprei ligt verfrommeld op haar bed, de lakens zijn eraf en het matras is gevlekt en doorgezakt.

De gordijnen boven haar bed zijn weggehaald en vervangen door een vastgeniet laken.

De breedbeeldtelevisie is weg en vervangen door een aftands exemplaar. De luidsprekers zijn ook verdwenen, al liggen hier en daar nog wel kabeltjes.

Mam, Kris en Pat staan in Amy's slaapkamer.

'Dat is niet Amy's matras,' zegt mam. 'Ze heeft een nieuw matras.'

De rechercheurs kijken naar het bed. Opeens sturen ze de familie de deur uit. Ze hebben iets gezien, al weten mam, Pat en Kris niet wat. Er wordt politietape opgehangen. Amy's huis is nu de plaats van een misdrijf.

Ik blijf thuis. Ik moet om mijn dochter denken. Ik heb afspraken met mijn echtscheidingsadvocaat, de accountant en de makelaar. Ik ren van het een naar het ander en probeer niet te piekeren. 's Avonds lukt me dat niet meer. Ik wikkel mezelf in een quilt die Amy heeft gemaakt toen ze worstelde met de ziekte van Hodgkin. Ik pluk aan de draden, de voor Amy onkarakteristiek rechte lijnen, het product van een kankeroverwinnaar, van een jaar in een eetkamervloer vol kleur, een tafel vol met nette stapeltjes stofrepen in blauw, groen en roze. Ze heeft er voor alle neefjes en nichtjes een gemaakt. Paars voor de een, oranjetinten voor de ander, elk een werk van liefde, geduld en perfectie, gemaakt voor hun toekomstige studentenkamers of echtelijk bed, een tastbare wens dat ze voor altijd de liefde van hun tante om zich heen zullen voelen.

Ik heb toch kaarten gestuurd, of niet? Kaarten en brieven en foto's? Zeg alsjeblieft dat ik er voor haar was, dat ik haar heb gesteund. Zeg alsjeblieft dat ze weet dat ik van haar hou. Zeg alsjeblieft dat ik niet zo zelfzuchtig ben geweest, zozeer bezig met mijn problemen met Kurt dat ik iets heb gemist. Alsjeblieft, alsjeblieft, alsjeblieft.

Ik smeek heel wat af. Ik weet niet bij wie, want ik ben niet gelovig, maar misschien bij het heelal. Laat haar alsjeblieft in orde zijn. Doe mijn moeder alsjeblieft deze pijn niet aan. Laat Amy straks haar huis binnenstappen en ons uitlachen om onze bezorgdheid. Alsjeblieft, alsjeblieft, alsjeblieft.

Ik benijd mijn zussen hun geloof, hun vermogen het aan een hogere macht over te dragen. Ik draag het aan mijn vrienden over. Telkens en telkens weer. Om vier uur 's morgens bel ik Vickie. En om zeven uur weer. Ik bel Andie en Russ en Jim, vrienden die me steunen. Ik probeer rationeel te blijven, maar ik weet dat ik te snel praat, te veel zeg, hardop denk. Ik weet dat ik het risico loop hen van me te vervreemden met mijn obsessie. Waar is mijn zus, waar is mijn zus, waar is mijn zus? Ik onderbreek die mantra alleen om over mijn bijna-ex te klagen. Hij is een klootzak; zij wordt vermist. Dat is mijn boodschap. Telkens weer. Zo nu en dan informeer ik naar hun levens, hun kinderen, hun werk en hun zorgen, maar ik weet niet of ik hun antwoorden wel hoor.

25

De rechercheurs doorzoeken Amy's flat en vinden dozen en dozen vol notitieboeken met spiraalrug. Het zijn Amy's dagboeken, maar het meest recente ligt er niet. Evenmin als haar laptop. Niets wat ons kan vertellen hoe haar leven met Ron Ball was.

Ze bladeren andere notitieboeken door en vinden hier en daar enkele verdwaalde dagboekpagina's. Sommige zijn van Amy's bezoek aan mijn huis de afgelopen kerstdagen, toen ze haar officiële dagboek vergeten was en een ander notitieboek gebruikte. Andere zijn recenter.

Vrijdag 21 dec. vliegveld Knoxville
Gisteravond weer tot laat gepraat. Ik vind die gesprekken heerlijk, ook al zijn ze soms pijnlijk. Gisteravond vertelde hij me bijvoorbeeld over het meisje met wie hij eerder dit jaar verloofd was. Hij zei dat zij zijn droom was, maar dat ze tegen hem had gelogen over iets heel fundamenteels... haar leeftijd. Hij dacht dat ze achttien was, maar ze was pas zestien. Wat een man van negenendertig met een meisje van achttien moet, weet ik niet, maar daar gaat het mij niet om (al zou dat misschien wel moeten). Hoe dan ook, ik heb uiteindelijk tegen hem gezegd dat ik niets meer over haar wilde horen. Ik vind het bedreigend. En hij zegt zoiets van 'maar dat is toch voorbij'. Maar voor mij gaat het erom dat hij echt van dat meisje heeft gehouden.

En als ik niet ben wat hij wil, wat doet hij dan bij mij?

Waarom voel ik me zo verdrietig?

Dat is omdat ik niet weet wat ik voel en niet weet wat hij voelt, en dat frustreert me. Ik blijf vaststellen dat God interessante manieren heeft om voor me te zorgen.

Deze relatie heeft mijn leven veranderd, en zal dat blijven doen.

12:00, vliegveld Memphis
Als ik een honderd procent risicovrije relatie wil, kan ik me net zo goed weer begraven in mijn boeken of doodgaan, want zoiets bestaat niet.

Misschien is dat de realiteit die ik echt onder ogen moet leren zien – niet dat Ron me pijn zal doen, maar dat iedereen dat uiteindelijk zal doen. Het is gewoon risicomanagement. Je ogen open houden. Besluiten in hoeverre je iemand tot je toelaat. Genieten van het proces, ondanks het risico dat aan het einde wacht.

14:45, vliegveld Memphis
Ik zie stellen met kinderen over het vliegveld lopen en vraag me af hoe het zou zijn om zwanger te zijn van Ron. Wat voor vader hij zou zijn. Als er een of andere garantie was dat we de rest van ons leven gelukkig zouden zijn, of als ik wist dat hij voor altijd bij me zou blijven, zou ik het doen. Zoveel hou ik van zijn energie.

Zaterdag 22 dec. 00:45 (Janines huis)
Shit. Shit. Shit. Het is thuis na middernacht en hij neemt de hele avond de telefoon al niet op. Waar zit hij, verdomme? Hoe kan ik hem verdorie ook maar ergens mee vertrouwen als hij niet eens één dag woord kan houden? Jezus, wat heb ik hier een hekel aan. Een verschrikkelijke hekel.

Zaterdag 22 dec. 10:00 (bij Janine)
Nog steeds niets gehoord of gezien uit Knoxville. Ik heb hem een e-mail gestuurd die hij nog niet heeft gelezen, wat me duidelijk maakt dat hij de hele nacht niet thuis is geweest. Wat betekent dat? Als ik hem vertrouwde, zou ik veeleer bezorgd dan boos zijn. Als er nou eens iets gebeurd is? Wat me nu ook dwarszit is dat ik gekwetst en teleurgesteld ben en dat dat geen goede indruk geeft bij de familie. Geen veelbelovend begin, Ron.

Zondag 23 dec. 8:20 (bij Janine)
Weer een stille avond vanuit Knoxville. Ik blijf bidden om hulp in deze zaak en ik werd wakker met een gedachte heel stevig in mijn hoofd geplant. Wat Ron nu ook doet, heeft niets met mij te maken. Tot zaterdag kwart voor drie 's middags, als mijn vliegtuig in Knoxville landt, is hij vrij. Hij kan doen wat hij wil, wanneer hij wil. Ik geloof niet dat hij vreemdgaat. Dat heeft hij me beloofd en ik denk dat hij zijn woord ge-

trouw is. Hij zal ook niet verdwenen zijn wanneer ik thuiskom. Tenzij er iets ergs gebeurd is en hij gewond is.

Maandag 24 dec. 22:35 (bij Janine)
Nog steeds niets van hem gehoord of gezien. Wat ik wil weten is of alles goed is met hem – of hij niet gewond of dood ergens langs de weg ligt.

Dinsdag 25 dec. 23:45 (bij Janine)
Geen nieuws van Ron vandaag. Geen verandering in zijn status op AOL. Ik ben echt verbijsterd. Het is daar bijna 1:00 uur – ik had toch gedacht dat hij nu wel thuis zou zijn.

'Ik moet denken aan wat ik wil, niet aan wat ik vrees.'

Ik vrees dat hem iets is overkomen of dat hij gewond is geraakt. Ik vrees dat mijn vertrouwen in hem misplaatst is. Ik vrees dat ik tegenover mijn familie in verlegenheid gebracht zal worden door mijn vertrouwen in Ron. Ik vrees dat hij me teleur zal stellen. (Ik vrees dat hij dat al gedaan heeft).

In mijn hart zie ik geen kwaadwillige manipulatie van zijn kant, alleen onschuldige gedachteloosheid. 'Amy is weg. Ze is bij haar familie. Ze zal geen twee seconden aan me denken. Het zal haar niet kunnen schelen of ik hier blijf of wegga, zolang ik maar woord hou en haar zaterdag van het vliegveld ga ophalen.'

Ik mis hem. Ik mis het hem vast te houden, en ik mis het vooral dat hij mij vasthoudt. Ik zou het vreselijk vinden als zou blijken dat ik een grote stomme idioot ben wat hem betreft en over hoe mijn leven eruitziet sinds ik hem ken. O God, help me alsjeblieft dit te begrijpen. Ik weet dat ik me wel zal redden, wat er ook gebeurt, maar ik wil hiermee verder. Ik hoop dat ik de kans daartoe krijg.

Ik voel zulke diepe angsten en vermoedens. Ik kan het gewoon niet van me af schudden. Alstublieft God, zeg dat ik het mis heb. Voor deze ene keer wil ik er gewoon helemaal en compleet naast zitten.

Vrijdag 28 dec. 7:30 (bij Janine)
Het is vreselijk, maar ik lig in bed te denken: 'Nog een nacht deze klotezooi en dan weet ik het.' Ik weet zeker dat de familie niet blij zou zijn als ze wisten hoe ver verwijderd ik me voel van alles wat er om me heen gebeurt.

Zaterdag 29 dec.14:00 (in de lucht)
Eindelijk begonnen aan het laatste deel van deze enigszins onplezierige reis. Wie had gedacht dat ik zoveel onrust zou voelen op weg terug naar HUIS? *Ik heb het gevoel op weg te zijn naar iemand die ik nooit eerder heb ontmoet — een vreemdeling op een onbekende plek.*

Wat voor hereniging zal dat zijn op het vliegveld — als er al een hereniging plaatsvindt?

Het is simpel. Zal hij er zijn, of niet?

Mijn gedachten gaan steeds heen en weer van: 'Hij is er beslist. Hij moet er zijn,' naar: 'Reken er niet op, dan word je ook niet teleurgesteld. Wees erop voorbereid dat hij er niet zal zijn. Verwacht het ergste.'

Afwezigheid versterkt de liefde.

Uit het oog, uit het hart.

Welke van de twee is het?

De daling naar Knoxville is ingezet. Ik zal het snel weten.

Ik heb het gevoel dat ik naar mijn noodlot vlieg. Mijn bestemming. Mijn toekomst. En dat zou heel goed kunnen. Wat er het volgende uur gebeurt, zou heel goed mijn leven kunnen veranderen.

15:00 (in een taxi)
Hij was er niet. Ik zit nu in een taxi op weg naar huis. Hij neemt de telefoon niet op. Wat is er VERDOMME *aan de hand? Ik doe mijn best niet over te geven. Of te huilen. Ik ben gewoon verpletterd door teleurstelling.*

17:00 (thuis)
SO-DE-JU.

Ron zit in de gevangenis.

Ik weet niet waarom, maar daar zal ik snel genoeg achter komen. Ik sta op zijn bezoekerslijst bij de gevangenis, dus ik ga straks bij hem op bezoek.

21:30 (thuis)
Het was goed hem te zien, mezelf ervan te verzekeren dat hij echt nog leeft. Maar naar hem kijken, zijn liefdevolle ogen zien door de ruitjes van het draad in het veiligheidsglas dat ons scheidde was... op z'n zachtst gezegd surrealistisch.

Nu verkeer ik in een onmogelijke, onhoudbare positie. Ik zie het als

273

volgt: hij wil dat ik op hem wacht. Hij heeft gezegd dat hij met me zal trouwen als ik wacht. Maar je kent mijn belangrijkste standpunt op dat gebied – je bent een idioot als je trouwt om een andere reden dan liefde. Nu heeft hij de tijd om me het hof te maken, me voor zich te winnen en me verliefd op hem te laten worden. Maar ik wil niet dat hij met me trouwt uit een of andere plicht. Hoe afschuwelijk en deprimerend is dat?

Om het allemaal nog erger te maken heb ik bij het doorzoeken van Rons spullen (met het doel hem te vinden) een e-mail gevonden die hij 17 december aan zijn ex-verloofde heeft geschreven en waarin hij zegt dat hij nog steeds van haar houdt. In een andere e-mail aan iemand anders schrijft hij dat hij over een paar maanden naar Texas gaat verhuizen. Dat hij bij de finales in Las Vegas is. Dat hij nog steeds in een hotel woont.

Als hij in zijn virtuele wereld tegen iedereen liegt, hoe kan ik er dan van uitgaan dat hij in deze wereld tegen mij de waarheid spreekt? Of misschien ben ik de enige tegen wie hij eerlijk is — in levende lijve, tegenover elkaar, elke dag. Ik weet het niet.

De kleine dingen doen me niets, maar dat berichtje aan Kris moet hij me uitleggen.

Dus terug naar wat ik hiervoor zei. Ik kan op hem wachten. 'Stand by your man.' Me door hem het hof laten maken. God weet dat hij tijd genoeg zal hebben om me te schrijven. En als ik wacht, beginnen we opnieuw als hij weer vrij is. Het zal hetzelfde zijn als eerst. Warm en liefdevol, maar vol onzekerheden en probleempjes. Wachten betekent dagen, weken, maanden en misschien zelfs jaren alleen zijn. Weer verdomd eenzame nachten. (En als we dan seksueel nog steeds niet bij elkaar passen?)

Of ik kan er nu mee stoppen. Mezelf het gedoe en de schaamte van gevangenisbezoeken en verklaringen tegenover familie en vrienden besparen.

Zondag 30 dec. (thuis)
Ik vind het vreselijk, alleen in bed. Ik begin kwaad te worden. Afgelopen zondag vroeg Jane of ik me verraden voelde, en ik zei nee, omdat ik daar geen bewijs van had.

Telt rijden onder invloed als verraad? Tellen eerder veroordelingen wegens rijden onder invloed als verraad? Dat met die truck? Verraad?

Mijn grootste angst is dat ik zal wachten, dat hij vrij zal komen, en dat het niets zal worden tussen ons. Dat het seksueel nog steeds niet zal werken. Dat ik hem nooit zal kunnen vertrouwen, of hem dit vergeven.

17:10 *(thuis)*
Mijn psych heeft me teruggebeld en een plens koud water in mijn gezicht gegooid. Ron is een alcoholist, daar is ze van overtuigd. Alleen al vanwege het feit dat hij voor de derde keer is gepakt voor rijden onder invloed. Hij zet het maar af en toe op een zuipen – anders dan Jim – daardoor had ik het niet in de gaten. Maar ik ben weer woest. Verdorie, er zijn dingen die ik nu meteen wil doen. Ik wil het huis schilderen. Ik wilde gisteravond naar de rodeo. Ik wilde volgende maand naar Oklahoma om hem te zien rijden. Ik had dromen en verlangens waar hij een centrale rol in speelde, en die zijn nu verloren gegaan.

11 januari 2002
Je zei dat je helemaal de mijne was. Wat is er veranderd? Ik bedoel, het lijkt allemaal verdraaid snel te zijn gegaan. Is het omdat je door je arrestatie tot de orde bent geroepen en nu gedwongen bent je opties echt te evalueren? Waarom heb je niet voor mij gekozen? Ik ben hier. Ik geef om je. Ik ben gemakkelijk. Ik ben zachtaardig, liefdevol en gul. Ik ben intelligent. Ik kan goed met geld omgaan. Ik ben niet rijk, maar ik heb een leuk huis... al met al heb ik heel wat te bieden. Ik ben dan wel geen cowgirl. Ik ben niet jong. Ik ben niet blond. Maar je zou het best een poosje met me kunnen doen.

4 juni 2002
Gisteravond was een van mijn ergste avonden ooit. Je zei iets over straf verdienen en dat geeft me het gevoel dat ik je moeder ben of zoiets. Maar jij moet jezelf straffen. Aan jezelf verantwoording afleggen voor je daden. Beslissen hoe en waar je elke kostbare dag van je leven wilt doorbrengen.
    Wat mij betreft is het nu mijn verantwoordelijkheid om mezelf te beschermen tegen de slechte keuzes die ik heb gemaakt. Ik moet ook verantwoording afleggen aan mezelf. Ik heb zestigduizend dollar geleend aan iemand die praktisch een vreemde voor me is. Ik wilde geloven dat hij van me hield, maar ik geloof niet dat hij dat ooit heeft gedaan. Nu moet ik mezelf en mijn emoties afschermen voor nog meer pijn. Ik moet straks in de spiegel kunnen kijken en zeggen: 'Ja, dat heb ik gedaan. Het was stom, maar ik heb het gedaan.' En dan mijn leven zo veranderen dat ik nooit meer zoiets stoms doe.
    Ik weet niet hoe het nu met 'ons' verder zal gaan. Ik blijf je niet langer

steunen – *geen nieuwe spullen meer!* En ik zeg de dingen op die me nog verder in het rood doen belanden – de mobiele telefoon, AOL en de creditcard. Je zult het op eigen houtje moeten zien te redden. Schaam je als je me er een keer in laat lopen. Als je dat twee keer (of meer!) doet, is het mijn eigen schuld. Als je erin toestemt elke week naar de AA te gaan (terwijl ik naar Al-Anon ga), zou ik er misschien nog eens over nadenken.

Maar wat ik nu wil, is dat jij naar een van je 'goede' vrienden gaat en kijkt of zij je willen ondersteunen, of zij je in huis willen nemen. Ik help je graag mee verhuizen. Maar ik zou wel willen dat je mijn investeringen achterlaat, al weet ik dat dat je broodwinning is. Daar weet ik geen oplossing voor. Misschien zou je moeder je kunnen helpen...?

Ik weet het niet. Ik weet alleen dat gisteravond voor mij de laatste druppel is geweest.

26

Op 13 juli vinden ze haar auto. Hij staat op een parkeerplaats achter een bedrijf in de buurt van de universiteit, een lichtblauwe Toyota Carolla uit '94, die niet opvalt tussen de auto's van andere studenten. Voorin ligt een krant. Haar laptop is er niet. Haar dagboek ook niet. De bodem ligt vol bierblikjes.

'De zesde leefde ze nog,' zegt de rechercheur. 'Dat is de datum van de krant.'

'Nee,' zegt mam. 'Amy las de krant niet.'

Er worden persconferenties gehouden. Mam is kalm, vriendelijk.

'Als u ons op welke manier dan ook kunt helpen,' zegt ze, 'doe het dan alstublieft. Help ons Amy te vinden.'

De hulpsheriffs controleren de auto op vingerafdrukken. Hij is schoon, met uitzondering van de knop die je moet indrukken om van versnelling te wisselen. Die bevat een volmaakte duimafdruk.

De duimafdruk van Ron Ball.

27

Ik ontwerp een 'vermist-poster' met de foto die ik in het najaar in North Carolina heb gemaakt.

Mam looft een beloning van $ 2500 uit voor informatie die ons kan helpen Amy te vinden. Kimberly-Clark verhoogt het bedrag tot $ 25.000 en geeft Amy's collega's vrij om de posters overal langs Cumberland Avenue op te hangen, de belangrijkste weg in de buurt van de universiteit. Bij de boekhandel, het koffiezaakje, bij Mellow Mushroom, Amy's favoriete pizzeria; bij de delicatessenzaak, het Indiase restaurant, de bank... tot je haar foto overal ziet als je door de straat komt.

Alstublieft, alstublieft, alstublieft.

Mam loopt een broodjeszaak binnen. De foto van haar jongste dochter hangt voor het raam, en binnen op het aanplakbord. Ze kan nauwelijks lunch bestellen.

Agenten gaan te paard op pad. Ze gaan met jetski's het water op en zoeken naar lichamen in de rivier. Ze zoeken in steeds grotere cirkels met speurhonden de omgeving af.

'Die kerel is lui; ze is vast ergens in de buurt,' zegt de rechercheur.

Ron Ball heeft nog een vriendin, zo ontdekken we. Hij verdeelde zijn tijd, loog tegen Amy, vertelde haar dat hij naar Tuscaloosa ging om het huis van zijn oma te schilderen, maar was bij Karen, die ons vertelt dat hij de vierde 's middags wegging en 's avonds terugkwam met een snee in zijn hoofd en bloed op zijn kleren.

'Amy had een lamp naar mijn hoofd gegooid,' zegt Ron Ball.

De zestiende pakken hulpsheriffs Ron Ball op. Ze kunnen hem achtenveertig uur vasthouden wegens rijden terwijl zijn rijbewijs was ingevorderd. Ze stoppen hem in de plaatselijke gevangenis, de kelder naast het bureau van de sheriff.

Mam, Kris en Pat gaan weer naar Amy's huis, maar kunnen er niet in. Ze gaan achterom, waar haagwinde tegen de schutting op klimt, gegroeid uit de zaadjes uit Pats tuin.

'Denk je dat we...?'

Ze gebruiken een lepel om ze uit te graven. Ieder van hen zal er een paar in kartonnen bekertjes planten en mee naar huis nemen. De volgende Kerstmis vinden we allemaal de zaadjes in een envelop in onze sok. 'Van Amy' zal erop staan, in mams handschrift.

Detectives onderzoeken Amy's vloerkleed. Ze halen de zwanenhals van haar wasbak.

De achtenveertig uur zijn te snel om. Ron Ball wordt vrijgelaten en vlucht naar Alabama. Hulpsheriffs gaan achter hem aan.

Zestien dagen lang loop ik te ijsberen en te razen en leef ik maar half. Ik ga sporten. Ik werk. Ik praat met vrienden. Ik eet, ik slaap, ik douche, ik baad, ik loop en ik adem.

Kurt stuurt me een e-mail waarin hij schrijft dat hij begrijpt dat ik erg van streek ben over Amy, maar me vraagt door te gaan met wat er tussen ons speelt, ook al is het moeilijk.

'Het spijt me dat ik er nu niet over na kan denken,' schrijf ik terug. 'Ik ben alleen maar bezig met de zoektocht naar Amy en hoewel ik je aanbod om te helpen en je flexibiliteit in het opvangen van onze dochter waardeer, kan en wil ik nu niet over het verleden of de toekomst van ons huwelijk praten. Het spijt me als dat je teleurstelt.'

Hij schrijft snel terug. Kennelijk is mijn angst om over ons huwelijk na te denken of erover te praten 'vreemd', maar hij hoopt dat wie het ook is over wie ik droom het waard is om een eind aan ons huwelijk te maken en hij zegt dat zijn advocaat de zaken in gang zal zetten. Hij zegt uitdrukkelijk dat hij weet dat ik veel aan mijn hoofd heb, maar dat hij de scheiding net zo lief snel achter de rug heeft.

Hij dreigt geen alimentatie te zullen betalen, de voogdij te zullen opeisen. Vervolgens neemt hij dat terug. Hij zal niet proberen me mijn dochter af te nemen. Hij belt telkens en telkens weer, niet-aflatend. Soms komt hij naar me toe in de hoop me over te halen hem terug te nemen.

Telkens als de telefoon gaat spring ik op.

'Hou daarmee op,' zegt Kurt.

'Het zou Amy kunnen zijn,' zeg ik.

Dat zou kunnen, en dat hoop ik ook, maar in mijn hart denk ik eerder dat het de rechercheurs zullen zijn. De rechercheurs of mijn moeder of mijn zus of iemand anders die me het akelige nieuws zal vertellen.

Het telefoontje komt op 22 juli.

'Janine, met mam. Ze hebben Amy gevonden.'

Ik hoor aan haar stem dat ze een woord weglaat. Ze hebben Amy niet gevonden, ze hebben Amy's *lichaam* gevonden. Dat weet ik. Ik hoor het aan de akelige kalmte van haar stem. Ze hebben niet mijn pientere, grappige, bruisende zus gevonden. Alleen haar lichaam.

Ik zwijg en verbaas me erover dat mijn moeder die woorden überhaupt kan uitspreken, laat staan met zoveel waardigheid. Ik ben ook verbijsterd, verbluft. Ik wist dat het eraan zat te komen en toch is het niet te bevatten.

'Weten ze het zeker?' vraag ik.

'Kimberly-Clark stuurt iemand vanuit Atlanta met haar tandarts-gegevens,' zegt ze, 'maar ze zijn er vrij zeker van dat het Amy is.'

Ik wil details vragen over hoe en waar en wie, maar in plaats daarvan zeg ik dat ik eraan kom.

'Oké, lieverd,' zegt ze.

Het gesprek is kort. Ze vertelt me wie er nog meer komen en waar we elkaar zullen ontmoeten. We hebben mobiele telefoons, dus de logistiek hoeft nog niet heel exact te zijn.

'Ik hou van je, mam,' zeg ik.

'Ik hou ook van jou.'

In onze familie zeggen we het altijd. Zelfs voor die tijd. Voordat we zeker wisten dat een van ons kon verdwijnen. We zeggen het omdat het is wie we zijn, het is wat ons als familie verbindt. Om de een of andere reden geeft dat troost, omdat het betekent dat ik het ook tegen Amy heb gezegd. Ik heb het tegen Amy gezegd, dus misschien heeft ze het op het laatst geweten. Alsjeblieft, ik wil dat ze het weet.

Ik hang op en bel Kurt.

'Ze hebben Amy's lichaam gevonden,' zeg ik, 'en ik moet naar Knoxville. Je moet Sarah bij je houden.'

'Ik kom eraan,' zegt hij.

Hij verschijnt zonder een shirt, zegt dat hij rechtstreeks van basketbal komt. Hij is echter wel thuis geweest om onze airmiles-passen op te halen, dus het was een bewuste keus geen shirt te dragen.

Ik pak een koffer in terwijl hij een vlucht regelt. Hij betaalt het ticket van duizend dollar met zijn creditcard zonder iets te zeggen. Ik ben hem dankbaar. Ik heb dat geld niet, maar ik kan er nu niet over nadenken. Ik moet nu bedenken wat ik voor de reis nodig heb en wat ik moet doen om te zorgen dat alles goed gaat in huis terwijl ik weg ben. Ik vraag me ook af wat Kurt zal vinden als hij inlogt op mijn computer. Staat er iets op wat hem kwaad zal maken? Ik wil eigenlijk de trap op lopen naar mijn kantoor om mijn computer te beschermen met een wachtwoord, maar ik heb geen tijd. Ik moet naar het vliegveld en het is twee uur rijden.

Ik rij mijn koffer de slaapkamer uit en bedank hem dat hij die vlucht voor me heeft geregeld.

'Ik weet niet wanneer ik terug ben,' zeg ik.

Hij komt naar me toe en slaat zijn armen om me heen.

'Ik vind het heel erg,' zegt hij, en dan drukt hij zichzelf tegen me aan en kust me in mijn hals.

'Hou op,' zeg ik, en bevrijd me uit zijn armen.

Hij pakt me weer vast.

'Hou op,' zeg ik weer, me tegen hem verzettend. 'Raak me niet aan.'

Ik begin te snikken, te gillen, met mijn armen te slaan.

'Ik wil niet dat je me aanraakt. Ik wil niet dat je me troost, ik wil je niet in mijn buurt hebben. Ik moet weg.'

'Vertel me wat er aan de hand is,' zegt hij kwaad.

'Nee,' zeg ik, 'ik moet weg.'

Ik duw hem opzij en sleep mijn koffer naar de auto.

Hij snauwt me achterna: 'Jij kunt gewoon niet lief doen.'

28

Het heeft geen zin om te huilen, om te schreeuwen. Ik concentreer me op de rit naar het vliegveld en de vlucht naar Knoxville om mijn moeder te steunen en me door mijn broer en zussen te laten steunen. We gaan het lichaam van mijn zus identificeren en opeisen.

Ik wil iets of iemand slaan vanwege het afgrijzen, vanwege het besef dat tot me door begint te dringen, dat mijn zus echt dood is, dat ze de volgende keer dat ik haar bel niet zal opnemen, dat ze nooit, nooit, nooit meer zal opnemen.

Ik herhaal het steeds weer. 'We gaan het lichaam van Amy identificeren en opeisen.'

Ik bel mijn vrienden Vickie en Greg en vertel ze dat ik onderweg ben om het lichaam van mijn zus te identificeren en opeisen. Ze verbazen zich erover dat ik zo kalm klink, zo rationeel. Ik ben rationeel omdat het te vroeg en te laat is. Te vroeg om me te laten gaan, te laat om haar te redden. Ik zit in het vagevuur daartussenin. De kalmte, het oog van de storm, waar ik de ene voet voor de andere kant zetten, kan ademhalen, alles kan doen omdat er iets gedaan moet worden, en zolang ik me kan concentreren op de details van het boeken van mijn vlucht, koffers inpakken en mijn vliegtuig halen, kan ik dat ook. Ik kan me concentreren op die dingen, piekeren over die dingen, zodat ik niet hoef te denken aan mijn arme kleine zusje, die misschien nooit een gelukkige periode in haar leven heeft gehad, die bruut is vermoord door een man van wie ze niets anders wilde dan liefde. Amy, die nooit een goede relatie heeft gehad met een man, nog nooit een relatie met een goede man.

Amy, die zo graag bemind wilde worden, stierf een pijnlijke, angstige dood.

Mijn eigen pijnen komen samen in een razende, woedende, furieuze woede op mannen, die al mijn inspanningen en de inspanningen van andere sterke vrouwen ten spijt toch ons leven bepalen.

Ik rij te hard, ik haal auto's in met zwaaiende kinderen op de achterbank, vrachtwagens met getatoeëerde truckers, bussen en wagens van koeriersdiensten.

Ik snap niet wat ik heb gemist. In gedachten herhaal ik telefoongesprekken. 'Hij laat liefdesbriefjes voor me achter,' zei ze. 'We knuffelen elke ochtend. Hij kookt voor me en houdt rekening met de regels van de Weight Watchers.'

Ik herinner me een foto van hen samen, met hun cowboyhoeden op, glimlachend. Hij draagt cowboylaarzen en een cowboyriem met een grote gesp. Er hangt een gouden kettinkje met een kruisje eraan om zijn hals.

Er moeten toch waarschuwingstekenen zijn geweest. Veel waarschuwingstekenen. Ruzies, woordenwisselingen. Gegooi met aardewerk. Iets. Er moeten waarschuwingstekenen zijn geweest en die heeft zij genegeerd. Dat zou juist ik moeten begrijpen.

Als je mensen de waarheid vertelt, zeggen ze dat je bij hem weg moet gaan, dus kun je het hun niet vertellen voor je eraan toe bent weg te gaan. Misschien was ze nog niet zo ver. Misschien had ze nog hoop – dat het beter zou worden, dat ze hem deze keer niet kwaad zou maken, dat hij van haar zou houden en dat de pijn weg zou gaan als ze slanker was of meer make-up gebruikte, andere kleren droeg of een ander kapsel had.

We zouden haar allemaal hebben opgevangen. We zouden allemaal hebben gedaan wat voor haar nodig was. Als ze had gebeld, zouden we gekomen zijn. We kwamen toen ze kanker had en we zouden nu ook gekomen zijn. Waarom heeft ze niet gebeld?

Ik sla met mijn hand op het stuur, open dan mijn telefoon en kies het nummer van Russ.

'Ze hebben Amy gevonden,' zeg ik.

'Wat vreselijk,' zegt hij.

We zwijgen.

'Zeg "vaarwel, Amy",' zegt hij.

'Val dood.'

'Zeg "vaarwel, Amy",' zegt hij weer. 'Je zult het moeten zeggen en dat kun je in je eentje doen of samen met een vriend. Dus zeg het.'

'Val dood. Ik doe het niet.'

'Zeg "vaarwel, Amy".'

'Nee!' roep ik. 'Ik doe het niet. Ik zeg het niet.'

'Zeg het.'

'Nee.'

'Zeg het.'

Ik wil weer roepen. Ik wil tegen hem schreeuwen, hem een klootzak noemen, maar ik snik.

Hij wacht.

'Ik kan het niet.'

'Je kunt het wel,' zegt hij. Je moet.'

Hij wacht.

Uiteindelijk mompel ik het. 'Vaarwel, Amy.'

'Nog een keer,' zegt hij.

'Nee.'

'Janine. Je moet het doen.'

Ik zwijg. Hij wacht.

'Vaarwel, Amy,' zeg ik nog een keer, duidelijker nu.

Ik adem diep in. De grip die ik op mijn hart had, valt uiteen en de pijn slaat toe.

'Shit,' zeg ik.

'Ik weet het,' zegt hij.

Het is moeilijk autorijden door mijn tranen heen.

Op het vliegveld word ik als een veiligheidsrisico gezien omdat ik vlieg op dezelfde dag waarop mijn tickets zijn gekocht. Ze doorzoeken mijn koffer, laten me met uitgestrekte armen staan terwijl ze met een ding langs mijn lichaam gaan en me daarna met hun handen bekloppen.

'Luister,' zeg ik, 'ik weet dat jullie ook maar gewoon je werk doen, maar mijn zus is vermoord en ik ga haar lichaam identificeren.'

De beveiligingsmensen kijken me uitdrukkingsloos aan. Ze weten het niet, het interesseert hen niet, of ze geloven me niet. Het is niet hun probleem.

Ik pak snel mijn koffers en ren naar het vliegtuig.

Voor mijn tweede vlucht word ik weer gecontroleerd.

'Hebben jullie enig idee wat ik doormaak?' vraag ik.

In Knoxville loop ik door de beveiliging heen en de hoek om naar waar mijn zussen en broer en twee partners op me staan te wachten. We omhelzen elkaar innig en wachten dan op mam.

'Weten we al iets meer?' vraag ik.

Ze schudden hun hoofd, en we praten zacht over wat we wel al weten. We staan voornamelijk heen en weer te schuifelen en op mam te wachten.

Als ze door de beveiliging heen is omhelzen we haar. Haar volwassen kinderen proberen haar op de been te houden. Dit is waarvoor ik gekomen ben, om iets te doen voor deze vrouw die zo heeft geleden. Ik wil dat ze zich kan laten gaan in de wetenschap dat ze goede, sterke, meelevende kinderen heeft grootgebracht die nu volwassen zijn en haar overeind kunnen houden als ze dreigt in te storten.

Maar dat doet ze niet.

We gaan en masse naar het hotel, waar we in aangrenzende kamers met tussendeuren wachten. Ik slaap samen met Jane, Pat met mam.

De tv-toestellen in de kamers staan op verschillende zenders en we lopen telkens daarheen waar Amy's foto op de buis te zien is.

'Politiemensen die de dood van Amy Latus onderzoeken zeggen dat er sprake lijkt te zijn geweest van een driehoeksverhouding,' zegt een zwaar opgemaakte nieuwslezeres.

Mam verstart, alsof ze overeind zal komen om de tv te slaan.

'Hoe kunnen ze dat nou zeggen?' zegt ze. 'Hoe kunnen ze dat zeggen?'

Ze loopt tussen de tv's heen en weer. Net als wij allemaal. Het is niet te bevatten, Amy's prachtige gezicht dat wordt afgewisseld door dat van haar vriend, een lelijke politiefoto.

We mogen van de sheriff een van hun vergaderkamers gebruiken, waar we boterhammen met dikke plakken ham eten en zoete thee drinken.

Telkens als er een rechercheur voorbij komt klampen we hem aan.

'Wat weten jullie? Is er iets nieuws te melden?'

We houden onze mobiele telefoons bij de hand, stoppen ons vol met crackers, chips en frisdrank, alles wat we kunnen om de leegte te vullen.

De tweede dag wandelen we naar een delicatessenrestaurantje in de stad. We mijden de televisiewagens die voor ons hotel staan opgesteld, met hun satellietschotels als buitenaardse ogen op het hotel gericht. We hebben constant het gevoel bekeken te worden.

Mams mobiele telefoon gaat over. Butch, de rechercheur die ons onder zijn vleugels heeft genomen heeft nieuws, zegt hij tegen mam. Hij komt ook naar het restaurant.

Mam gaat sneller lopen. Aan de overkant van de straat worden verlaten gebouwen omgebouwd tot luxe appartementen. De gereedschappen dreunen en de generators maken zoveel lawaai dat het ons overstemt. Het ruikt naar smeltend asfalt.

Butch komt aanrijden in zijn zwarte Crown Victoria. Hij is slank en knap, ergens in de veertig, met lachrimpeltjes en een grappige grijns. Mam stelt ons voor en hij pakt mijn hand met twee handen vast.

'Ik zie de familiegelijkenis,' zegt hij. Hij draait zich om en schudt ook Michael, de man van Kris, de hand. De rest heeft hij al eerder ontmoet.

Hij kijkt mam aan.

'Marilyn, lieverd, het lichaam is met zekerheid geïdentificeerd.'

Ik krijg tranen in mijn ogen terwijl mam hem aankijkt en het nieuws in zich opneemt. Ze sluit haar ogen, opent ze dan weer en knikt.

'Bedankt dat je het me bent komen vertellen, Butch.'

Butch spreidt zijn armen en omhelst mam.

Wanneer hij weg is, gaan we het restaurant binnen en bestellen we broodjes zuurkool en pastrami en hun beroemde koolsla. We praten zacht. 'Herinner je je nog...?' zeggen we, in een poging haar in leven te houden.

Ik staar naar mijn eten. Het nieuws is geen verrassing. Ik wist het al sinds het eerste telefoontje. Ik wist dat dit zou gebeuren en toch ben ik ademloos. Mijn mond is droog en toch smaakt het eten heerlijk.

29

Later rijden we naar het kantoor van de sheriff, Butch voorop. Hij gebruikt zijn pasje om ons de ondergrondse parkeergarage binnen te krijgen en leidt ons dan door een wirwar van gangen, liften en kamers naar de persruimte. Wij stellen ons aan de ene kant van de tafel op. Mam zit in het midden. Zij zal het woord doen. We stellen ezels op met collages over Amy. Op het laatste moment komen pap en zijn vrouw ook binnen.

De sheriff gaat achter mam staan. Hij wil herkozen worden en zijn gezicht is overal op aanplakborden te zien. Hij knikt en hulpsheriffs doen de deuren open. Verslaggevers dringen naar binnen. Er worden statieven opgezet en camera's tevoorschijn gehaald. Televisieverslaggevers testen hun microfoons.

'We hebben Amy's lichaam gevonden,' zegt mam.

De verslaggevers beginnen te vragen. 'Hoe voelt u zich? Vindt u dat het kantoor van de sheriff goed werk heeft verricht? Weet u wie het gedaan heeft?'

Mam blijft waardig.

'De sheriff en zijn mensen heb fantastisch werk verricht,' zegt ze.

'We zijn verdrietig,' zegt ze.

'We zullen haar voor altijd missen,' zegt ze.

De camera's gaan over onze gezichten.

'We willen de mensen van Knoxville bedanken – en vooral haar werkgever, Kimberly-Clarke – voor hun steun tijdens deze beproeving.'

'Zo is het genoeg,' zegt de sheriff uiteindelijk.

De verslaggevers worden de deur uit geloodst. Wij gaan door een andere deur, naar een kantoor achterin.

Pap bekijkt de collages.

'God, wat was ze dik geworden,' zegt hij.

Mam wil Amy's lichaam zien. Ik vind niet dat ze het moet doen en trek Butch de gang in.

'Wat vind jij?'

Butch buigt naar me toe. Hij vertelt zacht dat de rechercheurs waren gebeld door een man die naar een bouwplaats aan een afgelegen landweg was geweest. De man had een hoop zand van de pas uitgegraven fundering zien liggen. Ernaast was nog een hoop zand, maar veel kleiner. Het had echter geregend, dus een deel van het zand was weggespoeld. Hij zag zeildoek liggen, dus schraapte hij nog wat meer zand weg. Het zeildoek was ergens omheen gewikkeld en met elektriciteitskabel vastgebonden. Hij sneed het doek open en belde het alarmnummer. Toen de hulpsheriffs arriveerden, openden ze het zeildoek verder.

Dan beschrijft Butch wat ze zagen.

'Een paar weken onder de grond met deze hitte brengt veel schade toe,' zegt hij. 'Een moeder zou zich haar kind zo niet moeten herinneren.'

Ik knik.

Ik ga terug naar de familie. Mam zegt weer dat ze het lichaam wil zien.

'Butch en ik hebben het erover gehad,' zeg ik, en we vinden dat een moeder zoiets niet zou horen te zien.'

Ze kijkt me even aan en knikt dan.

We gaan terug naar het hotel om een beetje bij te komen. Pap logeert bij een neef, en hij en zijn vrouw gaan daarheen. Ik ben uitgeput. Ik wil huilen. Ik wil slapen. Ik wil mijn koptelefoon opzetten en eindeloos naar Carrie Newcomer luisteren die zingt: '*When one door closes*'. Ik druk op 'play' en geef de koptelefoon in plaats daarvan aan mam. Ze huilt.

Later kruipen we in de auto's en gaan we naar de begrafenisondernemer.

'Ik zal u onze collectie urnen laten zien,' zegt de man.

We kijken elkaar aan. Amy's lichaam zal worden gecremeerd en we nemen haar as mee naar Michigan.

'We willen geen urn,' zegt mam.

'U moet een urn hebben om de as mee in het vliegtuig te kunnen nemen,' zegt hij.

Kris en ik kijken elkaar aan. We zijn allebei journalisten en zijn sceptisch over wat hij zegt.

'Ik zal Delta Airlines even bellen,' zeg ik.

Ik sta in de wacht als pap binnenkomt.

'Hallo,' zegt hij opgewekt, alsof we een buurtfeestje houden.

Hij loopt de kamer rond en deelt omhelzingen en zoenen-op-de-mond uit. Wanneer hij bij mij komt, wijs ik naar de telefoon en steek ik mijn vinger op.

'Even wachten, ik ben aan het bellen.'

Delta komt weer aan de lijn. We hebben geen urn nodig.

'Ik wil het lichaam zien,' zegt pap.

Steve zegt dat hem dat geen goed idee lijkt. Ik zeg dat Butch en ik het erover hebben gehad en dat een ouder zich zijn kind zo niet zou moeten herinneren.

'Ja,' zegt hij. 'Ik wed dat de maden en knaagdieren haar wel flink te pakken zullen hebben gehad.'

De begrafenisondernemer komt terug met de formulieren om Amy's lichaam op te eisen. Omdat ze niet getrouwd was, moeten de ouders daarvoor tekenen. Mam doet het en geeft dan het formulier aan pap. Zijn handen beven. Hij heeft altijd al last gehad van trillende handen, maar nu is er sprake van oncontroleerbaar schokken.

'Zal ik het voor je invullen?' vraag ik.

'Dank je, lieverd.'

Ik schrijf zijn naam en adres en geef het formulier dan weer aan hem voor zijn handtekening, een puntige hanenpoot.

Naderhand blijven we even staan treuzelen op het parkeerterrein.

'Wat doen we nu?'

Er is een Krispy Kreme verderop in de straat. We komen allemaal uit het noorden.

'Laten we gaan,' zegt pap.

We kopen donuts en koffie, en likken, gezeten op harde koude stoelen, de suiker van onze vingers.

Er zullen twee herdenkingsdiensten zijn. We wilden er alleen eentje thuis in Michigan houden, maar Amy's collega's en medestudenten vragen ons er eerst in Knoxville een te houden. Ze willen bij elkaar komen om te rouwen, om ons te laten zien hoeveel ze om haar gaven.

Amy's professoren bellen. Ze willen ons allemaal mee uit lunchen nemen.

'Ze was briljant,' zeggen ze.

'Ze was grappig.'

'Het was een genot haar bij de colleges te hebben.'

De plaatselijke methodistenkerk opent haar deuren. Ik zal een van de grafredes houden. Ik wil voor Amy's vrienden, collega's en docenten staan om het leven te eren van iemand die naar mijn gevoel nog in leven zou moeten zijn.

Die avond zit ik aan het zwembad op het dak in een korte broek en T-shirt, met mijn voeten in het water en een flesje bier naast me. Mijn familie is er ook, de meesten bij het zwembad. We bestellen pizza. Ik schrijf.

'Pap wil hierheen komen,' zegt Steve, met zijn telefoon in zijn hand.

'Als hij komt, moet ik meer aantrekken,' zeg ik.

Mijn broer kijkt ons aan. Hij vindt dit vreselijk.

'Je kunt beter niet komen,' zegt hij in zijn telefoon. 'Ik denk niet dat we ons op ons gemak zouden voelen.'

We eten pizza en praten zacht. 'Ik moet morgen naar de winkel,' zeg ik.

In mijn haast om te vertrekken ben ik vergeten iets voor een begrafenis in te pakken. Of misschien was het niet de haast. Misschien was het ontkenning. Als ik geen begrafeniskleren meeneem, is ze misschien niet echt dood.

Ik ga verder met schrijven. Na een poosje ga ik het hotel binnen. In de gang bel ik Russ.

'Ik ben klaar met haar grafrede,' zeg ik.

'Lees maar voor,' zegt hij.

Ik laat me langs de muur omlaag zakken tot ik tegenover de liften op de vloer zit.

Ik lees snikkend voor.

Hij luistert geduldig.

'Het is prachtig,' zegt hij wanneer ik klaar ben. 'Daar doe je Amy echt recht mee. Lees het me nu nog een keer voor.'

Vroeg op de dag van de crematie loop ik naar het kantoor van Kimberly-Clark, waar ze me een bureau met een computer en een printer geven zodat ik mijn grafrede kan uittikken. Het bedrijf heeft twee bussen gecharterd voor de drie uur lange rit van Atlanta naar Knoxville en honderd personeelsleden vrij gegeven om de dienst bij te wonen.

Later stap ik met mijn familie de methodistenkerk binnen met het hoge, gewelfde plafond, waar de zon door de gebrandschilderde ramen poelen van kleur op de vloer werpt. Ik draag een vormloze zwarte broek en een tuniek, inderhaast gekocht bij een Wal-Mart. De broekspijpen zijn drie keer omgeslagen en nog trap ik erop.

Veel van Amy's collega's en vrienden zitten stilletjes te huilen en snuiten hun neuzen in dotten Kleenex. Ik zal uit dankbaarheid voor altijd Kleenex blijven gebruiken.

Haar baas leest e-mails van collega's voor. Een van haar professoren spreekt, evenals een medestudent. Ze prijzen haar om haar intelligentie, haar zonnige karakter, haar vermogen te luisteren.

Als het mijn beurt is schuif ik langs de knieën van mijn familieleden en loop ik naar de spreekstoel. Ik zet mijn leesbril op en leg mijn papieren recht. Ik pas de hoogte van de microfoon aan, kijk naar het publiek, sla bewust mijn familieleden over, die schouders aan schouder, de handen ineengeslagen op de tweede rij zitten.

Ik schraap mijn keel en begin.

'Ten eerste wil de familie u bedanken voor het feit dat u hier bent, dat u Amy's vrienden bent. Het verbaast ons niet dat u met zo velen bent, want Amy was uitbundig en liefdevol, en trok goede mensen aan. Maar het doet ons goed dat u vandaag gekomen bent om deel te nemen aan deze herdenkingsdienst, dit eerbetoon aan haar leven.'

Daarna praat ik over haar gevoel voor humor, over hockey, over haar liefde voor haar neefjes en nichtjes, over hoe trots ze was dat ze weer was gaan studeren.

'Amy deed alles wat ze deed vol hartstocht,' zeg ik. 'Jullie die met haar werkten kennen haar als ijverig, betrouwbaar en altijd opgewekt. Jullie die haar onderwezen kennen haar als gretig, leergierig en intelligent. Jullie die haar vrienden waren, kennen haar als een eindeloos luisterend oor, een wijze raadgeefster, een bron van hartelijkheid. Wij die haar familie zijn kennen haar als dat alles, maar ook als het kleine meisje met de krullen dat ons overal achterna liep, en ons uiteindelijk voor ging.

Vaarwel, Amy. We zullen je missen.'

Na mij stapt pap achter de spreekstoel. Hij vertelt over een vakantie samen met Amy toen zij een tiener was en hij ergens eind veertig. Hij en mam waren inmiddels gescheiden, dus begonnen hij en Amy hun vakantie met een regionale bijeenkomst voor ouders zonder partner op een camping. Op een avond was hij op weg terug naar zijn camper en nodigde een groep hem uit bij hun kampvuur.

'Het waren Canadezen,' zegt hij, 'en ze boden me een biertje aan, wat ik natuurlijk aannam. Algauw kwam Amy ook kennis met hen maken en ze boden haar een biertje aan. Ze keek me aan en ik deed zo.'

Hij steekt een duim op.

'Na ongeveer een halfuur gaf ik haar een knipoogje en deed ik...' Hij fluit en geeft met zijn hoofd een rukje naar een denkbeeldige kampeerplek... 'en ze staat op, geeft me een kus en zegt tot morgen. Ik blijf zitten en na een minuut vraagt iemand: "Doen jullie Amerikanen dat altijd zo?"

Ik vraag: "Wat bedoel je?"

"Sturen jullie je vrouw altijd eerst naar bed?"'

Daarbij lacht hij en pakt hij de spreekstoel vast.

'Het grappige was,' vervolgt hij, terwijl de mensen nerveus heen en weer beginnen te schuiven, 'dat dat die vakantie nog zeker vijf keer gebeurde, dat de mensen ons aanzagen voor man en vrouw in plaats van vader en dochter. We bereikten het punt dat we het gingen meespelen, en de mensen het idee gaven dat dat inderdaad het geval zou kunnen zijn.'

Pap grinnikt en begint dan een ander verhaal, over hoe hij Amy een paar jaar daarna meenam naar Zwitserland, tijdens een reis die hij had gewonnen met het verkopen van verzekeringen.

'Een van de opmerkingen die ik hier vandaag heb gehoord,' zegt hij, 'is dat Amy goed kon luisteren. Nou, we hadden een fantastische tijd in Zwitserland. We stonden boven op een berg, omringd door mist, en ze rende rond als een wilde haas. Ik riep haar en zei:

"Ik wil dat je even hier komt staan en stil bent." Ze zei: "Waar moet ik dan naar luisteren?" en ik vertelde haar dat ze dat vanzelf zou merken.' Hij zwijgt even. '"Hoe snel hoor ik het?" vroeg ze even later. Dus ik zei: "Leer je mond te houden en te luisteren".'

Hij zwijgt weer.

'Dus we stonden daar en ze zei: "Mijn god, wat is dat?"

Ik zei: "Toen Julie Andrews '*The hills are alive with the sound of music*' zong, bedoelde ze het geluid van de koeien in de dalen. Elke boer heeft een eigen toonhoogte voor zijn koeienbellen, en als je luistert, kun je die horen."

"Dat is echt prachtig," zei ze.'

Hij kijkt naar zijn publiek.

'Dus als die mensen van Kimberly-Clark zeggen dat ze goed kan luisteren, is dat omdat ze heeft geleerd haar mond te houden en mijn advies op te volgen.'

Ik kijk naar Jane, die stijf met haar handen tot vuisten gebald naast me zit. Steve en Ruth houden elkaars hand vast. Pat zit te snikken. Niemand kijkt me aan.

Naderhand spreekt de pastoor de zegen uit en zegt dan tegen de congregatie dat de familie de rouwenden in de naastgelegen ruimte zal ontvangen, als ze ons even een moment voor onszelf willen gunnen. We komen onze bank uit en lopen naar de naastgelegen kamer, waar we de fotocollage hebben opgesteld. We omhelzen elkaar, verbazen ons erover dat er zoveel mensen zijn die hun dag hebben opgegeven om afscheid te nemen van Amy. Dan vinden we onze plekken en opent de pastoor de deur.

Ik heb me vergist in het aantal mensen dat aanwezig is. Er staat een rij van voor tot achter in de kerk. Er zijn mannen, vrouwen en kinderen. Ze willen ieder familielid aanraken. Ons omhelzen, ons de hand schudden.

'Ik weet wie u bent,' zeggen ze. 'Amy had het de hele tijd over u.'

Ze kennen details – dat Kris ooit bij *Oprah* is geweest, dat ik een schattige geadopteerde dochter heb, dat Steve gehoorproblemen heeft, dat Jane aquarellen schildert. Na een halfuur proberen we ons te verspreiden over de rij zodat de mensen niet hoeven te wachten. De gasten willen daar echter niets van horen. Ze willen allemaal met ieder van ons praten. Het is overweldigend.

Een vrouw omhelst me. Ze is Amy's therapeute. 'Ik heb zoveel over je gehoord,' zegt ze.

'Dat kan niet veel goeds zijn geweest,' zeg ik, en we lachen allebei.

Er komt een lange man naar me toe, met zijn tienerdochter achter hem aan. Het is Scott, de man aan wie Amy alles vertelde.

'Wist jij het?'

'Nee,' zegt hij. 'Ik had geen idee.'

Het duurt bijna een uur voor iedereen langs is gekomen, en nog staan er mensen om de foto's heen. 'Weet je nog toen...?' 'Ik vond het geweldig zoals ze...'

De rij valt uiteen en we staan nog steeds in paren en groepjes bijeen. Ik sta weer met de therapeute van Amy te praten wanneer ik mijn vader in mijn perifere gezichtsveld zie opduiken.

'Mijn vader komt deze kant op,' zeg ik zacht. 'Wil je aan hem voorgesteld worden?'

'Nee,' zegt ze en ze wendt zich van hem af.

30

De tweede herdenkingsdienst is een week later, in de openluchtkapel van het jeugdkamp in Michigan waar we als kinderen heengingen. De wind fluistert in de grote lisdodden die als muur dienstdoen, en waar hier en daar koperwieken op zitten. Het is een zonnige en warme ochtend laat in juli. Steve heeft een microfoon en een spreekstoel geregeld. Voor op de spreekstoel hangt een ingelijste foto van Amy, dezelfde als die op de Vermist-posters. Onder de foto heb ik haar Medaille voor Moed en een bos bloemen neergezet. Tientallen mensen kijken ernaar vanaf half afgehakte boomstammen. Ze dragen allemaal kralensnoeren.

Pap en zijn vrouw zitten op de eerste rij rechts. De rest van de familie zit links, de kleine meisjes dragen zoveel kralensnoeren dat ze nauwelijks hun hoofd nog kunnen draaien. Kurt is er ook. Hij is alleen gekomen, om eer te bewijzen aan de familie die hij op het punt staat te verlaten, om te doen wat juist is.

Het plan is dat we allemaal een grafrede houden. Pat begint en legt uit waarom de ceremonie hier plaatsvindt, in het jeugdkamp waar Amy zo gelukkig was. Mam spreekt trots over Amy's kracht, haar levensvreugde, haar liefde voor haar familie; en met spijt over de dingen die ze graag anders had willen doen. Ze hangt een zelfgemaakte regenboog aan de spreekstoel, omdat Amy zo van regenbogen hield. Ze zet ook een oude hoed op haar hoofd. Het is de hoed die Amy droeg toen ze zoveel haren had verloren door de chemotherapie.

Steve houdt een borduurwerk in kruissteek omhoog dat Amy voor hem heeft gemaakt toen hij het huis uit ging om te gaan studeren. 'D.O.A.' staat erop. Dat staat voor 'doorgaan ondanks alles', een uitspraak die tijdens een zomerse wandeltocht beroemd is geworden in onze familie. 'Maar in Amy's geval staat de D voor doorzettingsvermogen,' zegt hij. 'De O voor optimisme. De A voor aanzienlijk. Haar aanzienlijke pienterheid, gevatheid, loyaliteit en opmerkzaamheid.' Hij leest stukjes voor uit haar brieven, bewaard in plastic mapjes in een ordner, een stukje voor elk van zijn zussen.

Wanneer het Janes beurt is praat ze over Amy als een bron van inspiratie, een rolmodel dat pas een paar jaar geleden was afgestudeerd en haar grote zus inspireerde hetzelfde te doen. Ik praat over haar pizza's, haar trots over haar gewichtsverlies, haar studie en haar nieuwe huis. Kris vertelt over hun capriolen op de middelbare school en over hoe blij ze was dat mam en John trouwden en ze Amy als zus kreeg. Oma kon niet komen, dus leest Pats echtgenoot een brief van haar voor waarin ze ons eraan herinnert dat Amy haar kleine Zsa Zsa was, die altijd in oma's kast dook op zoek naar zijdeachtige nachtjaponnen en sjaals die ze droeg als boa's.

Dan is mijn vader aan de beurt, en hij herhaalt de grafrede die hij heeft gehouden in Knoxville. De eerste keer was erg. De tweede keer is afschuwelijk, omdat we weten wat er komen gaat.

Als iedereen is uitgesproken vormen we een halve cirkel voor de kapel. 'Ik zag wel, meneer, hoe u naar haar keek, toen zij voorbij kwam lopen...' zingen we, net als op haar bruiloft. 'Ging toen uw hart niet van... boem... boem de boem? En slaakte u niet... een zucht? Eens verliefd op Amy, voor altijd verliefd op Amy...'

We snikken zo hard dat we nauwelijks kunnen zingen.

Aan het eind nodigen we iedereen uit in een kring te gaan staan en elkaar de hand te geven. Omdat dit een kamp is en omdat het traditie is zingen we 'Kumbaya.' De verbonden kring, de vertrouwde woorden, de wind in de grote lisdodden... dat alles tezamen brengt me vrede. Op dat moment ben ik niet alleen.

Aan het eind van de dienst verzamelt mam ons, kinderen, achter de spreekstoel. Onze neven, nichten, ooms en tantes en oude vrienden staan nog zachtjes met elkaar te praten, over de moord en over de dienst.

'Denken jullie dat we hier wat kunnen verspreiden?' vraagt mam.

'Natuurlijk,' zeggen we.

'Liever om vergiffenis vragen dan om toestemming,' zegt mam.

Ze opent de doos die Amy's as bevat, maakt het sluitinkje los dat de plastic zak erin dichthoudt en schudt er een beetje uit. De harde stukjes vallen meteen op de grond; het grijze stof drijft weg op de bries, de lisdodden in.

Mam en pap hebben de as verdeeld; pap heeft zijn deel op het katholieke kerkhof begraven, aan de voet van het graf van mijn tweelingzusje Janette. Beiden namen weinig ruimte in beslag.

Ik ben niet naar die ceremonie geweest, omdat het katholicisme me de kriebels bezorgt en pap me de kriebels bezorgt en ik nog niet heb ontdekt dat zijn kant van de familie uit vrijgevige en liefdevolle mensen bestaat. Toen ik het huis uitging, verliet ik ook hen en ik ontmoet mijn neven en nichten nu pas weer als volwassenen. Ze verbazen me. Ze zijn vriendelijk en loyaal. Ze zouden alles voor ons doen, gewoon omdat we familie zijn.

'Amy zou niet op een katholiek kerkhof begraven willen worden,' zeg ik tegen mijn broer en zussen.

'Daar heb ik over nagedacht,' zegt Steve, 'maar ik geloof dat Amy het prima vindt om op ongeacht welke plek te zijn die voor haar dierbaren iets bijzonders betekent.'

Ik probeer net zo ruimdenkend te zijn. Wat me ervan weerhoudt hem nog verder tegen te spreken is dat ik niet geloof dat Amy's as Amy zelf vertegenwoordigt. Het doet me plezier dat die as de aarde zal voeden, maar Amy zit niet in het grijze poeder en de stukjes bot. Toch is het naar mijn gevoel heiligschennis om haar daar te begraven.

Ik besluit dat het er niet toe doet. Het is maar een plek. Een plek onder een boom als ik het me goed herinner, al ben ik er mijn hele leven amper tien keer geweest.

Na de dienst rijden we allemaal naar oom Sandy en tante Darla, waar hun familieleden hamburgers, aardappelsalade, gevulde eieren, brownies, koek en gebak klaar hebben gezet. Kurt loopt tussen de familieleden rond en neemt afscheid. Ik weet dat het gênant voor hem is om hier te zijn, omdat hij weet dat ze weten dat we uit elkaar zijn. Hij praat met mijn tantes, Sue en Darla, allebei liefhebbende vrouwen die hun mannen altijd door dik en dun, in goede en slechte tijden hebben bijgestaan. Hij neemt afscheid van de familie die de zijne is geworden. Als hij met iedereen heeft gesproken omhelst hij mij, huilend. Dan zwaait hij en loopt hij weg.

Ik kan daar alleen maar blijven staan, mijn hart verscheurd door dubbel verdriet, om mijn huwelijk en om mijn zus.

Mijn tantes vullen de leegte die hij achterlaat.

'Weet je het zeker?' vragen ze. 'Hij is knap. Hij is intelligent. Hij verdient veel geld.'

Even ben ik kwaad. Nee, ik weet het niet zeker, wil ik zeggen. Ik was welvarend en nu zal ik moeten beknibbelen; ik was het middelpunt van zijn wereld en nu ben ik alleen. Het leek me gewoon wel geinig om een eind te maken aan mijn huwelijk, om te kijken hoe leuk het is om solo te vliegen.

'Ik weet het zeker,' zeg ik.' Het spijt me, maar ik weet het zeker.' Ze omhelzen me allebei.

'We staan achter je, lieverd,' zegt de een, 'wat je ook beslist.' Ik leun even tegen haar aan. Ik ben dankbaar.

Mijn neven en nichten lopen rond, praten met elkaar, letten op elkaars kinderen. Mijn stiefdochter is er, bij de jonge volwassenen. Mijn dochter is er; ze vermaakt zich uitstekend in de hangmat, in de zandbak en onder de voeten van de volwassenen die hun gesprek niet eens onderbreken om haar weg te houden bij de hete barbecue of om haar op te rapen wanneer ze gevallen is.

Ik heb zo lang geïsoleerd geleefd dat ik me daarover verbaas. Het is als een vreemd land voor me, deze plek waar mijn dochter door zo velen wordt omarmd. Zoveel mensen die klaar staan om haar op te rapen als ze valt, letterlijk of figuurlijk. Mijn zicht is vaag door tranen van dankbaarheid.

'Dank je,' zeg ik tegen oom Sandy. Hij heeft de leiding over de barbecue en zijn volwassen dochters coördineren de rest.

'We zijn gewoon heel trots op je, lieverd.'

Hij slaat zijn armen om me heen en ik leun tegen hem aan. Ik wil niet janken, maar hier zou dat geen probleem zijn. Dit is familie.

De volgende ochtend trekt de familie naar Lake Michigan. We zijn op weg naar Hagar Township Park, waar oma Amy altijd mee naar toe nam als ze bij haar op bezoek was. Het park zelf is een schaduwrijke plek vlak bij Highway 33, de oude tweebaansweg die langs het meer loopt. Ik herinner me dat ik op de middelbare school zat en met mijn rammelende Pinto naar oma reed. Ik ging langs deze weg naar het strand en maakte me zorgen over bumperstickers waarop stond: 'Bid voor me, ik rij over de 33'.

We laden onze koelboxen, koekjes, lunch en frisdrank uit. Ik bedenk weer dat wij nu de tantes zijn die thanksgiving- en kerstdiners klaarmaken, degenen die op de achtergrond aanwezig zijn bij familiebijeenkomsten.

We pakken camera's en vliegers, bellenblaas en handdoeken en lopen met negentien man sterk de pakweg honderd traptreden af die ons naar het strand zullen brengen. De kinderen rennen meteen naar het water. De volwassenen spreiden dekens en handdoeken uit.

Uiteindelijk roept mam ons tot de orde.

'Ik denk dat het tijd is,' zegt ze.

'We moeten een foto maken,' zegt iemand.

Natuurlijk. We zijn samen. We moeten een foto maken. Voor Amy stierf was het grappig, onze behoefte om altijd foto's te maken, maar nu beseffen we dat het onze laatste zou kunnen zijn. Het zou onze laatste gezamenlijke foto kunnen zijn.

Dan haalt mam de plastic zak met as uit de doos. Het water is rustig vandaag en ze loopt er tot aan haar middel in, gewoon met haar kleren aan. De kleinste kinderen blijven op het strand, maar de rest van ons waadt achter haar aan. Ik sta het dichtst bij mam wanneer ze de zak opent, dus houdt ze hem mij voor. Ik had gedacht dat ze hem zou omkiepen en de as laten wegwaaien. Maar ze houdt hem me voor alsof ik mijn hand in het gruis moet steken dat het enige is wat er nog van Amy's lichaam rest. Ik weet niet hoe ik dit moet doen. Ik weet alleen dat de jongeren naar me kijken. Mijn moeder kijkt naar me.

Ik reik in de zak en haal er een handvol uit. Het voelt aan als de resten onder in de open haard. Fijne as, kleine stukjes bot. Ik stap opzij en zoek in mezelf naar iets heiligs. Ik sluit mijn ogen en herinner me Amy's lach. Ik zie haar met de door een ballon aangedreven raceauto spelen die ik haar ooit met Kerstmis gaf. Ik zie haar omringd door quiltlapjes. Ik zie haar juichen voor haar hockeyteam. Ik zie haar bellenblazen en vliegeren en tegen me zeggen: 'Vertrouw op je instinct. Je hebt een geweldig instinct.'

'Vaarwel Amy,' zeg ik weer terwijl ik as tussen mijn vingers door laat lopen.

Ik word omringd door mensen die van me houden, die naar voren stappen, een handvol pakken en hun eigen ritueel van absolutie en afscheid uitvoeren. Mam kijkt om zich heen.

'Is iedereen geweest?'

Ze sluit even haar ogen en kiept dan de zak om en laat Amy's as in het meer vallen waar ze zo dol op was.

Het blijft even stil en dan lopen de aangetrouwden en de jongeren terug naar het strand, terwijl mams overlevende kinderen dicht om haar heen gaan staan.. We slaan onze armen om elkaar heen en buigen ons hoofd, Steve, Jane, Janine, Pat en Kris. We staan stilletjes in de zachte golven te huilen. Ik hoop opnieuw dat onze kracht op de een of andere manier mam overeind zal houden, die nooit iemand nodig lijkt te hebben.

We snikken, maar zijn sterk. Mam steekt haar hand in haar zak op zoek naar een tissue en maakt dan een geluid dat half lach half snik is.

'Wat voor idioot,' zegt ze, 'loopt er nou Lake Michigan in met Kleenex in de zak van haar korte broek?'

We lachen allemaal en laten elkaar dan los. Ik loop terug naar het strand, in de armen van mijn stiefdochter, die al zo groot en sterk is. We halen de bellenblaas en de vliegers tevoorschijn, omdat dat de dingen zijn waar Amy van hield. We gooien een bal naar elkaar over in de golven. We gooien zo hoog dat de ander moet springen om de bal te kunnen vangen of gooien hem vlak voor het gezicht van de ander in het water, zodat die nat gespat wordt. Steve gooit de bal naar ondiep water, voor Claire, die zijwaarts duikt om hem te vangen. Ze schudt zand uit haar topje als ze weer bovenkomt.

Volgens mij kreeg ik een beetje van tante Amy in mijn bikini,' zegt ze, en we lachen.

Later zullen we dozen vol foto's doorkijken die we uit Amy's appartement hebben meegenomen. 'Weet je nog?' zullen we zeggen. 'O, mag ik die?' We zullen de foto's verdelen. Ik ben geroerd door de herinneringen, maar ook door het grote aantal foto's en kaarten. We gaven om haar. We hielden contact. We namen deel aan elkaars leven. We waren een goed gezin. En toch is dit gebeurd. Dit is gebeurd en ze heeft het aan niemand verteld. De foto's laten zien dat we van haar hielden. Kijk maar. We raken haar aan. We hebben onze armen om haar heen geslagen. Ze wist het. Waarom dacht ze dan dat deze man oké was? Waarom was hij de beste voor haar?

Ik voel de woede in me naar boven komen. Ik wil hier zijn om te vieren en te delen, maar ik voel boosheid, schuldgevoel en schreeuwende woede.

'Ik ben boos op Amy. Jullie ook?' vraag ik mijn broer en zussen. 'Soms. Maar niet nu. Niet vandaag.'

Ik probeer het los te laten.

En dan begin ik weer te huilen, voel ik weer de afgrond van het verlies. Het drama van haar moord heeft me erbij vandaan gehouden, maar nu ligt die afgrond bodemloos voor me. Ze is er niet meer. Ze zal er morgen niet meer zijn en met Kerstmis niet en ook niet op de trouwdagen van mijn dochters. Ze zal er nooit meer zijn, de rest van mijn leven niet.

31

'Ik krijg nog duizend dollar van je voor dat vliegticket,' zegt Kurt. 'En wanneer denk je de extra tijd te compenseren dat ik Sarah bij me heb gehouden?'

Ik ben nog geen week thuis. Het huis galmt van leegte en herinneringen, aan mijn voorbije huwelijk, aan de bezoeken van mijn zus. Ik dwaal door de vertrekken. Hier heb ik brood, lasagne en kerstkoekjes gebakken. Hier hebben we met een markeerstift op de vloer van mijn kantoor geschreven: 'Hier werkt een schrijfster,' net voordat er nieuw tapijt werd gelegd. Hier serveerden we bagels na de logeerpartijen van vriendjes en vriendinnetjes, en pizza tijdens de tienerfeestjes waarbij wij steeds in de buurt bleven en net vaak genoeg het licht aandeden om te zorgen dat het er netjes aan toe bleef gaan. Hier sloeg de rookdetector aan door de kaarsjes op een verjaardagstaart en hier naaide ik Halloweenkostuums, verkleedkleren en feestjurken.

Om de hoek schakelt de bewegingsmelder het licht aan. Ik verstar en mijn hart bonkt in mijn oren. Hij is weer hier, iets verderop in de gang, klaar om boven me uit te torenen, met zijn vinger in mijn borst te priemen, me te beschuldigen en uit te schelden. Ik buig me over een prullenbak en geef over. Mijn lichaam luistert niet naar mijn verstand dat zingt: 'bewegingsmelder, bewegingsmelder.' Ik blijf stil staan tot de lamp weer uitgaat. Ik wil Amy bellen, maar die is nog steeds dood. Zo formuleer ik het in gedachten – nog steeds dood – alsof dat ooit nog zal veranderen.

In augustus krijg ik een e-mail van mam. 'Ik had er vandaag zo genoeg van om niet te kunnen wandelen vanwege de regen,' schrijft ze, 'dat ik gewoon mijn regenjas aan heb getrokken en toch ben gegaan. Ik dacht, dan kan de regen zich mengen met mijn tranen en ziet niemand het verschil.'

Ik begrijp het.

Het huis staat te koop. Onze foto's zijn van de muren gehaald, de tekeningen en schilderijen van de kinderen opgeborgen. De echtscheiding is definitief uitgesproken en Kurt heeft zijn volgende vrouw al gevonden. Ze is een van zijn babysitters, eenentwintig jaar jonger dan hij.

Ik ben eenzaam en verlang naar iemand, wie dan ook. Ik wil dat het iemand iets kan schelen wanneer mijn vliegtuig landt. Ik wil dat iemand mijn verhalen wil lezen. Ik wil iemand die ervoor zorgt dat ik genoeg ben.

'Dat moet van binnenuit komen,' zegt Vickie.

'Ik weet het,' zeg ik. 'Ik weet het.'

Maar ik weet het niet. Ik hou toespraken over hoe je een schrijver wordt, en de mensen applaudisseren.

Ik publiceer in grotere en betere bladen, en de mensen schrijven brieven naar de redacteurs, die mij weer bellen. 'Schrijf nog eens wat voor ons,' zeggen ze.

Ik geef parttime les op mijn alma mater, waar studenten wedijveren om mijn colleges bij te wonen.

Het zou allemaal genoeg moeten zijn, maar dat is het niet.

In een koffiezaakje vraagt iemand me of de dood van Amy me opnieuw aan het denken heeft gezet over mijn echtscheiding.

Ik kijk haar aan, denk na, nip van mijn koffie.

'Ja,' zeg ik uiteindelijk. 'Die heeft me nog vastbeslotener gemaakt. Het leven is te kort om bang te zijn.'

De paar jaar daarna ga ik wel met mannen uit, maar heel behoedzaam. Eén man zegt tegen me dat ik mijn mooie kleine hoofdje nergens over hoef te breken. Een andere zegt dat hij graag de leiding heeft. Daarmee bedoelt hij dat hij dominant wil zijn. Seksueel dominant. Ik geloof hem op zijn woord.

Een andere ontmoet me voor een strandwandeling. Hij noemt zijn dochter een slet en zegt dat een vrouw die we tegenkomen in het openbaar geen bikini zou mogen dragen.

Een andere man ziet me met mijn leesbril op en zegt: 'O, je gaat voor de sexy-secretaresse-look.'

Ik kijk hem over mijn bril heen aan.

'Dan toch altijd "sexy baas" voor jou,' zeg ik.

Weer een andere man vergast me op een monoloog over zijn reis naar Europa, vertelt eentonig over ieder hotel, elke treinreis, elke middelmatige maaltijd, tot hij eindelijk bij Amsterdam aankomt en even ademhaalt. Ik onderbreek hem.

'Dat is een progressief land,' zeg ik.

'Progressief? Het is het enige land waar de prostituees me de lust benamen. Normaal praat ik graag even met een meisje voor ik begin, maar daar kies je ze gewoon uit in een etalage, kruip je erop en ga je weer weg.'

Ik staar hem aan.

Er zijn ook leuke afspraakjes, met mannen met wie het iets zou kunnen worden als ze niet nog getrouwd waren – maar ik voel me gescheiden, of oud, of dik, of niet tot een leuk gesprek in staat.

Ik duw degenen weg die te dichtbij komen, op zoek naar boosheid, naar jaloezie in hun ogen. Ik vertrouw hen niet. Ik vertrouw mezelf niet. Ik plaag er eentje met zijn accent.

'Daar zal ik je om moeten vermoorden,' zegt hij.

Hij meent het niet.

Ik plaag een andere en hij maakt een wurgend gebaar met zijn handen. Hij maakt een geintje, maar het is niet grappig. Later realiseert hij zich wat hij gedaan heeft en biedt hij zijn verontschuldigingen aan.

Ik word kortstondig waanzinnig verliefd op een danser met de handen van een ambachtsman.

'Ben je van plan me te vermoorden?'

Ik doe mijn best hem te geloven.

Ik schrijf, maar de jacht op opdrachten, honoraria en ononderbroken werk wordt me te veel, dus solliciteer ik bij een aantal universiteiten. Ik krijg twee aanbiedingen. Eentje uit Miami in Ohio, waar een professor die Kerry heet me van het ene gesprek meesleept naar het andere, en me daarna uitnodigt iets met hem te gaan drinken.

'Het zou een geweldig programma zijn,' zegt hij. 'Je zou er een fantastische aanvulling op zijn. Je bent erg energiek.'

Het andere aanbod is van de Universiteit van East Carolina, die me ongezien wil aannemen, puur op mijn diploma's en getuig-schriften. Die school is minder goed en staat midden in de tabak-streek, waar weinig kans bestaat dat ik verwante zielen zal tegenko-men. Maar niemand daar heeft me nog ontmoet, dus ze kunnen me het aanbod niet doen omdat ze met me naar bed willen. Hoewel ik weet dat het Kurts woorden zijn die nog nadreunen in mijn hoofd en dat het niets met de belangstelling van Miami voor mij te maken heeft, neem ik toch de baan in East Carolina aan.

Kurt probeert me ervan te weerhouden onze dochter mee te nemen, maar doet me uiteindelijk een voorstel. Als ik afstand doe van bezittingen ter waarde van anderhalf jaar salaris, mag ik haar meenemen waarheen ik wil. Ik teken, en we zijn vrij.

Ik ben alleen en blut in een onbekende stad en het leven is goed. Vredig en goed.

Op een dag krijg ik een e-mail. Ron Balls vonnis zal worden uitge-sproken op 5 april 2004, bijna twee jaar nadat hij mijn zus heeft ver-moord. Hij bekent schuld aan doodslag. Ik bel mam. Ik bel Jane. We bellen elkaar, we bellen de advocaten, we bellen de contactpersoon van het bureau van de openbare aanklager, een vuurvreetster die ge-acht wordt onze zaak te behartigen, maar in plaats daarvan de advoca-ten belemmert. We vliegen weer naar Knoxville.

In de rechtszaal zie ik voor het eerst de man die mijn zus heeft ver-moord. Ik staar hem aan. Hij kijkt terug. Ik zie geen wroeging in zijn ogen, maar ook geen boosaardigheid. Hij is gewoon een eenen-veertigjarige man met normale handen waarmee hij de keel van mijn zus heeft dichtgeknepen tot ze doodging.

In gedachten voeg ik er 'schreeuwend en schoppend' aan toe, maar dat heeft geen zin. Telkens als ik aan haar dood denk, bereik ik dat punt, en het ligt te zeer voor de hand om het erbij te hoeven zeggen. Natuurlijk heeft ze geschreeuwd en geschopt.

'Edelachtbare, in zaak 75586 bekent Ronald Lee Ball schuld aan de eerste tenlastelegging, voor moord zonder voorbedachten rade. Dat is een ernstig misdrijf. Een honderd-procent, gewelddadig-misdadig misdrijf. En de overeengekomen straf bedraagt achttien jaar.

Hij bekent ook schuld aan de tweede tenlastelegging, voor het misbruik van een lijk... De aanbevolen straf is twee jaar, uit te zitten opeenvolgend aan de eerste straf, wat tot een totale veroordeling van twintig jaar leidt.'

De aanklager zegt iets over de mogelijkheid tot strafvermindering, geeft statistische details en ik doe wat rekenwerk. Ron Ball zal misschien maar iets meer dan zestien jaar moeten zitten. Omdat hij mijn zus het leven heeft ontnomen. Hij zal vrijkomen tussen zijn zevenenvijftigste en eenenzestigste, jong genoeg om weer lief te hebben, jong genoeg om weer te moorden.

We vinden het niet bevredigend. Later vertelt de assistent-aanklager ons dat je om in Tennessee een veroordeling voor moord met voorbedachten rade te krijgen praktisch een brief moet schrijven waarin je precies uiteenzet wanneer, waar en hoe je iemand wilt gaan vermoorden.

'Als Ball haar had neergeschoten en -gestoken zou de aanklacht zelfs nog lager zijn uitgevallen,' zegt hij, omdat je dat impulsief kunt doen, uit hartstocht. Het kost veel tijd om iemand de keel dicht te knijpen, dus je hebt voldoende gelegenheid om je te bedenken. U mag al blij zijn met deze uitspraak.'

De rechter luistert naar de tenlasteleggingen en wendt zich dan tot Ron Ball.

'Hebt u uw schuldbekentenis vrijwillig afgelegd?'

'Ja, meneer,' zegt Ball.

'En bent u schuldig?'

Het is stil in de rechtszaal. De familie buigt naar voren. Er is sprake van een korte aarzeling.

'Ja, meneer.'

De familie verstart. Ik wil wel over het hekje springen en met mijn nagels door zijn gezicht klauwen. Het is een primitief gevoel en ik schaam me, maar dat is wat ik wil doen, hem tot bloedens toe krabben. Ik grijp de leuning van de stoel voor me vast.

Onze enige troost is dat we ons nu niet langer hoeven af te vragen wat voor straf hij zal krijgen.

Mam staat op om een slachtofferverklaring af te leggen. Het is een formaliteit, omdat Ball al schuld bekend heeft, maar het geeft ons in elk geval het gevoel dat we iets in te brengen hebben gehad, en misschien zal er rekening mee worden gehouden als hij in aanmerking komt voor vervroegde vrijlating. Mams stem is kalm en krachtig. Ze kijkt hem recht aan.

'U hebt zelf een dochter,' zegt ze.

Ron Ball wendt zijn blik af.

De rechter slaat met zijn hamertje en vraagt Ball te gaan staan. De agenten komen hem halen en hij komt achter de tafel vandaan met zijn handen achter zijn rug, in de verwachting dat hij geboeid zal worden, maar dat gebeurt niet. Als hij de zaal uitloopt, knipt Ron Ball met zijn vingers en klapt dan in zijn handen in een ritme dat zowel nonchalant als minachtend is.

Hij had evengoed zijn middelvinger kunnen opsteken.

Ik ben uitgeput van een dag vol pulserende, giftige adrenaline. Ik wil alleen maar gaan liggen.

We schuifelen de rechtszaal uit, een ontevreden troep zusters, broer, partners, moeder, een nicht en haar echtgenoot. Mam gaat rechtsaf, naar de televisiecamera's. Met afgemeten stem beantwoordt ze de vragen. 'Ja, we voelen enige mate van genoegdoening,' zegt ze. 'Maar het zal Amy niet terugbrengen.'

Mijn nicht komt naar me toe. Het is meer dan vijfentwintig jaar geleden dat ik mijn thuis en mijn vaders familie de rug toe heb gekeerd. Deze vrouw is een vreemde voor me en toch herken ik haar als familie.

Ze heet Diane. Tot vier jaar geleden woonden zij en haar zeven broers en zussen in Denver, dicht bij hun ouders, mijn midwesterse tante en Italiaanse oom, het soort mensen dat in je wang knijpt, dat altijd hard roept: 'Kom binnen, kom binnen! Welkom!'

Dat weet ik nu. Maar toen wist ik dat niet. Ik dacht alleen dat ze mijn vaders familie waren en dus uit hetzelfde hout gesneden als hij. Niet mijn slag volk.

Diane komt naar me toe en spreidt haar armen.

'Ik vind het zo erg,' zegt ze, en ik stort in, in de gang van het gerechtsgebouw, in de armen van mijn onbekende nicht. Ik leun tegen haar stevige postuur aan en de dam breekt. De tranen stromen over mijn wangen.

'Ik was in Denver en werd in elkaar geslagen en ik heb je niet gebeld,' zeg ik snikkend.

'Je had wel moeten bellen,' zegt ze, ook huilend.

'Hij brak mijn neus en mijn ribben en ik wist niet dat je er voor me was,' zeg ik. 'Ik werd in elkaar geslagen en Amy ook en ik heb haar niet gered.'

Ik heb het gevoel dat ik zal klappen, exploderen, uitbarsten. Diane pakt me nog steviger vast.

'Je had moeten bellen,' zegt ze. 'Dan waren we gekomen.'

'Ik weet dat je gekomen zou zijn,' zeg ik. 'Dat weet ik nu.'

Ik sta te janken. Ik heb een hekel aan janken. Ik wil geen aandacht trekken. Ik wil niet lelijk zijn. Ze houdt me nog steviger vast.

'We zouden gekomen zijn.'

Nawoord

Als je jezelf herkend in dit boek dan ben je niet de enige. Ik dacht dat ik de enige was. Amy dacht dat ook. Maar dat waren we niet. Ik weet dat iemand ons te hulp was geschoten als we erom gevraagd hadden, net als iemand jou zal helpen.

Het vergt moed om je leven te veranderen. Dag in, dag uit moet je steeds opnieuw besluiten die kleine, moedige stappen te zetten om je leven te veranderen. Amy had die moed – volop – en ze heeft tot het einde gevochten. Ik wou dat ik de tijd kon terugdraaien en met haar mee kon vechten. Dan zou ik mijn moed bij die van haar voegen en dan was het misschien wél genoeg geweest. In plaats daarvan zal ik andere vrouwen helpen door geld te doneren aan het Amy's Courage Fund. Dit fonds, dat wordt beheerd door het National Network to End Domestic Violence, zorgt voor toelagen aan vrouwen die moeten vluchten – geld voor huur, buskaartjes, een autoreparatie, of wat voor talloze kleine dingen er ook tussen een vrouw en haar veiligheid in kunnen staan. Voor meer informatie: www.nnedv.org/projects/amysfund.html. In Amy's naam kunnen we levens redden.

Een andere organisatie die het vermelden waard is, is de National Coalition Against Domestic Violence. Deze organisatie biedt onderdak en juridische programma's, verzorgt financieel onderricht en coördineert programma's voor reconstructieve operaties om tenminste de fysieke littekens van geweld te laten verdwijnen. Om bij te dragen of meer te weten te komen, surf naar: www.ncadv.org.

Het minste wat ik van je vraag is een bijdrage aan het debat over misbruik. Praat er met vrouwen over als je vind dat je slecht behandeld wordt; vertel mannen dat er geen enkel excuus is om geweld te gebruiken of om iemand te kleineren. Stel een voorbeeld aan onze kinderen, zodat het huwelijksleven dat ze zullen nastreven, waarmee ze vertrouwd zullen zijn, uit liefde en respect bestaat.

Ga naar www.IfIAmMissingOrDead.com voor meer informatie over dit boek of over het onderwerp.

Als jij of iemand die je kent hulp nodig heeft, wend je dan tot www.huiselijkgeweld.nl. Hier kun je vinden wat je moet doen en bij welke instanties bij jou in de buurt je hulp of onderdak kunt krijgen.

Dankwoord

Ik heb dit boek alleen geschreven en ben daarvoor elke dag diep in mijn herinneringen gedoken. Mijn familie en vrienden hebben me gesteund, zowel tijdens de gebeurtenissen die in dit boek beschreven zijn, als tijdens het schrijven ervan. Daar ben ik hun dankbaar voor.

Mijn dank gaat ten eerste uit naar mijn familie, vooral mijn moeder, omdat ze de moed heeft gehad te onderkennen dat het goeds dat we kunnen doen door onze mond open te trekken zwaarder weegt dan de pijn van het openbaar maken.

Dank ook aan de vele leden van het Amerikaans Genootschap van Journalisten en Schrijvers, die zowel hun vriendschap als hun expertise met me deelden, vooral Jim Morrison, omdat hij me (telkens en telkens weer) vertelde dat ik dapper ben, en Andrea Warner, voor haar liefde, aanmoediging en professionele adviezen. Aan Chloie Piveral, die me hielp de beste woorden te kiezen, en Bridget Bufford, die de schrijfworkshops leidde die veel hiervan naar boven hebben gebracht. Aan Chuck Grant, omdat hij niet alleen geloofde dat ik dit kón doen, maar ook dat ik het zóú doen. Aan Greg Glover, die me liet huilen, Greg Frost, omdat hij me welbespraakter heeft gemaakt en Greg Rohde, voor de heerlijke walsen. Aan de mensen van Elliott's Fair Grounds, die wisten wanneer ze mijn zwijgen moesten respecteren en wanneer ze me uit de duisternis moesten trekken. En aan Chris Williams, omdat hij ervoor heeft gekozen bij me te zijn.

Mijn dank aan mijn agent, Katie Boyle, die dit boek in elke fase heeft toegejuicht, ook al maakte het haar aan het huilen. Aan mijn redacteur, Marysue Rucci, die het beste in mijn schrijverij naar boven heeft gehaald. Aan haar assistente Virginia Smith, omdat ze zoveel details heeft afgehandeld. Aan Elizabeth McNamara, voor

311

haar tijd, geduld en juridische expertise. En aan Simon & Schuster, voor hun enorme toewijding aan dit project.

Mijn dank ook aan het bureau van de sheriff van Knox County, omdat ze ons hebben geholpen Amy te vinden, en de mensen van Kimberly-Clark voor hun medeleven.

Het belangrijkst van al: mijn dank aan de mensen die het echte werk doen – de advocaten, de mensen die de hulplijnen en opvanghuizen leiden, die veilige havens creëren voor vrouwen die moeten vluchten. Ik ben trots dat er zoveel zijn, maar vind het triest dat ze zo hard nodig zijn.

Laat dit boek een oproep voor verandering zijn.